ESTILHAÇA - ME

TAHEREH MAFI

ESTILHAÇA-ME

São Paulo
2025

Grupo Editorial
UNIVERSO DOS LIVROS

Shatter Me
Copyright © 2011 by Tahereh Mafi
All rights reserved

© 2018 by Universo dos Livros
Todos os direitos reservados e protegidos pela Lei 9.610 de 19/02/1998.
Nenhuma parte deste livro, sem autorização prévia por escrito da editora, poderá ser reproduzida ou transmitida sejam quais forem os meios empregados: eletrônicos, mecânicos, fotográficos, gravação ou quaisquer outros.

Diretor editorial: **Luis Matos**
Editora-chefe: **Marcia Batista**
Assistentes editoriais: **Letícia Nakamura e Raquel F. Abranches**
Tradução: **Mauricio Tamboni**
Preparação: **Milena Martins**
Revisão: **Cely Couto e Leonardo do Carmo**
Capa: **Colin Anderson**
Foto de capa: **Sharee Davenport**
Adaptação da capa: **Aline Maria**
Arte: **Aline Maria e Valdinei Gomes**
Projeto gráfico: **Aline Maria**
Colaboração: **Guilherme Summa**

Dados Internacionais de Catalogação na Publicação (CIP)
Angélica Ilacqua CRB-8/7057

M161e

Mafi, Tahereh

Estilhaça-me / Tahereh Mafi ; tradução de Mauricio Tamboni. – São Paulo : Universo dos Livros, 2018.

352 p. (Estilhaça-me ; 1)

ISBN: 978-85-503-0301-7

Título original: Shatter me

1. Ficção norte-americana I. Título II. Tamboni, Mauricio

18-0405   CDD 813.6

Universo dos Livros Editora Ltda.
Avenida Ordem e Progresso, 157 – 8º andar – Conj. 803
CEP 01141-030 – Barra Funda – São Paulo/SP
Telefone/Fax: (11) 3392-3336
www.universodoslivros.com.br
e-mail: editor@universodoslivros.com.br
Siga-nos no Twitter: @univdoslivros

Aos meus pais e ao meu marido, porque, quando eu disse que queria tocar a lua, vocês seguraram a minha mão, me abraçaram apertado e me ensinaram a voar

*Uma estrada se bifurcava em um bosque e eu...
segui pela estrada menos percorrida,
e isso fez toda a diferença.*

— Robert Frost, "The Road Not Taken"

Um

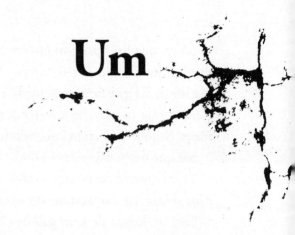

Estou aprisionada há 264 dias.

Não me resta nada além de um pequeno caderno e uma caneta quebrada e os números em minha cabeça, que me fazem companhia. 1 janela. 4 paredes. 13 metros quadrados de espaço. 26 letras de um alfabeto que não usei para conversar nos 264 dias de isolamento.

6.336 horas desde a última vez que toquei em outro ser humano.

– Você vai ter companhia ~~na cela~~ no quarto – eles me disseram.

– ~~Esperamos que você apodreça neste lugar~~ Por bom comportamento – eles me disseram.

– ~~Outra pessoa louca igual a você~~ Chega de isolamento – eles me disseram.

Eles são os escravos do Restabelecimento. A iniciativa que supostamente tinha como objetivo ajudar nossa sociedade decadente. As mesmas pessoas que me arrancaram da casa de meus pais e me trancafiaram em um hospício por algo que está fora do meu controle. Ninguém se importa com o fato de que eu não sabia do que era capaz. Com o fato de que eu não sabia o que estava fazendo.

Não tenho a menor ideia de onde estou.

Só sei que fui transportada por alguém em um furgão branco, alguém que dirigiu por 6 horas e 37 minutos para me trazer até esse lugar. Sei que fiquei algemada a um banco. Sei que fiquei algemada a uma cadeira. ~~Sei que meus pais nunca se dignaram a dizer adeus.~~ Sei que não chorei quando fui levada.

Sei que o céu cai todos os dias.

O sol afunda no oceano e salpica marrons e vermelhos e amarelos e laranjas no mundo do outro lado da minha janela. Um milhão de folhas de cem galhos distintos se entregam ao vento, rodopiando com a falsa promessa de voo. As rajadas seguram suas asas ressecadas só para forçá-las para o chão, esquecidas, deixadas para serem pisoteadas pelos soldados ali estacionados.

Não há tantas árvores quanto antes, é o que os cientistas dizem. Eles falam que nosso mundo um dia foi verde. Nossas nuvens foram brancas. Nosso sol sempre ostentou o tipo certo de luz. Eu, porém, guardo memórias muito ínfimas desse mundo. Não me lembro de muita coisa de antes. A única existência que conheço agora é aquela que me foi dada. Um eco do que um dia foi.

Pressiono a palma contra o pequeno painel de vidro e sinto o frio agarrar minha mão com um toque familiar. Estamos os dois sozinhos, os dois existindo como a ausência de alguma coisa.

Pego minha caneta quase inutilizável, com a pouquíssima tinta que aprendi a racionar a cada dia, e a observo. Mudo de ideia. Abandono o esforço necessário para escrever. Ter um companheiro de cela pode ser bom. Conversar com um ser humano de verdade pode fazer as coisas serem mais fáceis. Treino o uso da minha voz, moldando os lábios com a forma das palavras conhecidas, agora estranhas à minha boca. Treino o dia inteiro.

Fico surpresa por ainda lembrar como se fala.

Enrolo meu caderninho e o enfio na parede. Sento-me nas molas cobertas por tecido em que sou forçada a dormir. Espero. Balanço o corpo para trás e para a frente.

Espero tempo demais e caio no sono.

Meus olhos se abrem e deparam com 2 olhos 2 lábios 2 orelhas 2 sobrancelhas.

Sufoco meu grito minha urgência de sair correndo o terror incapacitante que agarra meus membros.

– Você é um ga-ga-ro...

– E você, uma menina.

Ele arqueia uma sobrancelha. Afasta seu olhar do meu rosto. Abre um sorriso afetado, mas não está sorrindo de verdade, e quero chorar, meus olhos desesperados, aterrorizados, apontados na direção da porta que tentei abrir tantas vezes que já perdi as contas. Eles me trancafiaram com um garoto. Um garoto.

Meu Deus.

Estão tentando me matar.

Fizeram de propósito.

Para me torturar, para me atormentar, para me impedir de dormir uma noite inteira outra vez. Seus braços são cobertos de tatuagens, até os cotovelos. Na sobrancelha, falta uma argola, que devem ter confiscado. Olhos azul-escuros cabelos castanho-escuros maxilar bem marcado corpo magro e forte. ~~Lindo~~ Perigoso. Aterrorizante. Horrível.

Ele ri e eu caio da cama e me afundo em um canto.

Ele avalia o travesseiro fino e a cama extra que enfiaram hoje cedo no espaço vazio do cômodo, a cama com um colchão minúsculo e um cobertor surrado que mal cobre a parte superior de seu corpo. Olha para a minha cama. Olha para a cama dele.

Com uma das mãos, empurra e junta as duas. Usa o pé para arrastar as duas armações de metal para o seu lado do quarto. Estica o corpo nos dois colchões, pega meu travesseiro e o ajeita sob o pescoço. Começo a tremer.

Mordisco o lábio e tento me enterrar no canto escuro.

Ele roubou minha cama meu cobertor meu travesseiro.

Não me resta nada além do chão.

Não vai me restar nada além do chão.

Nunca vou retrucar porque estou petrificada demais paralisada demais paranoica demais.

– Então, você é... o quê? Louca? É por isso que está aqui?

~~Eu não sou louca.~~

Ele se ajeita de modo que consiga enxergar meu rosto. E ri outra vez.

– Não vou te machucar.

~~Quero acreditar nele~~ Não acredito nele.

– Qual é o seu nome? – quer saber.

~~Não é da sua conta. Qual é o seu nome?~~

Ouço-o bufar de irritação. Ouço-o virando-se na cama que antes era minha. Passo a noite toda acordada. Com os joelhos encolhidos até o queixo, os braços abraçando-os; meus longos cabelos castanhos, a única cortina entre nós.

Não vou dormir.

Não posso dormir.

Não posso ouvir aqueles gritos outra vez.

Dois

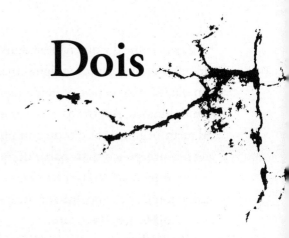

A manhã tem cheiro de chuva.

O cômodo é tomado pelo cheiro de pedra molhada, terra revirada; o ar está úmido e terroso. Respiro fundo e vou na ponta dos pés até a janela apenas para encostar meu rosto na superfície fria. Sinto minha respiração embaçar o vidro. Fecho os olhos ao som de um suave barulho de água atravessando o vento. Pingos de chuva são o único lembrete de que as nuvens têm um coração batendo. De que eu também tenho um.

Sempre questiono os pingos de chuva.

Questiono o modo como sempre caem, tropeçando em seus próprios pés, quebrando as pernas e se esquecendo do paraquedas ao se desprenderem do céu a caminho de um fim incerto. É como se alguém esvaziasse os próprios bolsos sobre a terra sem dar a mínima para o lugar onde o que tem ali dentro vai cair, sem parecer se importar com o fato de os pingos de chuva estourarem quando alcançam o solo, de se estilhaçarem ao cair no chão, de as pessoas insultarem os dias em que as gotas se atrevem a bater em suas portas.

Eu sou um pingo de chuva.

~~Meus pais esvaziaram seus bolsos, livraram-se de mim, deixaram-me evaporar em uma placa de concreto.~~

A janela me diz que não estamos longe das montanhas, que sem dúvida estamos perto da água, mas tudo fica perto da água hoje em dia. Só não sei de que lado nos encontramos. Para qual lado estamos virados. Aperto os olhos graças à luz do começo da manhã. Alguém pegou o sol e o pregou outra vez no céu, mas a cada dia ele fica um pouco mais baixo do que no dia anterior. É como um pai ou uma mãe negligente, que só conhece metade de quem você é. Ele nunca percebe que sua ausência transforma as pessoas. Que somos diferentes no escuro.

O farfalhar repentino significa que meu companheiro de cela está acordado.

Dou meia-volta como se tivesse sido pega roubando comida novamente. Só aconteceu uma vez e meus pais não acreditaram quando tentei explicar que não era para mim. Falei que só estava tentando salvar os gatos de rua que viviam perto de casa, mas eles não me consideravam humana o bastante para me importar com os gatos. Não eu. Não ~~algo~~ alguém como eu. Mas, claro, eles não acreditavam em nada do que eu dizia. É exatamente por isso que estou aqui.

Companheiro de Cela está me estudando.

Ele dormiu completamente vestido. Usa uma camiseta azul-marinho e calças cáqui enfiadas em coturnos pretos na altura da canela.

Meus braços estão cobertos por um tecido de algodão morto e meu rosto estampado com um rubor de rosas.

Seus olhos analisam minha silhueta, sua lentidão faz meu coração acelerar. Seguro as pétalas de rosa que caem das minhas bochechas enquanto elas flutuam em volta do meu corpo, enquanto me cobrem com alguma coisa que parece ser falta de coragem.

Pare de olhar para mim, é o que quero dizer.

Pare de me tocar com seus olhos e mantenha as mãos na lateral do corpo e por favor e por favor e por favor...

— Qual é o seu nome? — O inclinar de sua cabeça diminui a gravidade pela metade.

Fico suspensa no momento. Pisco os olhos e seguro a respiração.

Ele se mexe e meus olhos se estilhaçam em milhares de pedacinhos que ricocheteiam pela cela, fotografando milhões de cenas, um milhão de momentos no tempo. Imagens tremulantes envelhecidas pelo tempo, pensamentos congelados pairando precariamente no espaço morto, um turbilhão de memórias que cortam minha alma. ~~Ele se parece com alguém que conheci.~~

Um suspiro repentino e sou violentamente empurrada de volta à realidade.

~~Chega de sonhar acordada.~~

— Por que está aqui? — pergunto às rachaduras na parede de concreto. 14 rachaduras em 4 paredes em mil tons de cinza. O chão, o teto: tudo a mesma chapa de pedra. O estrado patético das camas: feito com peças velhas de encanamento. A pequena janela quadrada: espessa demais para quebrar. Minha esperança está exausta. Meus olhos doem, não focam. Meu dedo traça um preguiçoso caminho pelo chão frio.

Estou sentada no chão que cheira a gelo e metal e poeira. Companheiro de Cela está sentado à minha frente, as pernas dobradas debaixo do corpo, os coturnos só um pouquinho lustrosos demais para esse lugar.

— Está com medo de mim. — Sua voz não tem emoção.

Meus dedos conseguem formar um punho fechado.

— Acho que você está enganado.

Posso estar mentindo, mas isso não é da conta dele.

Ele bufa e o som ecoa no ar sem vida entre nós. Não ergo a cabeça. Não olho nos olhos que ele aponta em minha direção. Sinto o gosto rançoso do oxigênio e suspiro. Minha garganta se aperta com alguma coisa que me é familiar, alguma coisa que aprendi a engolir.

2 batidas à porta me deixam alarmada, colocando minhas emoções em seus devidos lugares novamente.

Em um instante, ele está em pé.

– Não é ninguém – esclareço. – Só o nosso café da manhã.

264 cafés da manhã e ainda não sei o que tem neles. O cheiro é de excesso de química; uma massa amorfa sempre entregue em extremos. Às vezes, doce demais; outras vezes, salgada demais; sempre asquerosa. Na maioria das vezes estou faminta demais para perceber a diferença.

Ouço-o hesitar por apenas um instante antes de se aproximar da porta. Ele abre uma pequena fresta e espreita um mundo que não existe mais.

– Merda! – Praticamente joga a bandeja pela abertura, parando apenas para espalmar as mãos na camisa. – Merda, merda!

Fecha os punhos e aperta o maxilar. Queimou a mão. Eu o teria avisado se ele estivesse disposto a ouvir.

– Você deve esperar pelo menos três minutos antes de tocar na bandeja – falo para a parede. Não olho as cicatrizes discretas adornando minhas mãos pequenas, as marcas de queimaduras que ninguém poderia ter me ensinado a evitar. – Acho que fazem de propósito – acrescento baixinho.

– Ah, então hoje você resolveu conversar comigo?

Está furioso. Seus olhos brilham antes de ele virar o rosto e percebo que está mais constrangido do que qualquer outra coisa. É um cara durão. Durão demais para cometer erros ridículos na frente de uma mulher. Durão demais para demonstrar dor.

Aperto os lábios e olho para o pequeno quadrado de vidro que chamam de janela. Não restam muitos animais, mas ouvi histórias de pássaros que voam. Talvez um dia eu consiga ver um deles. As histórias andam tão descontroladamente entrelaçadas hoje em dia que não se pode acreditar em muita coisa, mas ouvi mais de uma pessoa afirmar ter realmente visto um pássaro voando nos últimos anos. Por isso olho pela janela.

Vai aparecer um pássaro hoje. Será branco, com riscas douradas no topo da cabeça, como uma coroa. Vai voar. Será branco, com riscas douradas no topo da cabeça, como uma coroa. Vai voar. Vai aparecer...

A mão dele.

Em mim.

2 pontas

de 2 dedos tocam levemente meu ombro coberto pelo tecido por menos de um segundo e cada músculo em cada tendão do meu corpo se pega carregado de adrenalina e formando nós que apertam a espinha. Permaneço paralisada. Não me mexo. Não respiro. Talvez, se eu não me mover, essa sensação dure para sempre.

~~Ninguém me toca há 264 dias~~

Às vezes acho que a solidão em meu interior vai explodir pela pele e às vezes não sei se chorar ou gritar ou rir durante a histeria vai resolver alguma coisa. Às vezes me pego tão desesperada por tocar por ser tocada por *sentir* algo que tenho quase certeza de que vou cair de um penhasco em um universo alternativo onde ninguém jamais será capaz de me encontrar.

Não parece impossível.

Estou gritando há anos e ninguém nunca me ouviu.

— Não está com fome? — Dessa vez sua voz sai mais grave, um pouco preocupada.

~~Estou faminta há 264 dias.~~

— Não.

A palavra escapa como pouco mais do que uma respiração falha e me viro e não devia mas me viro e ele está me encarando. Está me estudando. Seus lábios ligeiramente separados, braços soltos na lateral do corpo, cílios piscando em confusão.

Alguma coisa me dá um soco no estômago.

Os olhos dele. Alguma coisa nos olhos dele.

~~Não é ele não é ele não é ele não é ele não é ele.~~

Isolo-me do mundo lá fora. Tranco. Viro a chave com força.

Estou enterrada na escuridão.

— Ei...

Meus olhos se abrem violentamente. 2 janelas estilhaçadas enchendo de vidro a minha boca.

— O que foi? — Sua voz tenta se manter estável, uma tentativa ansiosa e falha de mostrar indiferença.

~~Nada.~~

Foco no quadrado transparente encravado entre mim e minha liberdade. Quero quebrar esse mundo de concreto e jogá-lo no esquecimento. Quero ser maior, melhor, mais forte.

~~Quero ser *furiosa furiosa furiosa*.~~

Quero ser o pássaro que voa para longe.

— O que você está escrevendo? — Companheiro de Cela volta a falar.

~~Essas palavras são vômito.~~

~~Essa caneta trêmula é meu esôfago.~~

~~Essa folha de papel é meu vaso de porcelana.~~

— Por que não me responde?

Ele está perto demais perto demais perto demais.

Ninguém nunca está perto o bastante.

Respiro fundo e espero que ele se afaste, como todas as outras pessoas na minha vida. Meus olhos focam a janela e a promessa do que poderia ser. A promessa de algo maior, melhor, algum motivo para a loucura erigindo-se em meus ossos, alguma explicação para minha incapacidade de fazer qualquer coisa sem estragar tudo. Vai aparecer um pássaro. Será branco, com riscas douradas no topo da cabeça, como uma coroa. Vai voar. Vai aparecer um pássaro. Será...

– Ei...
– Você não pode tocar em mim – sussurro.

Estou mentindo, mas não digo isso a ele. Pode tocar em mim, é o que nunca direi a ele. Por favor, toque em mim, é o que quero dizer a ele.

Mas coisas acontecem quando as pessoas me tocam. Coisas estranhas. Coisas ruins.

Coisas mortais.

Não consigo me lembrar do calor de nenhum tipo de abraço. Meus braços doem com o frio inescapável do isolamento. Minha própria mãe não pôde me abraçar. Meu pai não pôde aquecer minhas mãos congeladas. Eu vivo em um mundo vazio.

Olá.

Mundo.

Você vai se esquecer de mim.

Toc-toc.

Companheiro de Cela fica em pé.

É hora do banho.

Três

As portas se abrem para um abismo.

Não há cor, luz, promessa de nada além de horror do outro lado. Nem palavras. Nem instruções. Só uma porta aberta que significa a mesma coisa toda vez.

Companheiro de Cela tem perguntas.

– O que é isso? – Desliza o olhar de mim para a ilusão de escapar. – Vão soltar a gente?

~~Eles nunca vão soltar a gente.~~

– É hora do banho.

– Banho? – Sua voz perde a entonação, mas continua carregada de curiosidade.

– Não temos muito tempo – aviso. – Precisamos nos apressar.

– Espere, como é que é? – Ele tenta segurar meu braço, mas eu me afasto. – Mas não tem luz... A gente nem consegue ver aonde está indo.

– Rápido. – Olho para o chão. – Segure a bainha da minha blusa.

– Do que você está falando...?

Um alarme soa ao longe. Um zumbido ecoa quase imediatamente. Logo toda a cela está vibrando com o aviso e a porta está outra vez se fechando. Agarro sua camisa e arrasto-o ao meu lado pela escuridão.

— Não. Diga. Nada.

— Mas...

— *Nada* – sibilo.

Puxo sua camisa e ordeno que me siga enquanto tateio o caminho pelo labirinto do hospital psiquiátrico. ~~É uma casa, um centro para jovens problemáticos, para jovens negligenciados por famílias instáveis, uma casa segura para os psicologicamente perturbados.~~ É uma prisão. Não nos alimentam e nossos olhares nunca se encontram, exceto nos raros golpes de luz que conseguem atravessar as fendas de vidro que fingem ser janelas. As noites são pontuadas por gritos e pesados soluços, lamentos e clamores atormentados, o barulho de carne e de ossos quebrando por força ou escolha, nunca vou saber. Passei os primeiros 3 meses na companhia do meu próprio fedor. Ninguém jamais me contou onde ficavam os banheiros e chuveiros. Ninguém jamais me contou como o sistema funcionava. Ninguém fala com você, a não ser para trazer más notícias. Ninguém nunca o toca, de forma alguma. Garotos e garotas nunca se veem.

Nunca, exceto ontem.

Não pode ser coincidência.

Meus olhos começam a se reajustar ao manto da noite artificial. Meus dedos tateiam os corredores ásperos, e Companheiro de Cela não diz uma palavra sequer. Quase sinto orgulho dele. É uns 30 centímetros mais alto do que eu, o corpo rígido e sólido, musculoso, com a vivacidade de alguém da minha idade. Ele ainda não foi danificado pelo mundo. Tanta liberdade na ignorância...

– O que...?

Puxo sua camisa com um pouco mais de força para evitar que fale. Ainda não atravessamos os corredores. Sinto uma vontade estranha de protegê-lo, essa pessoa que provavelmente poderia me quebrar com 2 dedos. Não se dá conta de como sua ignorância o torna vulnerável. Não se dá conta de que podem matá-lo sem nenhum motivo.

Decidi não ter medo dele. Decidi que suas ações são mais imaturas do que genuinamente ameaçadoras. ~~Ele me parece tão familiar tão familiar tão familiar.~~ No passado, eu conhecia um garoto com os mesmos olhos azuis e minhas memórias não me deixam odiá-lo.

Talvez eu goste de ter um amigo.

Mais 2 metros até a parede deixar de ser áspera e se tornar lisa e aí viramos à direita. 70 centímetros de espaço vazio antes de chegarmos a uma porta de madeira com a maçaneta quebrada e um punhado de lascas. 3 batimentos cardíacos para ter certeza de que estamos sozinhos. 1 passo adiante para empurrar a porta. 1 leve rangido e a abertura se expande para revelar nada além do que imaginei ser esse espaço.

– Por aqui – sussurro.

Puxo-o em direção a uma fileira de chuveiros e inspeciono o chão em busca de algum pedaço de sabão preso ao ralo. Encontro 2 pedaços, um com o dobro do tamanho do outro.

– Abra a mão – digo para a escuridão. – É escorregadio, mas não deixe cair. É difícil achar sabão aqui e hoje tivemos sorte.

Ele não fala nada por alguns segundos e começo a me preocupar.

– Ainda está aqui?

Agora me pergunto se essa era a armadilha. Se esse era o plano. Se talvez ele tenha sido enviado para me matar sob o manto da escuridão desse espaço minúsculo. Eu nunca soube ao certo o que fariam comigo no hospício, nunca soube ao certo se pensavam que me trancafiar seria o suficiente, mas sempre pensei que pudessem me matar. Sempre me pareceu uma opção viável.

Não posso dizer que não seria merecido.

Mas estou aqui por algo que nunca planejei fazer e ninguém parece se importar com o fato de ter sido um acidente.

~~Meus pais nunca tentaram me ajudar.~~

Não ouço a água correr em nenhum dos chuveiros e meu coração congela. Esse banheiro específico raramente tem muito movimento, mas em geral tem outras pessoas, pelo menos 1 ou 2. A essa altura, já me dei conta de que os habitantes do hospício ou são realmente loucos ou não conseguem encontrar o caminho dos chuveiros, ou simplesmente não ligam.

Engulo em seco.

— Qual é o seu nome? — Sua voz corta o ar e meu fluxo de consciência com um único movimento. Posso senti-lo respirando muito mais perto do que estava antes. Sinto meu coração acelerado e não sei por quê, mas não consigo controlar. — Por que não me diz seu nome?

— Está com a mão aberta? — pergunto, a boca seca, a voz rouca.

Ele inclina o corpo mais para perto e sinto tanto medo que quase não consigo respirar. Seus dedos roçam o tecido endurecido da única roupa que terei, e consigo expirar. O que importa é que não está tocando minha pele. O que importa é que não está tocando minha pele. O que importa é que não está tocando minha pele. Esse parece ser o segredo.

O tecido fino da minha camiseta já foi lavado na água suja dessa construção tantas vezes que mais parece um saco de serapilheira contra a pele. Coloco o pedaço maior de sabão na mão dele e, na ponta dos pés, me afasto.

— Vou ligar o chuveiro para você — explico, ansiosa por não erguer a voz, para que ninguém me escute.

— O que faço com minhas roupas?

Seu corpo ainda está próximo demais do meu.

Pisco 1000 vezes na escuridão.

— Você precisa tirá-las.

Ele dá uma risada que parece uma expiração bem-humorada.

— Não, isso eu sei. Quero saber o que faço com elas enquanto tomo banho.

— Tente não molhar.

Ele respira fundo.

— Quanto tempo temos?

— Dois minutos.

— O quê? Por que você não falou...

Ligo a água para ele e para mim ao mesmo tempo e suas queixas se afogam nos golpes de água lançada pelo chuveiro que mal funciona.

Meus movimentos são mecânicos. Fiz isso tantas vezes que já memorizei os métodos mais eficientes de me esfregar, me enxaguar e racionar o sabão para o corpo e os cabelos. Não temos toalhas, então o truque é tentar não ensopar nenhuma parte do corpo, não em excesso. Caso se encharque, você não conseguirá se secar direito e passará a próxima semana quase morrendo de pneumonia. Eu sei bem.

Em exatos 90 segundos, já torci os cabelos e estou outra vez vestindo minhas roupas surradas. Meus tênis são o único bem que possuo ainda em boas condições. Não andamos muito por aqui.

Companheiro de Cela segue meus passos quase imediatamente. Fico satisfeita ao notar que aprende rápido.

— Segure a bainha da minha camiseta — instruo. — Temos que nos apressar.

Seus dedos deslizam em minha lombar por um instante demorado e tenho que mordiscar o lábio para sufocar a intensidade. Quase fico paralisada. Ninguém nunca chegou nem perto do meu corpo.

Tenho que andar rapidamente para que seus dedos se afastem. Ele cambaleia para acompanhar meu ritmo.

Quando finalmente estamos presos dentro das 4 paredes claustrofóbicas tão familiares, Companheiro de Cela não para de me encarar.

Encolho-me em um dos cantos. Ele ainda está com minha cama, meu cobertor, meu travesseiro. Perdoo sua ignorância, talvez seja cedo demais para sermos amigos. Talvez ajudá-lo tenha sido um gesto precipitado. Talvez ele realmente esteja aqui para me deixar infeliz. Porém, se eu não me aquecer, vou ficar doente. Meus cabelos estão molhados demais e o cobertor no qual costumo envolvê-los ainda está do lado dele do quarto. Talvez eu ainda sinta medo dele.

Inspiro rispidamente, ergo o olhar rápido demais na direção da luz torpe do dia. Companheiro de Cela colocou 2 cobertores sobre meus ombros.

1 meu.

1 dele.

— Sinto muito por ter sido um escroto — sussurra para a parede.

Ele não me toca, o que me deixa ~~desapontada~~ feliz. ~~Queria que me tocasse~~. Não deve me tocar. Ninguém jamais deve me tocar.

— Meu nome é Adam — diz lentamente.

Ele se afasta de mim até estar do outro lado do quarto. Usa uma das mãos para empurrar minha cama de volta para o meu lado.

Adam.

Belo nome. Companheiro de Cela tem um belo nome.

Um nome do qual sempre gostei, mas não consigo lembrar por quê.

Não perco tempo, subo logo nas molas protuberantes do colchão e estou tão exausta que quase não consigo sentir o metal ameaçando perfurar minha pele. Não durmo há mais de 24 horas. *Adam é um belo nome* é a única coisa que consigo pensar antes de a exaustão derrotar meu corpo.

Quatro

Eu não sou louca. Eu não sou louca. Eu não sou louca. Eu não sou louca.
Eu não sou louca. Eu não sou louca. Eu não sou louca. Eu não sou louca.
Eu não sou louca. Eu não sou louca. Eu não sou louca. Eu não sou louca.
Eu não sou louca. Eu não sou louca. Eu não sou louca. Eu não sou louca.
Eu não sou louca. Eu não sou louca. Eu não sou louca. Eu não sou louca.
Eu não sou louca. Eu não sou louca. Eu não sou louca. Eu não sou louca.
Eu não sou louca. Eu não sou louca. Eu não sou louca. Eu não sou louca.
Eu não sou louca. Eu não sou louca. Eu não sou louca. Eu não sou louca.
Eu não sou louca. Eu não sou louca. Eu não sou louca. Eu não sou louca.
Eu não sou louca. Eu não sou louca. Eu não sou louca. Eu não sou louca.
Eu não sou louca. Eu não sou louca. Eu não sou louca. Eu não sou louca.
Eu não sou louca. Eu não sou louca. Eu não sou louca. Eu não sou louca.
Eu não sou louca. Eu não sou louca. Eu não sou louca. Eu não sou louca.
Eu não sou louca. Eu não sou louca. Eu não sou louca. Eu não sou louca.
Eu não sou louca. Eu não sou louca. Eu não sou louca. Eu não sou louca.
Eu não sou louca. Eu não sou louca. Eu não sou louca. Eu não sou louca.
Eu não sou louca. Eu não sou louca. Eu não sou louca. Eu não sou louca.
Eu não sou louca. Eu não sou louca. Eu não sou louca. Eu não sou louca.
Eu não sou louca. Eu não sou louca. Eu não sou louca. Eu não sou louca.

O terror abre violentamente minhas pálpebras.

Meu corpo está ensopado de suor frio, meu cérebro nadando em uma onda inesquecível de dor. Meus olhos giram em círculos negros que se dissolvem na escuridão. Não tenho ideia de quanto tempo dormi. Não tenho ideia se assustei meu companheiro de cela com meus sonhos. Às vezes, grito muito alto.

Adam está me encarando.

Respiro com dificuldade, mas consigo me levantar. Puxo as cobertas para mais perto do corpo apenas para me dar conta de que roubei a única fonte de calor dele. Nem sequer me ocorreu que ele talvez sinta tanto frio quanto eu. Estou parada, tremendo, mas o corpo dele é inabalável na noite, sua silhueta tem uma estrutura suntuosa contra o fundo escuro. Não sei o que dizer. Não há nada a dizer.

– Os gritos nunca param neste lugar, não é?

~~Os gritos estão só começando.~~

– Não – balbucio quase sem voz. Um leve rubor se espalha pelo meu rosto e fico feliz por estar escuro demais para ele perceber. Deve ter ouvido meus gritos.

Às vezes, eu queria nunca precisar dormir. Às vezes, penso que se me mantiver muito, muito quieta, se não me movimentar nem um pouquinho, as coisas vão mudar. Acho que, se eu me congelar, serei capaz de congelar a dor. Às vezes, passo horas sem me mexer. Não me mexo nem um centímetro.

Ainda que o tempo pare, nada de errado pode acontecer.

– Você está bem? – A voz de Adam parece preocupada. Estudo os punhos fechados nas laterais de seu corpo, o franzir pesado da testa, a tensão no maxilar. Essa pessoa que roubou minha cama e meu travesseiro ontem é a mesma que dormiu no chão na noite passada. Tão cheio de si e indiferente poucas horas atrás; tão cuidadoso e tranquilo agora. Assusta saber que esse lugar pode tê-lo corrompido tão rapidamente. E me pergunto o que ele ouviu enquanto eu dormia.

Queria poder salvá-lo do horror.

Alguma coisa se estilhaça; um grito atormentado ecoa ao longe. Essas celas são enterradas em concreto grosso, paredes mais espessas do que o chão e o teto evitam que os barulhos escapem para muito longe. Se eu consigo ouvir a agonia, ela deve ser incomensurável. Todas as noites há barulhos que não ouço mais. Todas as noites me pergunto se serei a próxima.

– Você não é louca. – Meu olhar se ergue violentamente. Sua cabeça está inclinada, seus olhos permanecem atentos e claros, mesmo com o manto que nos envolve. Ele respira fundo. E continua: – Pensei que todos aqui fossem loucos. Pensei que tivessem me trancado com uma lunática.

Inspiro uma forte lufada de oxigênio.

– Curioso. Eu também.

1

2

3 segundos se passam.

Adam abre um sorriso tão enorme, tão bem-humorado, tão inesperadamente sincero que é como se o estrondo de um trovão atravessasse meu corpo. Alguma coisa ferroa meus olhos e quebra meus joelhos. Não vejo um sorriso há 265 dias.

Adam está de pé.

Ofereço-lhe seu cobertor.

Ele aceita somente para envolver melhor meu corpo e alguma coisa de repente se aperta em meu peito. Meus pulmões estão fora de lugar e grudados e acabei de decidir não me movimentar por uma eternidade quando ele diz:

– Qual é o problema?

~~Meus pais pararam de tocar em mim quando comecei a engatinhar. Os professores me forçavam a fazer todas as atividades sozinha para que eu não ferisse as outras crianças. Nunca tive um amigo. Nunca conheci o conforto de um abraço materno. Nunca senti o carinho de um beijo paterno. Eu não sou louca.~~

— Nada.

5 segundos mais.

— Posso me sentar ao seu lado?

~~Seria maravilhoso.~~

— Não.

Estou outra vez olhando para a parede.

Ele cerra e em seguida relaxa o maxilar. Desliza a mão pelos cabelos e percebo, pela primeira vez, que está sem camisa. Essa cela é tão escura que só consigo ver as curvas e contornos de sua silhueta; a luz da lua só consegue entrar por uma pequena janela, mas observo enquanto os músculos de seus braços se tensionam a cada movimento e, de repente, estou pegando fogo. Chamas tocam minha pele e há uma explosão de calor se arrastando pelo meu estômago. Cada centímetro de seu corpo é cheio de força, toda a superfície de alguma maneira consegue ser iluminada por essa pouca luz. Em 17 anos, nunca vi ninguém como ele. Em 17 anos, nunca conversei com um menino da minha idade. ~~Porque eu sou um monstro.~~

Fecho os olhos até eles parecerem costurados.

Ouço o ranger de sua cama, o gemido das molas quando ele se senta. Descosturo meus olhos e estudo o chão.

— Você deve estar morrendo de frio.

— Não. — Um forte suspiro. — Na verdade, estou com muito calor.

Levanto-me tão bruscamente que as cobertas caem no chão.

— Está doente? — Meus olhos deslizam por seu rosto em busca de algum sinal de febre, mas não me atrevo a me aproximar nem um centímetro a mais. — Está com tontura? Dor nas articulações?

Tento me lembrar dos meus sintomas. Meu próprio corpo me prendeu à cama por 1 semana. Não podia fazer nada além de rastejar pelo chão e cair de cara na comida. Não sei como sobrevivi.

— Qual é o seu nome?

Ele já fez essa pergunta 3 vezes.

— Você deve estar doente. — É tudo o que consigo dizer.

— Não estou doente. Só estou com calor. Não costumo dormir de roupas.

Sinto um nó no estômago. Uma humilhação inexplicável queima a superfície da minha pele. Não sei para onde olhar.

Uma respiração profunda.

— Eu fui um idiota ontem. Tratei-a como lixo e sinto muito por isso. Não devia ter agido daquele jeito.

Atrevo-me a olhá-lo nos olhos.

Seus olhos são do tom perfeito de cobalto, azuis como um hematoma nascendo, claros e profundos e decididos. O maxilar parece rígido, cercado por traços entalhados em uma expressão cuidadosa. Passou a noite toda pensando nisso.

— Tudo bem.

— Então, por que não me diz o seu nome? — Ele inclina o corpo para a frente e eu congelo.

E descongelo.

E derreto.

— Juliette — sussurro. — Meu nome é Juliette.

Seus lábios se suavizam em um sorriso que baqueia até a minha espinha. Ele repete meu nome como se visse graça na palavra. Como se a palavra o entretivesse. Como se fosse um deleite.

Em 17 anos, ninguém nunca falou meu nome assim.

Cinco

Não sei quando começou.
Não sei por que começou.
Não sei nada de nada, só dos gritos.
Minha mãe gritando quando percebeu que não podia mais me tocar. Meu pai gritando quando se deu conta do que eu tinha feito à minha mãe. Meus pais gritando enquanto me trancavam em meu quarto e me diziam que eu devia ser grata. Por me darem comida. Pelo tratamento humanitário dispensado a essa coisa que não tinha como ser filha deles. Pelo bastão que usavam para medir a distância necessária para me manter longe.
Eu arruinei a vida deles, é o que me diziam.
Roubei sua felicidade. Destruí a esperança que minha mãe tinha de ter outro filho.
Eu não conseguia ver o que tinha feito?, é o que me perguntavam. Não conseguia ver que estraguei tudo?
Tentei tanto arrumar o que tinha estragado. Tentava ser todos os dias o que eles queriam. Tentava o tempo todo ser melhor, mas nunca soube realmente como.
Só agora sei que os cientistas estão errados.
O mundo é plano.

Sei disso porque fui jogada da beira do abismo e tento me segurar há 17 anos. Venho tentando escalar de volta há 17 anos, mas é quase impossível vencer a gravidade quando ninguém está disposto a lhe dar a mão.

Quando ninguém quer correr o risco de tocar em você.

Hoje está nevando.

O concreto está mais gelado e duro do que de costume, mas prefiro essas temperaturas congelantes à umidade sufocante dos dias de verão. O verão é como um fogão lento que faz tudo o que existe no mundo ferver um grau de cada vez. Promete um milhão de adjetivos felizes somente para jogar fedor e esgoto em nosso nariz no jantar. Odeio o calor e a bagunça pegajosa e suada que ele deixa para trás. Odeio a indiferença e o tédio de um sol preocupado demais consigo mesmo para notar as infinitas horas que passamos em sua presença. O sol é uma coisa arrogante, sempre deixa o mundo para trás quando se cansa de nós.

A lua é uma companhia leal.

Nunca vai embora. Está sempre lá, vigiando, firme, conhecendo-nos em nossos momentos de luz e escuridão, sempre mudando, como acontece conosco. Todo dia mostra um lado diferente. Às vezes, é fraca e abatida; outras vezes, forte e cheia de luz. A lua entende o que é ser humano.

Incerta. Sozinha. Com crateras de imperfeições.

Passo tanto tempo olhando pela janela que me esqueço de mim mesma. Estendo a mão para pegar um floco de neve e cerro os punhos no ar gelado. Vazia.

Quero passar pela janela essa mão fechada presa ao meu pulso.

Só para sentir alguma coisa.

Só para me sentir humana.

— Que horas são?

Meus olhos se agitam por um instante. A voz dele me empurra de volta a um mundo que eu passo o tempo todo tentando esquecer.

— Não sei — respondo.

Não tenho a menor ideia de que horas são. Não tenho ideia de que dia da semana é, em que mês estamos ou mesmo se há uma estação do ano específica em que deveríamos estar.

Nós realmente não temos mais estações do ano.

Os animais estão morrendo, pássaros não voam, alimentos frescos raramente chegam a nós, flores quase não existem mais. O clima não é digno de confiança. Às vezes nossos invernos atingem mais de 30° C. Às vezes neva sem motivo. Não conseguimos mais plantar, não conseguimos mais sustentar uma área suficiente de vegetação para os animais e não conseguimos alimentar as pessoas com o que precisam. Nossa população estava morrendo em taxas alarmantes antes de o Restabelecimento assumir o poder, mas eles nos garantiram que tinham uma solução. Os animais, tão desesperados por comida, mostravam-se dispostos a comer qualquer coisa, e as pessoas, também tão desesperadas por comida, dispostas a comer animais envenenados. Estávamos nos matando ao tentar sobreviver. O clima, as plantas, os animais e nossa sobrevivência humana estão todos intrinsicamente ligados. Os elementos da natureza entraram em guerra uns com os outros porque abusamos do nosso ecossistema. Abusamos da nossa atmosfera. Abusamos dos nossos animais. Abusamos dos nossos irmãos humanos.

O Restabelecimento prometia consertar as coisas. Contudo, muito embora a saúde humana tenha encontrado um módico alívio sob o novo regime, mais pessoas são mortas por uma arma carregada do que por fome. Está piorando progressivamente.

– Juliette?

Ergo a cabeça.

Seus olhos estão atentos, preocupados, analisando-me.

Desvio o olhar.

Ele pigarreia.

– Então, é... Eles só nos dão comida uma vez por dia?

Sua pergunta empurra nossos olhares na direção da pequena abertura na porta.

Puxo os joelhos para perto do peito e equilibro meus ossos no colchão. Se me mantiver muito, muito parada, quase consigo ignorar o metal escavando minha pele.

– Não tem um sistema para a comida – explico. Meus dedos traçam um novo caminho pelo material áspero do cobertor. – Geralmente chega alguma coisa de manhã, mas não existe garantia de nada mais. Às vezes... temos sorte.

Meus olhos piscam para o painel de vidro enfiado na parede. A luz rosada e vermelha entra no quarto e sei que é o começo de um novo começo. O começo do mesmo fim. Outro dia.

~~Talvez eu morra hoje.~~

Talvez um pássaro passe voando hoje.

– Então é isso? Eles abrem a porta uma vez por dia para as pessoas cuidarem da higiene e talvez, se *tivermos sorte,* nos alimentam? É isso?

O pássaro será branco, com riscas douradas no topo da cabeça, como uma coroa. Vai aparecer.

– É isso.

– Não tem... terapia em grupo? – Ele quase ri.

– Antes de você chegar, eu não falava uma única palavra há 264 dias.

Seu silêncio diz muito. Quase posso estender a mão e tocar a culpa se acumulando em seus ombros.

– Quanto tempo vai ficar aqui? – finalmente pergunta.

~~Para sempre.~~

– Não sei.

Um som mecânico range/geme/resmunga ao longe. Minha vida se resume a 4 paredes de oportunidades perdidas e derramadas em moldes de concreto.

– E a sua família?

Há uma dor real em sua voz, quase como se já conhecesse a resposta para essa pergunta.

~~Aqui está o que sei sobre meus pais: não tenho a menor ideia de onde estão.~~

– Por que você veio parar aqui? – digo, observando meus dedos para evitar o olhar dele.

Estudei minhas mãos com tanta atenção que sei exatamente onde cada cicatriz e ferimento assolou a pele. Mãos pequenas. Dedos finos. Fecho e abro as mãos para aliviar a tensão. Ele ainda não respondeu.

Ergo o olhar.

– Eu não sou louco – é tudo o que diz.

– Isso é o que todos nós dizemos.

Inclino a cabeça para acenar uma levíssima negação. Mordo o lábio. Meus olhos não conseguem evitar voltar para a janela.

– Por que você olha tanto lá para fora?

A pergunta não me incomoda, de verdade. Só é estranho ter alguém com quem conversar. É estranho ter de empregar energia para movimentar os lábios e formar palavras necessárias para explicar minhas ações. Há muito tempo ninguém se importa. Ninguém me observa de perto o bastante para se perguntar por que olho pela janela. Ninguém nunca me tratou como uma igual. Por outro lado, ele não ~~sabe que eu sou um monstro~~ conhece meu segredo. Pergunto a mim mesma quanto tempo vai demorar até ele sair correndo para salvar a própria vida.

Eu me esqueci de responder e ele continua me estudando.

Ajeito uma mecha de cabelo para trás da orelha e em seguida mudo de ideia.

— Por que você encara tanto?

Seus olhos são cuidadosos, curiosos.

— Imaginei que o único motivo que os levaria a me trancafiar com uma garota fosse você ser louca. Pensei que estivessem tentando me torturar ao me colocarem no mesmo espaço que uma psicopata. Pensei que você fosse a minha punição.

— Foi por isso que roubou minha cama.

Para mostrar força. Para marcar território. Para comprar a briga.

Ele baixa o olhar. Cerra e descerra os punhos antes de esfregar a nuca.

— Por que você me ajudou? Como sabia que eu não machucaria você?

Conto os dedos para ter certeza de que ainda estão aqui.

— Não.

— Não me ajudou ou não sabia que eu não a machucaria?

— Adam...

Meus lábios se curvam para formar seu nome. Fico surpresa ao me dar conta do quanto gosto da maneira simples e familiar como o som desliza para fora da minha língua.

Ele está sentado quase tão rígido quanto eu. Seus olhos, repuxados por um novo tipo de emoção que sou incapaz de nomear.

— Sim?

– Como é lá? – pergunto, cada palavra mais baixa do que a anterior. – Lá fora. – ~~No mundo real.~~ – É pior?

Uma dor macula os traços elegantes de seu rosto. Ele precisa de alguns batimentos cardíacos para responder. Olha pela janela.

– Sinceramente? Não sei se é melhor estar aqui ou lá fora.

Acompanho seu olhar até o painel de vidro que nos separa da realidade e espero seus lábios se abrirem; espero ouvi-lo falar. E então tento prestar atenção conforme suas palavras ricocheteiam na bruma da minha mente, enevoando meus sentidos, nublando meus olhos, turvando minha concentração.

– Você sabia que era um movimento internacional? – Adam me pergunta.

Não, eu não sabia, admito. Não conto que fui arrastada para fora de casa 3 anos atrás. Não digo que fui arrastada para longe exatamente 7 anos depois do Restabelecimento começar a pregar seus valores e 4 meses depois de assumirem o controle de tudo. Não digo o quão pouco sei sobre nosso novo mundo.

Adam conta que o Restabelecimento tinha tentáculos em todos os países, à espera do momento certo para lançar seus líderes em posição de controle. Conta que as terras inabitáveis deixadas no mundo foram divididas em 3 333 setores e cada espaço agora é controlado por uma Pessoa do Poder diferente.

– Você sabia que eles mentiram para nós? – Adam me pergunta. – Você sabia que o Restabelecimento afirmou que alguém tinha de tomar o controle, que alguém havia de salvar a sociedade, que alguém tinha de restabelecer a paz? Sabia que eles disseram que extirpar todas as vozes de oposição era a única maneira de encontrar a paz? Sabia disso? – é o que Adam me pergunta.

E é então que aceno que sim. É então que digo que sim.

Essa é a parte de que me lembro: a ira. Os levantes. A ira.

Fecho os olhos em um esforço consciente para bloquear todas as memórias ruins, mas o tiro sai pela culatra. Protestos. Marchas. Gritos por sobrevivência. Vejo mulheres e crianças morrendo de fome, casas destruídas e soterradas por destroços, o interior é uma paisagem queimada, seu único fruto é a carne dos mortos apodrecendo. Vejo vermelho morte morte morte e borgonha e carmim e as tonalidades preferidas de batom da sua mãe manchando a terra.

Basicamente tudo está morto.

O Restabelecimento tem se esforçado para manter o controle sobre as pessoas, Adam relata. Conta que o Restabelecimento vem se esforçando para enfrentar uma guerra contra os rebeldes que não se sujeitam ao novo regime. O Restabelecimento está lutando para se enraizar como uma nova forma de governo por todas as sociedades internacionais.

E então me pergunto o que aconteceu com as pessoas que eu via todos os dias. O que aconteceu com suas casas, seus pais, seus filhos. E me pergunto quantas delas foram enterradas.

Quantas delas foram assassinadas.

— Eles estão destruindo tudo — Adam relata, e sua voz de repente se transforma em um som solene no silêncio. — Todos os livros, todos os artefatos, tudo o que resta da história humana. Dizem que é a única maneira de consertar as coisas. Dizem que precisamos começar do zero. Dizem que não podemos cometer os mesmos erros das gerações anteriores.

2

batidas

à porta e estamos os dois em pé, abruptamente assustados e empurrados de volta a esse mundo sem vida.

Adam arqueia a sobrancelha para mim.

— Café da manhã?

— Espere três minutos — lembro-o.

Somos muito bons em mascarar nossa fome até essas batidas à porta destruírem nossa dignidade.

Eles nos fazem passar fome de propósito.

— Bem lembrado. — Seus lábios formam um leve sorriso. — Não quero me queimar.

O ar se movimenta com os passos dele.

Eu sou uma estátua.

Ele diz bem baixinho:

— Ainda não entendo por que você está aqui.

— Por que você faz tantas perguntas?

Ele deixa menos de 30 centímetros de espaço entre nós e estou a 25 centímetros de uma combustão espontânea.

— Seus olhos estão tão profundos. — Ele inclina a cabeça. — Tão calmos. Quero saber em que está pensando.

— Mas não deve. — Minha voz falha. — Você nem me conhece.

Ele ri, ação que dá vida à luz em seus olhos.

— Eu não conheço você.

— Não.

Ele balança a cabeça. Senta-se em sua cama.

— Certo. É claro que não.

— O quê?

— Você está certa. — Sua respiração fica presa na garganta. — Talvez eu seja louco.

Dou 2 passos para trás.

— Talvez seja.

Ele está outra vez sorrindo e quero tirar uma foto. Quero passar o resto da vida olhando para a curva de seus lábios.

— Eu não sou, você sabe.

— Mas não me conta por que está aqui — provoco.

– Nem eu, nem você.

Caio de joelhos e puxo a bandeja pela abertura da porta. Alguma coisa impossível de ser identificada solta fumaça em duas pequenas xícaras. Adam se ajeita à minha frente no chão.

– Café da manhã – digo, enquanto empurro sua porção para o seu lado.

Seis

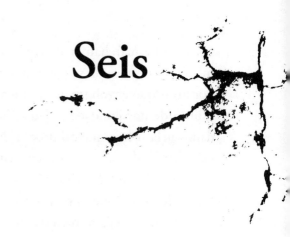

1 palavra, 2 lábios, 3 4 5 dedos formam 1 punho fechado.
1 canto, 2 pais, 3 4 5 razões para se esconder.
1 criança, 2 olhos, 3 4 17 anos de medo.
1 cabo de vassoura, um par de rostos furiosos, sussurros bravos, trancas em minha porta.
Olhem, é o que quero dizer a vocês. Conversem comigo de vez em quando. Encontrem uma cura para todas essas lágrimas, eu realmente gostaria de respirar pela primeira vez na vida.

Faz 2 semanas.
2 semanas da mesma rotina, 2 semanas de nada além de rotina. 2 semanas com o companheiro de cela ~~que quase chegou a me tocar~~ que não me toca. Adam está se adaptando ao sistema. Nunca reclama, nunca oferece informações demais voluntariamente, continua fazendo perguntas demais.
É gentil comigo.
Sento-me próximo à janela e observo a chuva e as folhas e a neve caindo. Elas se alternam dançando no vento, realizando movimentos coreografados para as massas que de nada suspeitam.

Os soldados marcham marcham marcham na chuva, amassando as folhas e a neve caída sob seus passos. Suas mãos estão envolvidas por luvas que envolvem armas capazes de enfiar uma bala em um milhão de possibilidades. Não se incomodam em serem incomodados pela beleza que cai do céu. Não entendem a liberdade que existe em poder sentir o universo em suas peles. Não estão nem aí.

Eu queria poder encher a boca de gotas de chuva e os bolsos de flocos de neve. Queria poder traçar as veias de uma folha caída e sentir o vento beliscar meu nariz.

Em vez disso, junto os dedos para ignorar o desespero e busco o pássaro que só vi em meus sonhos. No passado, os pássaros voavam, é o que dizem as histórias. Antes de a camada de ozônio se deteriorar, antes de os poluentes promoverem mutações e transformarem as criaturas em algo ~~horrível~~ diferente. Dizem que o tempo nem sempre foi tão imprevisível. Dizem que existiam pássaros que voavam como aviões pelos céus.

Parece estranho que um animal tão pequeno possa realizar algo tão complexo quanto um engenheiro humano é capaz, mas a possibilidade é sedutora demais para ser ignorada. Sonho com o mesmo pássaro voando pelo mesmo céu há exatos 10 anos. Branco, com riscas douradas no topo da cabeça, como uma coroa.

É o único sonho que me dá paz.

– O que está escrevendo?

Aperto os olhos para a silhueta suntuosa, o sorriso fácil em seu rosto. Não sei como ele consegue sorrir em meio a isso tudo. E me pergunto se consegue manter essa forma, essa curva especial da boca que é capaz de transformar vidas. E me pergunto como se sentirá daqui a 1 mês e esse pensamento me faz tremer.

Não quero que ele termine como eu.

Vazio.

— Ei... — Ele puxa o cobertor da minha cama e se agacha ao meu lado, rapidamente envolvendo meus ombros esguios com o tecido fino. — Está tudo bem?

Tento sorrir. Decido evitar sua pergunta.

— Obrigada pelo cobertor.

Ele se senta ao meu lado e apoia o corpo na parede. Seus ombros estão próximos demais próximos demais ~~nunca próximos o bastante~~. O calor de seu corpo faz mais por mim do que um cobertor jamais será capaz de fazer. Alguma coisa em minhas articulações dói com um desejo agudo, uma necessidade desesperada que jamais fui capaz de atender. Meus ossos imploram por algo que não posso permitir.

~~Toque em mim~~.

Ele olha para o pequeno caderno em minha mão, para a caneta quebrada em meus dedos. Fecho o caderno e enrolo-o. Guardo-o dentro de uma rachadura na parede. Estudo a caneta em minha mão. Sei que ele está me encarando.

— Está escrevendo um livro?

— Não.

Não, não estou escrevendo um livro.

— Talvez devesse.

Viro-me para olhá-lo nos olhos e imediatamente me arrependo. Há menos de 10 centímetros nos separando e não consigo me mexer porque meu corpo está paralisado. Cada músculo cada movimento se comprime, cada vértebra em minha coluna se transforma em um bloco de gelo. Estou segurando a respiração e meus olhos estão arregalados, fixos, presos na intensidade do olhar dele. Não consigo desviá-los. Não sei como recuar.

Ah.

Meu.

Deus.

Os olhos dele.

Tenho mentido para mim mesma, decidida a negar o impossível.

Eu o conheço eu o conheço eu o conheço eu o conheço.

O menino que não se lembra de mim eu conhecia.

– Eles vão destruir a língua inglesa – afirma com uma voz cuidadosa, baixa.

Luto para recuperar o fôlego.

– Eles querem recriar tudo – continua. – Querem redesenhar tudo. Querem destruir qualquer coisa que possa ter sido o motivo de nossos problemas. Acham que precisam de uma língua nova, universal. – Adam baixa a voz. Baixa o olhar. – Querem destruir tudo. Todas as línguas da história.

– Não.

Volto a respirar. Minha visão fica turva.

– É verdade.

– Não.

Disso eu não sabia.

Ele ergue o olhar.

– É bom que você esteja escrevendo as coisas. Um dia, o que está fazendo será considerado ilegal.

Começo a tremer. Meu corpo de repente se pega enfrentando um turbilhão de emoções; meu cérebro, atormentado pelo mundo que estou perdendo e pesaroso pelo menino que não se lembra de mim. A caneta cai no chão e me vejo agarrando o cobertor com tanta força que temo rasgá-lo. O frio corta minha pele; o terror entope minhas veias. Nunca pensei que a situação ficaria tão ruim assim. Nunca pensei que o Restabelecimento levaria as coisas tão longe. Estão incinerando a cultura, a beleza da diversidade. Os novos cidadãos do nosso mundo serão reduzidos a nada além de números, facilmente intercambiáveis, facilmente removíveis, facilmente aniquilados por desobediência.

Perdemos nosso lado humano.

Envolvo os ombros com o cobertor até me encasular em tremores que não param de aterrorizar meu corpo. Fico horrorizada com minha falta de autocontrole. Não consigo me forçar a ficar parada.

Sua mão de repente está nas minhas costas.

O calor de seu corpo queima minha pele, atravessa as camadas de tecido, e eu inspiro tão rápido que meus pulmões entram em colapso. Sou levada por correntes opostas de confusão, tão desesperada ~~tão desesperada tão desesperada~~ por estar perto tão desesperada por estar distante. Não sei como me afastar dele. ~~Não quero me afastar dele~~.

Não quero que tenha medo de mim.

— Ei. — Sua voz é tão suave tão suave tão suave. Seus braços são mais fortes do que todos os meus ossos. Ele puxa meu corpo coberto para perto de seu peito e eu me estilhaço. Dois três quatro cinquenta mil estilhaços de sentimentos golpeiam meu coração, derretem em gotas de mel quente que abrandam as cicatrizes em minha alma. O cobertor é a única barreira entre nós, e ele me puxa mais para perto, mais apertado, mais forte, até eu ouvir os batimentos ecoando profundamente em seu peito e seu braço de aço envolvendo meu corpo cortar todos os laços da tensão em meus membros. Seu calor derrete de dentro para fora os pingentes de gelo que me sustentam, e eu descongelo descongelo descongelo, meus olhos fechando e abrindo muito rápido até se fecharem de vez, até lágrimas silenciosas descerem por meu rosto e eu concluir que a única coisa que quero é parar no tempo enquanto seu corpo abraça o meu.

— Está tudo bem — ele sussurra. — Você vai ficar bem.

A verdade é uma amante ciumenta e violenta que nunca dorme, isso é o que não digo a ele. Nunca vou ficar bem.

Preciso de cada filamento partido do meu ser para conseguir me afastar dele. Faço isso porque tenho que fazer. ~~Porque é para o bem dele.~~ Alguém está enfiando garfos em minhas costas enquanto me distancio. O cobertor enrosca em meu pé e quase caio antes de Adam estender outra vez a mão na minha direção.

— Juliette...

— Você nã-não pode tocar em mim. — Minha respiração está rasa e é difícil engolir, minhas mãos tremem tanto que sou obrigada a fechá-las. — Você não pode tocar em mim. Não pode.

Meus olhos estão fixados na porta.

Ele fica de pé.

— Por que não?

— Simplesmente não pode — sussurro para as paredes.

— Não estou entendendo... Por que você não conversa comigo? Fica o dia todo sentada no canto, escrevendo no seu caderno e olhando para tudo, menos para o meu rosto. Você tem tanto a dizer para uma folha de papel, mas estou bem aqui e você nem reconhece a minha presença. Juliette, por favor... — Ele tenta segurar o meu braço, mas eu me afasto. — Por que você pelo menos não *olha* para mim? Eu não vou machucar você...

~~Você não se lembra de mim. Não se lembra que estudamos na mesma escola durante 7 anos.~~

Você não se lembra de mim.

— Você não me conhece. — Minha voz sai tranquila, monótona. Meus membros estão dormentes, amputados. — Dividimos um espaço por duas semanas e você pensa que me conhece, mas não sabe nada a meu respeito. Talvez eu *seja* louca.

— Não, você não é — rebate por entre seus dentes apertados. — Você *sabe* que não é.

— Então talvez você seja — digo cuidadosamente, lentamente. — Porque um de nós é.

— Não é verdade.

— Conte por que está aqui, Adam. O que está fazendo em um hospício se o seu lugar não é aqui?

— Venho te fazendo a mesma pergunta desde que cheguei aqui.

— Talvez você faça perguntas demais.

Ouço sua respiração cortante. Sua risada amargurada.

— Somos praticamente as únicas pessoas vivas neste lugar e você quer me isolar também?

Fecho os olhos e me concentro na respiração.

— Pode conversar comigo. Só não me toque.

7 segundos de silêncio interrompem a conversa.

— Talvez eu queira tocar em você.

15 000 sentimentos de descrença perfuram meu coração. Sou tentada pelo descuido, ardendo ardendo ardendo, eternamente desesperada pelo que jamais poderei ter. Viro-me de costas para ele, mas não consigo segurar as mentiras que saem dos meus lábios.

— Talvez eu não queira que você me toque.

Ele bufa.

— Eu causo tanta repulsa assim em você?

Dou meia-volta, pega tão desprevenida por suas palavras que me esqueço de tudo. Adam está me encarando, seu rosto impassível, mandíbula tensa, mãos na cintura. Seus olhos são 2 baldes de água da chuva: profundos, viçosos, límpidos.

Doloridos.

— Você não sabe do que está falando. — Não consigo respirar.

— Você é incapaz de responder uma pergunta simples, não é?

Ele balança a cabeça e se vira para a parede.

Meu rosto é uma máscara neutra, meus braços e pernas estão preenchidos com gesso. Não sinto nada. Estou totalmente vazia e jamais conseguirei me mexer. Encaro uma pequena rachadura perto do meu tênis. Vou encará-la para sempre.

Os cobertores caem no chão. O mundo sai de foco, meus ouvidos enviam cada barulho para outra dimensão. Meus olhos se fecham, meus pensamentos estão à deriva, minhas memórias chutam meu coração.

Eu o conheço.

Tentei tanto parar de pensar nele.

Tentei tanto esquecer seu rosto.

Tentei tanto tirar aqueles olhos azuis azuis azuis da cabeça, mas eu o conheço eu o conheço eu o conheço e 3 anos se passaram desde a última vez que nos vimos.

Eu jamais conseguiria esquecer Adam.

Mas ele já me esqueceu.

Sete

Lembro-me de televisões e lareiras e pias de porcelana. Lembro-me de ingressos de cinema e estacionamentos e SUVS. *Lembro-me de salões de beleza e feriados e persianas nas janelas e dentes-de-leão e o cheiro da rua recém-asfaltada. Lembro-me de comerciais de pasta de dente e mulheres de salto alto e homens de terno. Lembro-me dos carteiros e das bibliotecas e das boybands e de bexigas e das árvores de Natal.*

Lembro-me de ter 10 anos quando não pudemos mais ignorar a escassez de alimentos e as coisas ficaram tão caras que ninguém mais conseguia arcar com os custos de viver.

Adam não está falando comigo.

Talvez seja melhor assim. Talvez fosse inútil esperar que eu e ele fôssemos amigos, talvez seja melhor ele pensar que não gosto dele e não que gosto demais. Está escondendo algo que pode ser dor, mas seus segredos me dão medo. Ele não me conta por que está aqui. Por outro lado, também não conto muita coisa.

~~E ainda assim e ainda assim e ainda assim.~~

Ontem à noite a memória de seus braços em volta de mim foi o bastante para afastar os gritos. O calor de um tipo de abraço, a força de suas mãos firmes segurando todos os meus pedaços reunidos, o alívio e a liberação de tantos anos de solidão. Esse é um presente que não posso retribuir.

Tocar em Juliette é quase impossível.

Nunca vou esquecer o horror nos olhos de minha mãe, a tortura no rosto de meu pai, o medo gravado em seus semblantes. A filha deles ~~era~~ é um monstro. Possuída pelo demônio. Amaldiçoada pela escuridão. Profana. Uma abominação. Drogas, exames, soluções médicas falharam. Interrogatórios psicológicos falharam.

Ela é uma arma ambulante na sociedade, era o que os professores diziam. Nunca vimos nada assim, era o que os médicos diziam. Ela deve ser retirada de casa, foi o que os policiais disseram.

~~Sem problemas, foi o que meus pais disseram.~~ Eu tinha 14 anos quando finalmente se livraram de mim. Quando ficaram parados e assistiram enquanto eu era arrastada para fora de casa por causa de um assassinato que eu sequer sabia que podia cometer.

Talvez o mundo seja mais seguro agora que estou trancada em uma cela. Talvez Adam fique mais seguro se me odiar. Está sentado no canto, com a mão escondendo o rosto.

Nunca quis feri-lo.

Nunca quis ferir a única pessoa que nunca quis me ferir.

A porta se abre violentamente e 5 pessoas invadem a cela, apontando rifles para nossos peitos.

Adam está de pé e eu estou petrificada. Esqueci-me de respirar. Não vejo tantas pessoas juntas há tanto tempo que, por um instante, fico entorpecida. Eu deveria estar gritando.

— Mãos ao alto, pés separados, bocas fechadas. Não se mexam e não atiraremos.

Continuo paralisada no mesmo lugar. Devia me movimentar, devia erguer os braços, afastar os pés, lembrar-me de respirar. Alguém está cortando meu pescoço.

A criatura latindo ordens bate a coronha de sua arma em minhas costas e o barulho dos meus joelhos atingindo o chão ecoa pela sala. Finalmente sinto o gosto de oxigênio e um pouco de sangue. Acho que Adam está gritando, mas existe uma agonia intensa se espalhando pelo meu corpo, diferente de qualquer coisa que já senti antes. Estou completamente imobilizada.

— Que parte você não entendeu quando eu mandei ficar de boca fechada?

Olho de soslaio e me deparo com o cano de uma arma a 5 centímetros do rosto de Adam.

— De pé. — Um coturno com bico de aço chuta minhas costelas. Um chute rápido, duro, oco. Não estou respirando nada além das arfadas estranguladas em meu peito. — Eu mandei levantar!

Mais duro, mais rápido, mais forte, outro coturno em meu estômago. Não consigo nem gritar.

~~Levante-se, Juliette. Levante-se. Se você não se levantar, vão atirar em Adam.~~

Consigo me ajoelhar, mas em seguida caio contra a parede atrás de mim, cambaleio para a frente para recuperar o equilíbrio. Erguer as mãos é uma tortura mais forte do que eu acreditava ser capaz de aguentar. Meus órgãos estão mortos; meus ossos, quebrados; minha pele é uma peneira perfurada por pregos e agulhas de dor. Eles finalmente vieram me matar.

Foi por isso que trouxeram Adam para a minha cela.

Porque estou indo embora. Adam está aqui porque vou embora, porque se esqueceram de me matar na hora certa, porque meus momentos chegaram ao fim, porque meus 17 anos foram tempo demais para mim nesse mundo. Eles vão me matar.

Sempre me perguntei como aconteceria. ~~E agora fico curiosa por saber se meus pais ficariam felizes com isso.~~

Alguém está rindo.

– Veja só se você não é uma merdinha!

Nem sei se estão falando comigo. Mal consigo me concentrar em manter os braços erguidos.

– Ela não está nem chorando – outra pessoa acrescenta. – Meninas costumam implorar misericórdia a essa altura.

As paredes começam a sangrar no encontro com o teto. Eu me pergunto por quanto tempo serei capaz de prender a respiração. Não consigo distinguir palavras não consigo entender os sons estou ouvindo o sangue correndo em minha cabeça e meus lábios são 2 blocos de concreto que não consigo abrir. Tem uma arma nas minhas costas e estou tropeçando para a frente. O chão está se abrindo. Meus pés se arrastam em uma direção que sou incapaz de decifrar.

Espero que me matem logo.

Oito

Demoro 2 dias para abrir os olhos.

Uma lata de água e uma lata de comida foram deixadas de um dos lados. Com mãos trêmulas, levo o conteúdo ao nariz para cheirar, uma dor maçante se espalha por meus ossos, uma seca desesperadora sufoca minha garganta. Nada parece estar quebrado, mas uma olhadela por baixo da blusa prova que a dor era real. Os hematomas são manchas descoloridas em azul e amarelo, uma tortura ao toque e lentas para curar.

Adam não está em lugar nenhum.

Estou sozinha em um bloco de solidão, 4 paredes com não mais do que 3 metros em todas as direções, o único ar que entra vem por uma pequena abertura na porta. Eu mal começo a ficar aterrorizada pela minha imaginação quando a pesada porta de metal é violentamente aberta. Um guarda com 2 rifles dependurados no peito me olha de cima a baixo.

– Levante-se.

Dessa vez, não hesito.

Tenho esperança de que, pelo menos, Adam esteja seguro. Tenho esperança de que não tenha o mesmo fim que eu.

– Acompanhe-me.

A voz do guarda é pesada e grossa; seus olhos cinza, indecifráveis. Parece ter cerca de 25 anos, cabelos loiros raspados bem curtos, camisas com a manga enrolada até o ombro, tatuagens militares espalhadas pelos antebraços, como Adam.

Ah.

Meu.

Deus.

Não.

Adam passa pela porta ao lado do homem loiro e aponta sua arma em direção ao corredor estreito.

— Ande logo.

~~Adam está apontando uma arma para o meu peito.~~

~~Adam está apontando uma arma para o meu peito.~~

Adam está apontando uma arma para o meu peito.

Seus olhos são estranhos para mim, vidrados e distantes, longe, muito longe.

Sinto-me anestesiada. Entorpecida, um mundo vazio, todos os sentimentos e emoções para sempre desaparecidos.

Sou um sussurro que nunca foi.

Adam é um soldado. ~~Adam quer que eu morra.~~

Encaro-o, agora abertamente, todas as sensações amputadas; minha dor, um grito distante, separado do corpo. Meus pés se movimentam de acordo com sua própria vontade; meus lábios continuam fechados porque nunca existirão palavras para esse momento.

A morte seria uma libertação bem-vinda de todas essas alegrias terrenas que conheço.

Não sei quanto tempo passo andando antes de outro golpe atingir minhas costas e me invalidar. Pisco para proteger os olhos da luz que não vejo há tanto tempo. Meus olhos começam a lacrimejar e aperto-os contra as lâmpadas fluorescentes que iluminam esse enorme espaço. Não consigo enxergar quase nada.

– Juliette Ferrars. – Uma voz detona o meu nome. Há um coturno pesado pressionado contra minhas costas e não consigo erguer a cabeça para distinguir quem é. – Weston, diminua a luz e solte-a. Quero ver o rosto dela. – A ordem é fria e forte como aço, perigosamente calma, poderosa sem se esforçar para tanto.

A luz é reduzida a um nível que sou capaz de tolerar. A pegada do coturno está gravada em minhas costas, mas não mais estampada na pele. Ergo a cabeça, olhando para cima.

Fico imediatamente impressionada por ele ser tão jovem. Não deve ser muito mais velho do que eu.

É claro que está no comando de alguma coisa, embora eu não tenha ideia do quê. Sua pele é imaculada, sem manchas; a linha do maxilar, forte e bem desenhada. Seus olhos são do tom de esmeralda mais claro que já vi.

Ele é lindo.

Seu sorriso torto é a destruição calculada.

Ele está sentado no que imagina ser um trono, mas não passa de uma cadeira na frente de uma sala vazia. Seu terno foi perfeitamente passado; os cabelos loiros, habilmente penteados. Seus soldados são os guarda-costas ideais.

Eu o odeio.

– Você é tão teimosa. – Seus olhos verdes são quase translúcidos. – Nunca quer colaborar. Se recusava até a ser gentil com seu companheiro de cela.

Estremeço contra a minha vontade. A queimadura da traição arde em meu pescoço.

Olhos Verdes parece se divertir e de repente me sinto envergonhada.

– Ora, veja só se não é interessante. – Ele estala os dedos. – Kent, pode dar um passo adiante, por favor?

Meu coração para de bater quando Adam aparece diante de meus olhos. ~~Kent. O nome dele é Adam Kent~~.

Estou em chamas da cabeça aos pés. Adam se posiciona ao lado de Olhos Verdes quase instantaneamente, mas só oferece uma breve reverência como saudação. Talvez o líder não seja nem de longe tão importante quanto pensa ser.

– Senhor – ele diz.

Tantos pensamentos se misturam em minha cabeça que não consigo desatar o nó da insanidade. Eu devia ter imaginado. Ouvi rumores de soldados vivendo em segredo em meio ao público, reportando às autoridades quando as coisas pareciam suspeitas. Pessoas desapareciam todos os dias. Ninguém nunca voltava.

Porém, ainda não consigo entender por que Adam foi enviado para me espionar.

– Parece que você causou uma impressão e tanto nela.

Aperto mais os olhos para ver o homem na cadeira, e então me dou conta de que seu terno é adornado com pequenas faixas de tecido coloridas. Condecorações militares. Seu sobrenome aparece gravado na lapela: Warner.

Adam não diz nada. Não olha em minha direção. Seu corpo permanece ereto, mais de 1 metro e 80 centímetros de músculos definidos ~~e lindos~~, um perfil forte e firme. Os mesmos braços que seguraram meu corpo agora sustentam armas letais.

– Você não tem nada a dizer sobre isso? – Warner olha para Adam apenas para inclinar a cabeça em minha direção, seus olhos dançando na luz, claramente entretidos.

Adam tensiona o maxilar.

– Senhor.

– É claro. – Warner de repente fica entediado. – Por que eu deveria esperar que você tivesse algo a dizer?

– Você vai me matar? – As palavras escapam dos meus lábios antes de eu ter a chance de pensar duas vezes. A arma de alguém bate em minha espinha outra vez. Caio com um gemido abafado, arquejando no chão imundo.

– Isso não era necessário, Roland. – A voz de Warner está saturada por um tom de decepção. – Acredito que eu estaria me perguntando a mesma coisa se estivesse na posição dela.

Uma pausa.

– Juliette.

Consigo erguer a cabeça.

– Tenho uma proposta a lhe fazer.

Nove

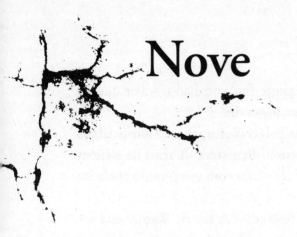

Não sei se estou ouvindo direito.

– Você tem uma coisa que eu quero – Warner continua, ainda me encarando.

– Não estou entendendo – respondo.

Ele respira fundo e se levanta para andar pela sala. Adam ainda não foi dispensado.

– Você é um dos meus projetos preferidos. – Warner sorri para si mesmo. – Passei muito tempo estudando seu histórico.

Não consigo aguentar seu jeito pomposo e convencido. Minha vontade é de arrebentar esse sorrisinho em seu rosto.

Warner para de andar.

– Quero você no meu time.

– Como é que é? – questiono em um sussurro surpreso.

– Estamos no meio de uma guerra – responde com um pouco de impaciência. – Talvez você consiga reunir as peças.

– Eu não...

– Conheço o seu segredo, Juliette. Sei por que está aqui. Toda a sua vida foi documentada em registros de hospitais, queixas a autoridades, processos legais confusos, exigências públicas para que você fosse isolada da sociedade.

Sua pausa me dá tempo suficiente para engolir o terror preso na garganta, então continua:

— Ando pensando nisso há um bom tempo, mas queria ter certeza de que você não era mesmo psicótica. O isolamento não foi exatamente um bom indicador, embora você tenha se saído muito bem. — Ele abre um sorriso que diz que eu deveria me sentir grata por seu elogio. — Enviei Adam para ficar com você como um último gesto de precaução. Queria ter certeza de que você não era volátil, de que era capaz de realizar interações humanas básicas e de se comunicar. Devo dizer que fiquei bastante satisfeito com os resultados.

Alguém está arrancando a minha pele.

— Parece que Adam fez seu papel com uma excelência um tanto exagerada. É um bom soldado. Aliás, um dos melhores. — Warner lança uma olhadela para Adam antes de sorrir para mim. — Mas não se preocupe. Ele não sabe do que você é capaz. Pelo menos ainda não.

Agarro o pânico, engulo a agonia, imploro a mim mesma para não olhar na direção dele, mas eu fracasso eu fracasso eu fracasso. Adam me olha nos olhos na mesma fração de segundo em que olho nos dele, mas desvia o rosto com tanta rapidez que já não sei se imaginei tudo.

Eu sou um monstro.

— Não sou tão cruel quanto você pensa — Warner continua, um tom musical permeando sua voz. — Se gosta tanto da companhia dele, posso tornar essa uma... tarefa permanente — completa, apontando para Adam e para mim.

— Não — arfo.

Warner curva os lábios em um sorriso descuidado.

— Ah, sim. Mas seja cuidadosa, menininha linda. Se fizer algo... ruim... ele vai ter que atirar em você.

Sinto fios elétricos perfurando meu coração. Adam não reage a nada que Warner diz.

Sou um número, uma missão, um objeto facilmente substituível; não sou nem mesmo uma memória na mente dele.

Eu não sou nada.

Não esperava que sua traição me ferisse tão profundamente.

— Se aceitar minha oferta — Warner interrompe meus pensamentos —, você vai viver como eu vivo. Será uma de nós, e não um deles. Sua vida vai mudar para sempre.

— E se eu não aceitar? — questiono, controlando a voz para que o medo não a faça falhar.

Warner parece sinceramente decepcionado. Desanimado, entrelaça os dedos.

— Na verdade, você não tem escolha. Se ficar ao meu lado, será recompensada. — Aperta os lábios. — Porém, se escolher desobedecer? Bom, digamos que você é linda com todas as partes do corpo intactas, não acha?

Minha respiração está tão intensa que sinto meu corpo tremer.

— Você quer que eu torture pessoas para você?

Seu rosto é tomado por um sorriso iluminado.

— Seria maravilhoso.

O mundo está sangrando.

Não tenho tempo de formar uma resposta antes que ele se vire para Adam.

— Mostre a ela o que está perdendo.

Adam responde com um segundo de atraso.

— Senhor?

— É uma ordem, soldado. — Os olhos de Warner estão fixos em mim, seus lábios em um espasmo para esconder o sorriso. — Eu gostaria de amansar essa aí. É um pouco determinada demais para o meu gosto.

— Você não pode tocar em mim — cuspo por entredentes.

— Está enganada — ele cantarola. Joga um par de luvas pretas para Adam. — Você vai precisar disso — completa com um sussurro conspiratório.

— Você é um monstro. — Minha voz sai regular demais, meu corpo é tomado por uma raiva repentina. — Por que não me mata de uma vez?

— Isso, minha querida, seria um desperdício. — Ele dá um passo adiante e percebo que suas mãos estão cuidadosamente protegidas por luvas de couro branco. Usa um dedo para erguer meu queixo. — Além disso, seria uma pena perder um rostinho tão bonito.

Tento mover meu pescoço para longe dele, mas o mesmo coturno com bico de aço atinge minha espinha e Warner segura meu rosto. Engulo um grito.

— Não tente resistir, meu amor. Você só vai dificultar as coisas para si própria.

— Espero que você apodreça no inferno.

Warner relaxa a mandíbula. Ergue uma das mãos para evitar que alguém atire em mim e, ao mesmo tempo, chuta meu baço, abre meu crânio, não tenho a menor ideia.

— Você é uma guerreira no time errado. — Ele endireita a coluna. — Mas podemos mudar isso. Adam — chama. — Não a perca de vista. Ela é sua responsabilidade agora.

— Sim, senhor.

Dez

Adam coloca as luvas, mas não me toca.

– Deixe que ela se levante, Roland. Eu assumo a partir daqui.

O coturno desaparece. Faço um esforço para ficar em pé e olhar o vazio. Não vou pensar no terror que me aguarda. Alguém chuta a parte de trás dos meus joelhos e quase caio no chão.

– *Mexa-se* – rosna uma voz vinda de trás.

Ergo o olhar e percebo que Adam já está em movimento. Imagino que eu deva segui-lo.

Somente quando voltamos à escuridão familiar dos corredores do hospício ele para de andar.

– Juliette.

~~Uma palavra delicada e minhas articulações se vaporizam.~~

Não respondo.

– Segure a minha mão – ele diz.

– Nunca – consigo pronunciar entre lufadas irregulares de oxigênio. – Jamais.

Um suspiro pesado. Sinto seus movimentos na escuridão e logo seu corpo está perto demais muito perto insuportavelmente perto do meu. Sua mão toca minha lombar e ele me guia pelos corredores em direção a um destino desconhecido. Cada centímetro da minha pele enrubesce. Preciso me manter ereta para não despencar contra seus braços.

A distância que estamos percorrendo é muito maior do que eu esperava. Quando Adam finalmente fala, suspeito que estejamos próximos do fim.

— Nós vamos lá fora — conta, bem perto do meu ouvido. Tenho que cerrar os punhos para controlar o frio que tropeça em meu coração. Estou quase distraída demais pela sensação de sua voz para entender o que está dizendo. — Só pensei que você devesse saber.

Uma inspiração audível é minha única resposta. Faz quase um ano que não piso lá fora. Estou dolorosamente animada, mas não sinto luz natural em minha pele há tanto tempo que não sei se vou suportar. Não tenho escolha.

O ar me soca.

Nossa atmosfera tem pouca coisa de que se gabar, mas, depois de tantos meses em um canto de concreto, sinto que até o oxigênio assolado de nossa Terra moribunda tem o sabor do paraíso. Não consigo respirar rápido o bastante. Encho os pulmões com a sensação; sinto a leve brisa e agarro um punhado do vento que passa por meus dedos.

Êxtase como jamais conheci.

O ar é frio e cortante. Um banho refrescante de um nada tangível que queima meus olhos e morde minha pele. O sol está alto hoje, ofuscante ao refletir sua luz nos pequenos caminhos de neve que mantêm a terra congelada. Meus olhos são empurrados para baixo pelo peso da luz forte e consigo enxergar apenas o que eles me permitem, mas os raios calorosos do sol envolvem meu corpo como uma jaqueta feita sob medida, como o abraço de alguma coisa maior do que um humano. Eu poderia ficar parada para sempre nesse momento. Por um segundo infinito, sinto a liberdade.

O toque de Adam me força de volta à realidade. Quase salto para fora da minha pele e ele segura minha cintura. Tenho que implorar aos meus ossos para deixarem de tremer.

– Está tudo bem com você?

Seus olhos me surpreendem. São os mesmos de que me lembro, azuis e infinitos como a parte mais profunda do oceano. Suas mãos estão ~~tão macias tão macias~~ em volta de mim.

– Não quero que me toque – minto.

– Você não tem escolha.

Ele não olha para mim.

– Sempre tenho escolha.

Esfrega a mão nos cabelos e engole o vazio em sua garganta.

– Venha comigo.

Estamos em uma área isolada, um terreno vazio tomado por folhas mortas e árvores morrendo que bebem pequenos goles da neve derretida no chão. A paisagem foi assolada pela guerra e pela negligência e ainda assim é a coisa mais linda que vejo em muito tempo. Os soldados marchando param para assistir a Adam abrindo a porta do carro para mim.

Não, não é um carro. É um tanque.

Olho para o massivo corpo de metal e tento subir quando, de repente, percebo Adam atrás de mim. Ele me ergue pela cintura e eu arfo quando me solta no banco.

Não demoramos a estar em movimento, em silêncio, e não tenho ideia de aonde estamos indo.

Observo absolutamente tudo pela janela.

Estou comendo e bebendo e absorvendo cada detalhe infinitesimal dos destroços, do horizonte, das casas abandonadas e dos estilhaços de metal e vidro espalhados pelo cenário. O mundo parece nu, despido de vegetação e calor. Não há placas nas ruas, nem semáforos; tampouco são necessários. Não existe transporte público. Todos sabem que os carros agora são produzidos por uma única empresa e vendidos por preços absurdos.

Pouquíssimas pessoas têm acesso a um meio de escapar.

~~Meus pais~~ A população em geral foi distribuída pelo que restou do interior. Complexos industriais formam a coluna dorsal da paisagem: caixas metálicas altas, retangulares, repletas de maquinário. Maquinário que tem como objetivo fortalecer o exército, fortalecer o Restabelecimento, destruir em massa a civilização humana.

Carbono/Piche/Aço

Cinza/Preto/Prata

Cores esfumaçadas mancham o horizonte, respingando sobre o lodo que no passado foi neve. O lixo se acumula em pilhas fortuitas por todos os cantos; a grama amarelada tenta espreitar, escapando por debaixo da devastação.

Casas tradicionais de nosso antigo mundo foram abandonadas, janelas estilhaçadas, telhados em colapso, tinta vermelha e verde e azul desbotadas até tons silenciosos para melhor combinar com nosso brilhante futuro. Agora vejo os complexos descuidadamente construídos na terra assolada e começo a me lembrar. Lembro-me de que eles deveriam ser temporários.

Lembro-me dos poucos meses antes de eu ser trancafiada, quando começaram a construí-los. Esses alojamentos pequenos e frios bastariam até eles definirem todos os detalhes de um novo plano, era isso que o Restabelecimento afirmava. Só até todos serem dominados. Só até que as pessoas parassem de protestar e percebessem que essa mudança era *positiva* para elas, *positiva* para as crianças, *positiva* para o futuro.

Lembro que existiam regras.

Bastava de imaginação perigosa, bastava de medicamentos prescritos. Uma nova geração composta somente de indivíduos saudáveis nos sustentaria. Os doentes precisavam ser isolados. Os velhos deviam ser descartados. Os problemáticos teriam de ser entregues aos hospícios. Somente os fortes deveriam sobreviver.

Sim.

É claro.

Bastava de línguas ridículas e histórias ridículas e pinturas ridículas instaladas sobre lareiras ridículas. Bastava de Natal, bastava de Chanucá, bastava de Ramadã e Diwali. Nada de falar de religião, de crenças, de convicções pessoais. Convicções pessoais, foi isso que quase matou a todos nós, era o que diziam.

Convicções prioridades preferências preconceitos e ideologias nos dividiram. Nos iludiram. Nos destruíram.

Necessidades, vontades e desejos egocêntricos precisavam ser extintos. Ganância, excesso de indulgência e gula tinham de ser expurgados do comportamento humano. A solução estava no autocontrole, no minimalismo, em condições austeras de vida; uma língua simples e um dicionário novo em folha repleto de palavras que todos entenderiam.

Essas coisas nos salvariam, salvariam nossos filhos, salvariam a espécie humana, era o que diziam.

Restabelecer a Igualdade. Restabelecer a Humanidade. Restabelecer Esperança, Cura e Felicidade.

SALVEM-NOS!

UNAM-SE A NÓS!

RESTABELEÇAM A SOCIEDADE!

Os pôsteres continuam colados nos muros.

O vento assola o que sobrou deles, mas os pôsteres continuam determinadamente fixados, batendo contra as estruturas de aço e concreto que os seguram. Alguns continuam grudados a postes que brotam do chão, agora com alto-falantes afixados no topo. Alto-falantes que alertam as pessoas, sem dúvida, dos perigos iminentes que as cercam.

Mas o mundo está estranhamente silencioso.

Pedestres passam, vagando no tempo frio, gelado, para trabalhar nas fábricas e levar alimento para suas famílias. Nesse mundo, a esperança sangra no cano de uma arma.

Ninguém realmente se importa mais com esse conceito.

No passado, as pessoas tinham esperança. Queriam pensar que as coisas podiam melhorar. Queriam acreditar que voltariam a se preocupar com fofocas e férias e feriados e ir a festas nas noites de sábado. Então o Restabelecimento prometeu um futuro perfeito demais para ser possível e a sociedade estava desesperada demais para não acreditar. As pessoas nunca perceberam que estavam entregando suas almas a um grupo que planejava tirar vantagem de sua ignorância. De seu medo.

A maioria dos civis está petrificada demais para protestar, mas há outros que se mantêm mais fortes. Há outros à espera do momento certo. Há outros que já começaram o combate.

Espero que não seja tarde demais para combater.

Estudo cada galho balançando, cada soldado imponente, cada janela que consigo contar. Meus olhos são 2 batedores de carteira profissionais, roubando tudo para armazenar em minha mente.

Perco a conta dos minutos que passamos atropelando tudo.

Estacionamos em uma estrutura 10 vezes maior do que o hospício e, de forma suspeita, central à civilização. De fora, parece uma construção sem graça, discreta de todas as formas exceto pelo tamanho, placas de aço cinza compondo 4 paredes retas, janelas enfiadas em 15 andares. Não possui vida e não ostenta nenhuma marca, nenhuma insígnia, nenhuma prova de sua verdadeira identidade.

Quartel político camuflado em meio às massas.

O interior do tanque é uma bagunça de botões e alavancas que não tenho ideia de como operar e, antes que eu tenha uma chance de identificar as peças, Adam já está abrindo as portas. Suas mãos seguram minha cintura e agora meus pés estão firmemente no chão, mas meu coração bate tão rápido que tenho certeza de que consigo ouvi-lo. Adam não me solta.

Ergo o olhar.

Seus olhos estão apertados, a testa repuxada, os lábios ~~os lábios os lábios~~ são 2 peças de frustração forjadas juntas.

Dou um passo para trás e 10 000 partículas minúsculas se estilhaçam entre nós. Ele baixa o olhar. Vira o rosto. Inspira e 5 dedos de uma mão formam um punho instavelmente fechado.

– Por aqui. – E acena na direção do prédio.

Sigo-o até o interior da construção.

Onze

Estou tão preparada para um horror inimaginável que a realidade é quase pior.

Dinheiro sujo respinga das paredes, um ano de fornecimento de alimentos desperdiçado no piso de mármore, centenas de milhares de dólares em ajuda médica gastas em móveis refinados e tapetes persas. Sinto o calor artificial entrando pelo sistema de ventilação e penso em crianças gritando por água limpa. Aperto os olhos para ver lustres de cristal e ouço mães implorando por misericórdia. Vejo um mundo artificial existir em meio a uma realidade aterrorizante e não consigo me mexer.

Não consigo respirar.

Tantos devem ter morrido para sustentar todo esse luxo. Tantas pessoas tiveram de perder suas casas e seus filhos e seus últimos 5 dólares no banco por promessas promessas promessas tantas promessas de salvá-las delas mesmas. Eles prometeram a nós – o Restabelecimento prometeu esperança de um futuro melhor. Garantiram que corrigiriam os problemas, que nos ajudariam a voltar ao mundo que conhecíamos – o mundo com datas de estreias de filmes no cinema e casamentos na primavera e chás de bebê.

Disseram que devolveriam nossas casas, nossa saúde, nosso futuro sustentável.

Mas eles roubaram tudo.

Eles levaram tudo. ~~Minha vida. Meu futuro. Minha sanidade. Minha liberdade.~~

Encheram nosso mundo de armas apontadas para nossas testas e sorriram enquanto atiravam 16 balas em nosso futuro. Mataram aqueles fortes o suficiente para reagir e trancafiaram os loucos que fracassaram em superar suas expectativas utópicas. ~~Pessoas como eu.~~

Aqui está a prova da corrupção deles.

Minha pele sua frio, meus dedos tremem de asco, minhas pernas são incapazes de sustentar ~~o desperdício o desperdício o desperdício~~ o desperdício egoísta dentro dessas 4 paredes. Vejo vermelho em todos os cantos. O sangue de corpos salpicado nas janelas, derramado pelos tapetes, respingando dos lustres.

– Juliette...

Eu me desfaço.

Estou de joelhos, meu corpo estalando com a dor que engoli tantas vezes, arrastando-se com lágrimas que não consigo mais esconder, minha dignidade se dissolvendo nessas lágrimas, a agonia da última semana rasgando minha pele.

Não consigo respirar.

Não consigo absorver o oxigênio à minha volta e estou puxando minha blusa e ouço vozes e vejo rostos que não reconheço, sílabas de palavras distorcidas pela confusão, pensamentos tão revirados que nem sei mais se ainda estou consciente.

Não sei se oficialmente enlouqueci.

Sinto-me suspensa no ar. Sou um saco de plumas nos braços dele e ele está passando pelos soldados reunidos para vislumbrar a comoção e por um instante não quero me importar com o fato de que não deveria querer tanto isso. Quero esquecer que eu deveria odiá-lo, que ele me traiu, que está trabalhando para as mesmas pessoas que tentam destruir o pouquíssimo que sobrou da humanidade e meu rosto está enterrado no tecido macio de sua blusa e minha bochecha pressiona seu peito e ele tem cheiro de força e coragem e o mundo afundando em chuva. Não quero que solte meu corpo ~~nunca nunca nunca nunca nunca~~. Queria poder tocar sua pele, queria que não existissem barreiras entre nós.

A realidade me dá um tapa na cara.

A vergonha confunde meu cérebro, uma humilhação desesperada turva meu julgamento; vermelho pinta meu rosto, sangra por minha pele. Agarro sua blusa.

– Pode me matar – digo a ele. – Vocês têm armas... – Tento me libertar de sua pegada, mas ele aumenta a força em volta do meu corpo. Seu rosto não entrega nenhuma emoção além de um retesamento repentino no maxilar, uma tensão inimaginável em seus braços. – Pode simplesmente *me matar*... – imploro.

– *Juliette*. – Sua voz sai sólida, manchada por um toque de desespero. – *Por favor*.

Vejo-me outra vez entorpecida. Outra vez impotente. Derretendo de dentro para fora, a vida escapando por meus braços e pernas.

Estamos diante de uma porta.

Adam pega um cartão-chave e desliza-o por um painel de vidro preto instalado em um pequeno espaço ao lado da maçaneta. A porta de aço inoxidável desliza e nós entramos.

Estamos totalmente sozinhos em outro cômodo.

– Por favor ~~não me solte~~ me coloque no chão – digo a ele.

Há uma cama de casal no meio do cômodo, um tapete exuberante agraciando o chão, um armário contra a parede, um lustre aceso no teto. A beleza é tão podre que não suporto vê-la. Adam me coloca no colchão macio e dá alguns passos curtos para trás.

— Acho que você vai passar um tempo aqui — é tudo o que diz.

Fecho os olhos com bastante força. Não quero pensar na inevitável tortura que me aguarda.

— Por favor — peço. — Eu quero ficar sozinha.

Um suspiro profundo.

— Isso não é exatamente uma opção.

— O que quer dizer com isso?

Viro-me para ele.

— Tenho que ficar de olho em você, Juliette. — Ele pronuncia meu nome sussurrado. ~~Meu coração meu coração meu coração.~~ — Warner quer que entenda o que ele está oferecendo a você, mas ainda é considerada uma… uma ameaça. Ele me atribuiu uma tarefa. Não posso sair daqui.

~~Não sei se devo me sentir alegre ou horrorizada.~~ Estou horrorizada.

— Você tem que viver comigo?

— Eu moro no quartel do outro lado deste prédio. Com os outros soldados. Mas sim… — Ele pigarreia. Não está olhando para mim. — Vou me mudar para cá.

Sinto uma dor na base do estômago, uma dor que mastiga meus nervos. Quero odiá-lo e julgá-lo e gritar para sempre, mas fracasso porque só consigo ver um menino de 8 anos que não lembra que um dia foi a pessoa mais gentil que já conheci.

Não quero acreditar que isso está acontecendo.

Fecho os olhos e afundo a cabeça nos joelhos.

— Você precisa se vestir — Adam avisa depois de um instante.

Ergo a cabeça. Pisco para ele como se não entendesse o que ele diz.

– Mas eu estou vestida.

Ele pigarreia outra vez, mas tenta ser discreto.

– O banheiro fica ali. – E aponta. Vejo uma porta ligada ao quarto e de repente fico curiosa. Já ouvi histórias de pessoas que tinham banheiro em seus quartos. Acho que não ficava exatamente *dentro* do quarto, mas quase isso. Saio da cama e acompanho seu dedo. Assim que abro a porta, ele volta a falar em voz baixa:

– Pode tomar banho e se trocar aqui. O banheiro... é o único lugar onde não há câmeras. – ele acrescenta, com a voz quase desaparecendo.

Há câmeras no meu quarto.

É claro.

– Há algumas roupas ali. – Aponta para o armário.

De repente, parece desconfortável.

– E você não pode sair? – pergunto.

Ele esfrega a mão na testa e se senta na cama. Suspira.

– Você precisa se arrumar. Warner estará à sua espera para o jantar.

– *Jantar?*

Meus olhos ficam do tamanho da lua.

Adam parece austero.

– Sim.

– Ele não vai me ferir? – Sinto vergonha do alívio em minha voz, da tensão inesperada da qual me desprendi, do medo que eu não sabia que estava alimentando. – Ele vai me oferecer algo para comer? ~~Sinto tanta fome que meu estômago mais parece um poço de inanição torturante estou com fome tanta forme tanta fome.~~ Nem consigo imaginar qual é o sabor de comida de verdade.

O rosto de Adam se mostra outra vez impenetrável.

– Deveria se apressar. Posso mostrar como tudo funciona.

Não tenho tempo de protestar e Adam já está no banheiro e eu já o segui. A porta continua aberta e ele está parado no meio do pequeno espaço, de costas para mim, e não consigo entender por quê.

– Já sei usar o banheiro – digo a ele. ~~Eu morava em uma casa comum. Eu tinha uma família.~~

Ele se vira muito, muito lentamente, e começo a entrar em pânico. Finalmente ergue a cabeça, mas seus olhos apontam em todas as direções. Quando me encara, eles se estreitam, a testa fica tensa. A mão direita se fecha e a esquerda se levanta até tocar um dedo em meus lábios. Adam está me dizendo para ficar quieta.

Todos os meus órgãos caem no chão.

Eu sabia que alguma coisa estava por vir, mas não sabia que seria Adam. Não pensei que seria justamente ele quem me feriria, me torturaria, me faria desejar a morte mais do que já desejei antes. Nem percebo que estou chorando até ouvir o choramingo e sentir as lágrimas silenciosas escorrendo pelo meu rosto e sinto ~~vergonha tanta vergonha~~ tanta vergonha da minha fraqueza, mas parte de mim nem se importa. Percebo que estou tentada a implorar, a pedir misericórdia, a roubar sua arma e atirar em mim mesma. Dignidade é a única coisa que me resta.

Ele parece notar minha histeria repentina porque seus olhos se arregalam e sua boca cai até o chão.

– Não, meu Deus, Juliette... Eu não...

Ele xinga baixinho. Bate o punho fechado na testa e dá meia-volta, arfando pesadamente, atravessando a extensão do cômodo minúsculo. Xinga outra vez.

Passa pela porta e não olha para trás.

Doze

5 minutos inteiros debaixo da água quente, 2 sabonetes com cheiro de lavanda, 1 frasco de xampu feito exclusivamente para os cabelos e o toque de toalhas macias com as quais me atrevo a envolver o corpo e então começo a entender.

Eles querem que eu esqueça.

Acham que podem apagar minhas memórias, minha lealdade, minhas prioridades com algumas refeições quentes e um quarto com uma bela vista. Acham que podem me comprar com tão pouco.

Warner parece não entender que eu cresci sem nada e não detestava aquela situação. Eu não queria roupas ou sapatos perfeitos nem nada caro. Não queria vestir seda. Tudo o que sempre quis foi estender a mão e tocar outro ser humano, não apenas com os dedos, mas com o coração. Vi o mundo e sua falta de compaixão, seus julgamentos duros e ofensivos, seus olhos frios e ressentidos. Vi tudo isso à minha volta.

Tive tanto tempo para ouvir.

Para olhar.

Para estudar pessoas e lugares e possibilidades. Tudo o que eu tinha de fazer era abrir os olhos. Só precisava abrir um livro – ver as histórias sangrando de uma página para outra. Ver as memórias gravadas no papel.

Passei a vida curvada entre páginas de livros.

Na ausência de relacionamentos humanos, formei laços com personagens no papel. Vivi amor e perda por meio de histórias gravadas na História; vivi a adolescência por associação. Meu mundo é uma rede entrelaçada de palavras, membros costurados a membros, osso a tendão, pensamentos e imagens juntos. Sou um ser composto de letras, um personagem criado por meio de frases, uma imaginação formada por ficção.

Eles querem que eu apague deste planeta cada sinal de pontuação da minha vida, mas não acho que eu possa deixar isso acontecer.

Visto outra vez minhas roupas velhas e na ponta dos pés entro no quarto só para encontrá-lo vazio. Adam se foi, muito embora tivesse dito que ficaria aqui. Não o entendo e não entendo suas ações e não entendo minha decepção. Queria não adorar o frescor em minha pele, a sensação de estar perfeitamente limpa depois de tanto tempo; não entendo por que ainda não me olhei no espelho, por que tenho medo do que vou ver, por que não sei ao certo se vou reconhecer o rosto que vai me olhar de volta.

Abro o armário.

Está repleto de vestidos e sapatos e camisas e calças e roupas de todo tipo, cores tão vívidas que chegam a doer os olhos, tecidos e materiais dos quais só ouvi falar, do tipo que quase sinto medo de tocar. Os tamanhos são perfeitos, demasiadamente perfeitos.

Eles estavam me esperando.

Do céu, chovem tijolos bem na direção do meu cérebro.

Fui negligenciada abandonada condenada ao ostracismo e arrastada para fora da minha casa. Fui cutucada sondada examinada e jogada em uma cela. Fui estudada. Passei fome. Fui seduzida com amizade só para ser traída e presa nesse pesadelo pelo qual esperam que eu me sinta grata. Meus pais. Meus professores. Adam. Warner. O Restabelecimento. Sou descartável para todos eles.

Acham que sou uma bonequinha, que podem me vestir e me deixar prostrada.

Mas estão errados.

— Warner está esperando.

Dou meia-volta e bato de costas contra o armário, fechando-o em um ataque de pânico que agarra meu coração. Ajeito-me e afasto meu medo quando vejo Adam parado à porta. Sua boca se movimenta por um instante, mas ele não diz nada. Por fim, dá um passo adiante, um passo tão grande que logo fica tão próximo que eu poderia tocá-lo.

Estende a mão para abrir outra vez a porta que esconde as coisas que me deixam constrangida só por saber que existem.

— É tudo para você — diz sem me olhar, seus dedos tocando a bainha de um vestido roxo, uma cor ameixa tão impressionante que dá vontade de comer.

— Já tenho roupas.

Minhas mãos alisam o tecido amarrotado da minha roupa suja.

Ele finalmente decide olhar para mim e suas sobrancelhas se repuxam, seus olhos piscam e congelam, seus lábios se separam, surpresos. Eu me pergunto se saí do banho com um rosto tão diferente assim, e enrubesço na esperança de que Adam não sinta desgosto pelo que está vendo. Não sei por que me importo.

Ele baixa o olhar. Respira fundo.

— Estou esperando lá fora.

~~Eu olho para o vestido roxo com as impressões digitais de Adam~~ Eu estudo o interior do armário por apenas um instante antes de deixá-lo. Passo os dedos ansiosos por meus cabelos molhados e me recomponho.

Não sou propriedade de ninguém.

E não me importo com a aparência que Warner quer que eu tenha.

Saio do quarto e Adam me encara por um breve segundo. Esfrega a mão na nuca e não fala nada. Faz que não com a cabeça. Começa a andar. Não toca em mim e eu não deveria atentar a isso, mas atento. Não faço ideia do que esperar, não faço ideia de como será minha vida nesse novo lugar e estou sendo golpeada no estômago por cada item de decoração, cada acessório luxuoso, cada pintura, estátua, luz, cor supérflua dentro desse prédio. Espero que tudo pegue fogo.

Sigo Adam por um corredor longo, coberto por tapetes, até um elevador feito totalmente de vidro. Ele passa o mesmo cartão-chave que usou para abrir minha porta e entramos. Nem tinha me dado conta de que usamos um elevador para subir tantos andares. Imagino que eu tenha feito uma cena horrível quando cheguei.

Espero decepcionar Warner de todas as maneiras possíveis.

A sala de jantar é grande o bastante para alimentar milhares de órfãos. Em vez disso, há 7 mesas de banquete espalhadas pelo salão, cobertas com seda azul, vasos de cristal ostentando orquídeas e lírios, tigelas de vidro cheias de gardênias. ~~É encantador.~~ Eu me pergunto onde arrumaram as flores. Não devem ser de verdade. Não sei como poderiam ser de verdade. Não vejo flores de verdade há anos.

Warner está posicionado à mesa que fica bem no centro do salão, sentado à ponta. Assim que avista ~~minha chegada~~ Adam, ele se levanta. Todos se levantam.

Percebo quase imediatamente que há uma cadeira vazia de cada lado dele, e não pretendo parar de andar, mas paro. Faço um rápido inventário das pessoas presentes e não consigo ver nenhuma outra mulher.

Adam esfrega as pontas de 3 dedos em minha lombar e me pego muito assustada. Aperto o passo e Warner sorri para mim. Puxa a cadeira à sua esquerda e gesticula para que eu me sente. Eu me sento.

Tento não olhar para Adam, que se senta à minha frente.

— Sabe... Há roupas no seu armário, minha querida.

Warner se senta ao meu lado; todos no salão também se sentam e continuam suas conversas. Ele está quase totalmente voltado para mim, mas, de algum modo, a única presença da qual estou ciente é aquela bem à minha frente. Concentro-me no prato vazio a 5 centímetros dos meus dedos. Solto as mãos em meu colo.

— E não precisa mais usar esses tênis velhos — continua Warner, olhando-me outra vez antes de colocar alguma coisa em minha xícara. Parece água.

~~Estou com tanta sede que poderia engolir uma cachoeira.~~

Odeio o sorriso dele.

O ódio é como qualquer outra pessoa, até sorrir. Até dar meia-volta e mentir com lábios e dentes desenhados de modo a parecer algo passivo demais para nos dar vontade de socar.

— Juliette?

Inspiro rápido demais. Uma tosse sufocada cresce em minha garganta.

Seus olhos verdes e vidrados brilham em minha direção.

— Não está com fome? — Palavras mergulhadas em açúcar.

Sua mão enluvada toca meu punho e quase me machuco na pressa para me afastar dele.

~~Eu poderia devorar todas as pessoas nesse salão.~~
– Não, obrigada.
Ele lambe o lábio inferior e sorri.
– Não confunda burrice com coragem, meu amor. Sei que você não come nada há dias.
Minha paciência está realmente acabando.
– Eu preferiria morrer a comer sua comida e ouvir você me chamar de "meu amor" – digo a ele.
Adam solta o garfo.
Warner lança uma olhadela rápida para ele e, quando me encara outra vez, seus olhos estão endurecidos. Ele me encara por alguns segundos infinitamente longos antes de puxar uma arma do bolso da jaqueta. E atirar.
Todo o salão fica paralisado.
Meu coração bate as asas em minha garganta.
Viro a cabeça muito, muito lentamente para acompanhar a direção da arma de Warner, apenas para ver que atingiu um pedaço de carne, até os ossos. O prato de comida solta fumaça pela sala, a refeição empilhada a menos de 30 centímetros dos convidados. Ele atirou sem nem olhar. Poderia ter matado alguém.
Preciso reunir toda minha energia para permanecer muito, muito imóvel.
Warner solta a arma no meu prato. O silêncio abre espaço para o barulho ecoar até o universo e de volta.
– Escolha suas palavras com muito cuidado, Juliette. Uma palavra minha e sua vida aqui não será nada fácil.
Pisco.
Adam empurra um prato de comida na minha frente; a força de seu olhar é como um atiçador quente pressionando minha pele. Ergo o olhar e ele inclina a cabeça apenas um milímetro.

Seus olhos dizem: *por favor*.
Seguro meu garfo.
Warner não deixa nada passar. Pigarreia um pouco alto demais. Ri sem achar graça enquanto corta a carne em seu prato.

— Tenho que chamar Kent para fazer todo o meu trabalho?

— Perdão?

— Parece que ele é o único que você ouve. — Seu tom é leve, mas o maxilar está inconfundivelmente tenso. Vira-se para Adam. — Fico surpreso por você não ter dito a ela para trocar as roupas, conforme eu pedi para fazer.

Adam endireita a coluna.

— Eu falei, senhor.

— Eu gosto das minhas roupas — digo a ele.

Quero socá-lo bem no olho, essa é a parte que não digo.

O sorriso de Warner volta a estampar seu rosto.

— Ninguém perguntou do que você gosta, meu amor. Agora coma. Preciso que esteja com sua melhor aparência enquanto permanecer ao meu lado.

Treze

Warner faz questão de me acompanhar até meu quarto.

Depois do jantar, Adam desapareceu com alguns dos outros soldados. Desapareceu sem dizer uma única palavra nem olhar em minha direção, e não tenho ideia do que esperar. Pelo menos não tenho nada a perder além da minha vida.

– Não quero que me odeie – Warner diz enquanto andamos a caminho do elevador. – Só serei seu inimigo se você quiser que seja.

– Sempre seremos inimigos. – Minha voz sai com pontadas de gelo. As palavras derretem em minha língua. – Jamais serei o que você quer que eu seja.

Warner suspira enquanto aperta o botão para chamar o elevador.

– Realmente, acho que você vai mudar de ideia. – Ele olha para mim com um sorriso discreto. Uma pena, mesmo, que uma aparência tão linda seja desperdiçada em um ser humano tão horrível. – Você e eu, Juliette... Juntos? Seríamos imbatíveis.

Eu me recuso a fitá-lo, muito embora sinta seus olhos tocando cada centímetro do meu corpo.

– Não, obrigada.

Estamos no elevador. O mundo passa correndo por nós e as paredes de vidro nos transformam em um espetáculo para qualquer pessoa em qualquer andar. Nesse prédio não existem segredos.

Ele toca meu cotovelo e eu me afasto.

– Talvez queira repensar isso – fala baixinho.

– Como você descobriu?

O elevador se abre, mas não me mexo. Finalmente me viro para encará-lo porque não consigo conter minha curiosidade. Estudo suas mãos tão cuidadosamente protegidas pelas luvas de couro, as mangas pesadas e asseadas e longas. Até a gola é alta e suntuosa. Está vestido impecavelmente da cabeça aos pés, todo coberto, exceto pelo rosto. Mesmo se eu quisesse tocá-lo, não sei se conseguiria. Está se protegendo.

De mim.

– Talvez uma conversa amanhã à noite? – Arqueia uma sobrancelha e me oferece o braço. Finjo não notar enquanto saímos do elevador e atravessamos o corredor. – Talvez você devesse vestir alguma coisa melhor.

– Qual é seu primeiro nome? – pergunto.

Estamos em frente à porta do meu quarto.

Ele para. Surpreso. Ergue o queixo quase imperceptivelmente. Foca o olhar em meu rosto até eu começar a me arrepender da minha pergunta.

– Você quer saber o meu nome.

Não faço de propósito, mas meus olhos se estreitam um pouquinho.

– Warner é seu sobrenome, não é?

Ele quase sorri.

– Você quer saber meu nome.

– Não sabia que era secreto.

Ele dá um passo adiante. Seus lábios se repuxam. Baixa o olhar, os lábios se comprimem em uma respiração tortuosa. Passa um dedo enluvado pela minha bochecha.

— Digo o meu se você disser o seu — sussurra, perto demais do meu pescoço.

Afasto-me um centímetro. Engulo em seco.

— Você já sabe o meu nome.

Ele não olha em meus olhos.

— Você está certa. Deixe-me ser mais claro. Eu quis dizer que direi o meu se você me mostrar o seu.

— O quê? — De repente, estou respirando rápido demais.

Warner começa a tirar as luvas e eu começo a entrar em pânico.

— Mostre o que você é capaz de fazer.

Meu maxilar está tenso demais e meus dentes começaram a doer.

— Eu me recuso a tocar você.

— Não tem problema. — Ele puxa a luva da outra mão. — Não preciso exatamente da sua ajuda.

— Não...

— Não se preocupe. — Abre um sorriso cínico. — Tenho certeza de que não vai doer nada, nadinha mesmo, em você.

— Não — arfo. — Não, eu não vou... Eu não posso...

— Está bem — Warner esbraveja. — Tudo bem. Você não quer me ferir. Fico muito lisonjeado. — Ele quase revira os olhos. Observa o corredor. Avista um soldado. Chama-o. — Jenkins?

Jenkins é rápido para alguém de seu tamanho, e em um segundo está ao meu lado.

— Senhor.

Faz uma breve reverência, embora claramente seja mais velho do que Warner. Não deve ter mais do que 27 anos; forte, corpulento, repleto de músculos. Lança um olhar de soslaio para mim. Seus olhos castanhos são mais calorosos do que eu esperava.

– Preciso que acompanhe a senhorita Ferrars de volta lá para baixo. Mas esteja avisado: ela é terrivelmente relutante em cooperar e tentará se soltar. – Oferece um sorriso excessivamente frio. – Independentemente do que ela disser ou fizer, soldado, não a deixe escapar. Entendeu?

Os olhos de Jenkins ficam arregalados; ele pisca, as narinas incham, as mãos vão na cintura. Respira superficialmente. Assente.

Jenkins não é nenhum idiota.

Começo a correr.

Estou avançando pelo corredor e correndo por uma série de soldados impressionados, amedrontados demais para me conter. Não sei o que estou fazendo, por que acho que posso correr, aonde penso que posso ir. Esforço-me para chegar ao elevador porque ele pode, no mínimo, me ajudar a ganhar tempo. Não sei o que fazer além disso.

Os comandos de Warner ricocheteiam pelas paredes e explodem em meus tímpanos. Ele não precisa correr atrás de mim.

Está ordenando que outros façam esse trabalho por ele.

Soldados surgem à minha frente.

Ao meu lado.

Atrás de mim.

Não consigo respirar.

Estou girando no meio do círculo da minha própria burrice, em pânico, com dor, petrificada pelo pensamento do que vou fazer com Jenkins contra minha vontade. O que ele vai fazer comigo contra sua vontade. O que vai acontecer a nós dois, apesar de nossas melhores intenções.

— Agarre-a — Warner ordena baixinho.

O silêncio preenche todos os cantos do edifício. Sua voz é o único ruído no ambiente.

Jenkins dá um passo para a frente.

Meus olhos lacrimejam e os fecho bem apertados. Forço-os a se abrirem. Pisco para a multidão e avisto um rosto familiar. Adam está me encarando, horrorizado.

A vergonha cobre cada centímetro do meu corpo.

Jenkins me oferece sua mão.

Meus ossos começam a ceder, estalando em sincronia com os batimentos do meu coração. Desmorono no chão, dobrando o corpo como se eu fosse uma massa disforme. Meus braços estão tão dolorosamente expostos nessa camiseta maltrapilha.

— Não... — Ergo a mão instavelmente, implorando com os olhos, fitando o rosto desse homem inocente. — Por favor, não... — Minha voz falha. — Você não quer tocar em mim.

— Eu nunca disse que queria. — A voz de Jenkins é profunda e estável, tomada por remorso. Ele, que está sem luvas, sem proteção, sem precaução, sem nenhuma possível defesa.

— Essa foi uma ordem direta, soldado — Warner rosna, apontando uma arma para as costas dele.

Jenkins segura meus braços.

Não não não, eu arfo.

Meu sangue explode nas veias, corre pelo coração como um rio violento, ondas de calor atingem meus ossos. Posso ouvir sua angústia, posso sentir a força deixando seu corpo, posso ouvir seu coração batendo em meu ouvido e minha cabeça girando com a descarga de adrenalina fortalecendo meu ser.

Eu me sinto viva.

Queria que me ferisse. Queria que me mutilasse. Queria sentir repulsa. Queria odiar essa força potente que está envolvendo meu esqueleto.

Mas não consigo. Minha pele pulsa com a vida de outra pessoa, e não odeio isso.

Eu me odeio por gostar.

Gosto de me sentir vibrando com mais vida e esperança e força humana do que eu imaginava ser capaz. A dor dele me faz sentir um prazer que jamais pedi para sentir.

E ele não me solta.

Mas não me solta porque não consegue. Porque eu tenho que ser a pessoa que interrompe a conexão. Porque a agonia o impede. Porque ele está preso em minha cilada.

Porque eu sou uma planta carnívora.

E sou letal.

Caio de costas e chuto seu peito, afastando-o de mim, afastando seu peso da minha estrutura pequena, seu corpo caído e amolecido contra o meu. De repente estou gritando e lutando para enxergar além das lágrimas que turvam minha visão; estou soluçando, histérica, horrorizada pelo olhar congelado no rosto desse homem, seus membros paralisados, seus pulmões arfando.

Eu me solto e vou cambaleando para trás. O mar de soldados atrás de mim se abre. Cada rosto é tomado por espanto e um medo genuíno, natural. Jenkins está deitado no chão e ninguém se atreve a se aproximar dele.

– Alguém o ajude! – grito. – Alguém o ajude! Ele precisa de um médico... Precisa ser levado... precisa de... ele... ah, meu Deus... O que foi que eu fiz?

– Juliette...

– Não me toque! Não se atreva a me tocar!

Warner está outra vez com suas luvas e tentando me recompor, tentando ajeitar meus cabelos, tentando secar minhas lágrimas e eu quero assassiná-lo.

– Juliette, você precisa se acalmar...

– Ajudem-no! – grito, caindo de joelhos, olhos grudados no corpo caído no chão.

Os outros soldados estão finalmente se aproximando, cuidadosos, como se ele pudesse ser contagioso.

– Por favor... Vocês precisam ajudá-lo! Por favor...

– Kent, Curtis, Soledad... Cuidem disso! – Warner grita para seus soldados antes de me pegar nos braços.

Ainda estou chutando o ar quando tudo fica escuro.

Quatorze

O teto entra e sai de foco.

Minha cabeça parece pesada; minha visão, embaçada; o coração, apertado. Há um sabor nítido de pânico instalado em algum ponto sob minha língua e estou lutando para lembrar de onde veio. Tento me sentar e não consigo entender por que estava deitada.

As mãos de alguém estão em meus ombros.

– Como se sente? – Warner está de pé, me observando.

De repente, minhas memórias queimam meus olhos e o rosto de Jenkins domina minha consciência e estou balançando os punhos e gritando para Warner ficar longe de mim e lutando para que não toque em mim, mas ele apenas sorri. Ri um pouquinho. Mãos cuidadosas deslizam por meu torso.

– Bom, pelo menos você acordou – suspira. – Porque me deixou preocupado por um momento.

Tento controlar o tremor em meus membros.

– Tire suas mãos de mim.

Warner balança os dedos cobertos diante do meu rosto.

– Estou bem protegido, não se preocupe.

– Eu *odeio* você.

– Quanta paixão.

Ele ri outra vez. Parece tão calmo, tão genuinamente bem-humorado. Ele me encara com olhos mais doces do que jamais esperei ver.

Desvio o olhar.

Ele se levanta. Respira rapidamente.

— Tome — diz, pegando uma bandeja na mesinha. — Trouxe comida para você.

Tiro vantagem do momento para me sentar e olhar em volta. Estou deitada em uma cama coberta por ouro bordado e um tom de borgonha mais escuro do que sangue. O chão é coberto por tapetes felpudos e opulentos, da cor do pôr do sol de um dia de verão. O quarto é aquecido. Tem o mesmo tamanho daquele que me foi atribuído, a mobília é padrão: cama, armário, criados-mudos, lustre pendurado no teto. A única diferença é que aqui há uma porta extra e uma vela que queima silenciosamente em uma mesa no canto. Não vejo fogo há tantos anos que já perdi as contas. Tenho que resistir ao impulso de estender a mão e tocar a chama.

Apoio o cotovelo nos travesseiros e tento fingir que não me sinto confortável.

— Onde estou?

Warner vira-se, segurando um prato com pão e queijo. A outra mão agarra um copo de água. Ele desliza o olhar pelo quarto como se estivesse vendo o cômodo pela primeira vez.

— Este é o meu quarto.

Se minha cabeça não estivesse estilhaçando, eu me sentiria tentada a correr.

— Leve-me para o meu quarto. Não quero ficar aqui.

— Mas é aqui que está. — Ele se senta ao pé da cama, a poucos centímetros de distância de mim. Empurra o prato na minha direção. — Está com sede?

Não sei se é porque não consigo pensar direito ou porque estou sinceramente confusa, mas me pego lutando para entender as personalidades polarizadas de Warner. Aqui está ele, me oferecendo um copo de água... depois de me forçar a torturar alguém. Ergo as mãos e estudo meus dedos como se jamais os tivesse visto antes.

— Não estou entendendo.

Ele inclina a cabeça, inspecionando-me como se eu pudesse estar seriamente ferida.

— Só perguntei se está com sede. Não deve ser tão difícil assim entender o que quero saber. — Uma pausa. — Beba isto.

Seguro o copo. Analiso o copo. Analiso Warner. Analiso as paredes. Devo estar louca.

Warner suspira.

— Não sei, mas acho que você desmaiou. E acho que deveria comer alguma coisa, embora também não tenha certeza disso. — Ele faz mais uma pausa. — Você provavelmente se desgastou demais no seu primeiro dia aqui. Falha minha.

— Por que está sendo gentil comigo?

A surpresa em seu rosto me deixa ainda mais surpresa.

— Porque me preocupo com você — declara de forma singela.

— Você se preocupa *comigo*? — O torpor em meu corpo começa a se dissipar. Minha pressão sanguínea aumenta e a raiva chega ao centro da minha consciência. — Quase matei Jenkins por culpa sua!

— Você não matou...

— Seus soldados me agrediram! Você me mantém como prisioneira aqui! Você me ameaça! Ameaça me matar! Não me dá nenhuma liberdade e agora diz que se importa comigo? — Quase jogo o copo de água na cara dele. — Você é um *monstro*!

Warner vira o rosto de modo que eu possa ver seu perfil. Ele une as mãos. Muda de ideia. Toca os lábios.

— Só estou tentando ajudá-la.

— Mentiroso.

Ele parece considerar meu insulto. Assente, apenas uma vez.

— Sim, na maior parte do tempo sou mesmo.

— Eu não quero estar aqui. Não quero ser um experimento seu. Deixe-me ir embora.

— Não. — Ele se levanta. — Receio que não possa fazer isso.

— Por que não?

— Porque não posso. Eu só... — Ele mexe nos próprios dedos. Pigarreia. Seus olhos apontam para o teto por um breve instante. — Porque eu preciso de você.

— Você precisa de mim para matar pessoas!

Ele não responde imediatamente. Vai até a vela. Tira a luva. Cutuca a chama com o dedo exposto.

— Você sabe que sou completamente capaz de matar pessoas sozinho, Juliette. Na verdade, sou muito bom nisso.

— Você é repulsivo.

Ele dá de ombros.

— De que outra maneira você acha que alguém da minha idade seria capaz de controlar tantos soldados? Por qual outro motivo meu pai me deixaria cuidar de um setor inteiro?

— Seu *pai*?

Sento-me na cama, de repente curiosa, mesmo contra minha vontade.

Warner ignora minha pergunta.

— O mecanismo do medo é muito simples. As pessoas se sentem intimidadas por mim, então me ouvem quando eu falo. — Acena com a mão. — Ameaças vazias não valem muita coisa nos dias de hoje.

Fecho os olhos com bastante força.

— Então você mata as pessoas por poder.
— Assim como você.
— Como se *atreve*...
Ele ri, e ri alto.
— Fique à vontade para mentir para si mesma, se isso a faz se sentir melhor.
— Eu não estou mentindo.
— Por que demorou tanto para interromper o contato com Jenkins?
Minha boca congela. Ele continua:
— Por que não reagiu imediatamente? Por que permitiu que ele a tocasse por tanto tempo?
Minhas mãos começam a tremer e eu as seguro com força.
— Você não sabe nada sobre mim.
Tensiono o maxilar, não confio em mim mesma para falar.
— Pelo menos eu sou sincero – ele acrescenta.
— Você acabou de concordar que é um mentiroso!
Warner arqueia uma sobrancelha.
— Pelo menos sou sincero quando digo que sou mentiroso.
Bato o copo de água com força no criado-mudo. Apoio a cabeça nas mãos. Tento permanecer calma. Respiro fundo.
— Bem... – Minha voz sai rouca. – Para que você precisa de mim, então? Se você é um assassino tão excelente assim?
Um sorriso brota e some de seu rosto.
— Um dia vou apresentá-la à resposta para essa pergunta.
Tento protestar, mas ele usa uma de suas mãos para me impedir. Pega um pedaço de pão no prato. Segura-o debaixo do meu nariz.
— Você não comeu praticamente nada no jantar. Ficar sem comer não deve ser saudável.
Não me mexo.

Ele solta o pão no prato e o prato ao lado da água. Volta-se para mim. Estuda meus olhos com tanta intensidade que me pego momentaneamente desarmada. Tem tantas coisas que quero dizer e gritar, mas, por algum motivo, esqueci totalmente as palavras esperando pacientemente em minha boca. Não consigo desviar o olhar.

— Coma alguma coisa. — Seu olhar me abandona. — Depois vá dormir. Virei buscá-la pela manhã.

— Por que não posso dormir no meu quarto?

Ele se levanta. Esfrega as mãos nas calças para limpar uma poeira que não existe.

— Por que eu quero que você fique aqui.

— Mas por quê?

Ele força uma risada.

— São tantas perguntas.

— Bem, se você pelo menos me desse uma resposta direta...

— Boa noite, Juliette.

— Você vai me deixar ir embora? — pergunto, dessa vez baixinho, dessa vez com timidez.

— Não. — Ele dá 6 passos na direção do canto onde está a vela. — Tampouco prometo facilitar as coisas para você.

Não há arrependimento, remorso ou compaixão em sua voz. Poderia estar conversando sobre a previsão do tempo.

— Você poderia estar mentindo.

— Sim, é verdade.

Ele assente, como se para si mesmo. Apaga a vela.

E desaparece.

ESTILHAÇA-ME

Tento lutar.
Tento ficar acordada.
Tento me concentrar em meus pensamentos, mas não consigo.

Entrego-me por pura exaustão.

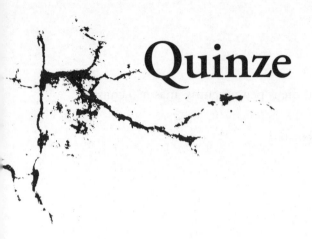

Quinze

Por que você não se mata de uma vez? Alguém certa vez me perguntou na escola.

Acho que era uma dessas perguntas que têm como objetivo ser cruel, mas foi a primeira vez que contemplei a possibilidade. Fiquei sem saber o que dizer. Talvez eu fosse louca por considerar a ideia, mas sempre tive a esperança de que, se fosse uma menina boa o bastante – se fizesse tudo certo, se dissesse as coisas certas ou simplesmente não dissesse nada –, talvez meus pais mudassem de ideia. Pensei que pudessem finalmente me ouvir quando eu tentasse conversar. Pensei que pudessem me dar uma chance. Pensei que pudessem finalmente me amar.

Sempre tive essa esperança ~~ridícula.~~

– Bom dia.

Meus olhos se abrem assustados. Nunca tive sono pesado.

Warner está me encarando, sentado ao pé de sua própria cama, usando um terno asseado e coturnos perfeitamente polidos. Tudo nele é meticuloso. Imaculado. Seu hálito é frio e fresco no ar vivo da manhã. Posso senti-lo em meu rosto.

Preciso de um momento para me dar conta de que meu corpo está envolvido com os mesmos lençóis sobre os quais o próprio Warner já dormiu. Meu rosto de repente pega fogo e começo a tatear para me libertar. Quase caio da cama.

Finjo não perceber a presença dele.

– Dormiu bem? – pergunta.

Ergo o rosto. Seus olhos têm um tom estranho de verde: luminoso, claro como cristal, perfurante do jeito mais assustador.

Seus cabelos são pesados, do mais rico tom de dourado; o corpo é esbelto e despretensioso, mas sua pegada é firme sem precisar de muito esforço para isso. Percebo pela primeira vez que está usando um anel de jade no dedo mindinho da mão esquerda.

Warner me pega encarando-o e se levanta. Coloca as luvas e leva as mãos atrás do corpo.

– Chegou a hora de voltar ao seu quarto.

Pisco os olhos. Faço que sim com a cabeça. Levanto-me e quase caio no chão. Recupero o equilíbrio ao lado da cama e tento controlar a vertigem. Ouço Warner suspirar.

– Você não comeu o que deixei para você ontem à noite.

Seguro o copo de água com mãos trêmulas e me forço a comer um pouco do pão. Meu corpo está tão acostumado à fome que já nem sei mais reconhecê-la.

Quando recupero o equilíbrio, Warner me leva pela porta.

Ainda estou segurando um pedaço de queijo.

Quase o deixo cair quando saio do quarto.

Há mais soldados aqui do que no meu andar. Todos equipados com pelo menos 4 tipos diferentes de armas, algumas penduradas no pescoço, outras presas ao cinto. Todos deixam escapar um olhar de terror ao verem meu rosto. Um olhar de terror que aparece e some de seus traços tão rapidamente que quase deixo de notar, mas é claro o bastante: todos seguram suas armas com um pouco mais de força enquanto eu passo.

Warner parece satisfeito.

— O medo deles vai funcionar a seu favor — sussurra ao meu ouvido.

Minha humanidade está se partindo em um milhão de pedaços sobre os tapetes desse chão.

— Eu nunca quis que eles tivessem medo de mim.

— Mas deveria. — Ele para. Seus olhos me chamam de idiota. — Se não tiverem medo, vão caçar você.

— As pessoas caçam coisas que temem o tempo todo.

— Pelo menos agora eles sabem o que terão de enfrentar.

Ele volta a andar pelo corredor, mas meus pés estão costurados ao chão. Perceber isso é como sentir água fria escorrendo por minhas costas.

— Você me fez fazer aquilo... o que eu fiz... com Jenkins... de propósito?

Warner já está 3 passos à frente, mas consigo perceber o sorriso em seu rosto.

— Tudo que eu faço é de propósito.

— Você queria me usar para criar um espetáculo?

Meu coração pulsa forte em meus punhos, pulsa em meus dedos.

— Eu estava tentando proteger você.

— Dos seus próprios soldados? — Agora tenho que correr para alcançá-lo. Meu corpo arde de indignação. — A custo da *vida* de um homem...

— Entre.

Warner chega ao elevador e segura as portas abertas para mim.

Eu o acompanho.

Ele aperta os botões certos.

As portas se fecham.

Viro-me para falar.

Ele me encurrala.

Vejo-me outra vez em um canto desse receptáculo de vidro e de repente estou nervosa. Suas mãos seguram meus braços e seus lábios chegam perigosamente perto do meu rosto. Seu olhar está fixo no meu, olhos brilhando; perigo. Ele pronuncia uma única palavra:

– Sim.

Preciso de um instante para encontrar minha voz.

– Sim o quê?

– Sim, dos meus próprios soldados. Sim, ao custo da vida de um homem. – Ele tensiona o maxilar. Fala por entre os dentes. – Você entende muito pouco do meu mundo, Juliette.

– Estou tentando entender...

– Não, não está – esbraveja. Seus cílios são como fios de ouro separados, em chamas. Quase sinto vontade de tocá-los. – Você não entende que pode perder a força e o controle a qualquer momento, mesmo quando acha que está mais preparada. Não é fácil conquistar essas duas coisas, mas é ainda mais difícil mantê-las – declara. Tento falar, mas ele me interrompe: – Acha que não sei quantos dos meus soldados me odeiam? Pensa que não sei que eles querem ver a minha derrocada? Acha que não tem outros que adorariam ter a posição pela qual trabalho tanto...?

– Não fique se *gabando*...

Ele chega ainda mais perto e minhas palavras caem no chão. Não consigo respirar. A tensão em todo o seu corpo é tão intensa que se torna quase palpável e acho que meus músculos começaram a congelar.

– Você é ingênua – ele me diz com uma voz dura, grave, um sussurro contra minha pele. – Não percebe que é uma ameaça a todos nesse prédio. Eles têm todos os motivos para feri-la. Não percebe que estou tentando ajudá-la...

– Ajudar me ferindo! – explodo. – E ferindo outras pessoas.

Sua risada é fria, furiosa. Ele se afasta, de repente, enojado. O elevador se abre, mas ele não sai. Posso ver minha porta daqui.

– Volte para o seu quarto. Tome um banho. Troque as roupas. Há vestidos no armário.

– Eu não gosto de vestidos.

– Acho que você também não gosta de ver aquilo ali – fala, inclinando a cabeça. Acompanho seu olhar e encontro uma sombra enorme perto da minha porta. Viro-me na direção de Warner em busca de uma explicação, mas ele não oferece nenhum esclarecimento. De repente parece sereno, o rosto despido de qualquer emoção. Segura minha mão, aperta meus dedos e, enfim, fala: – Volto para buscá-la daqui a exatamente uma hora.

E fecha a porta do elevador antes que eu sequer tenha chance de protestar. Começo a me perguntar se seria coincidência o fato de a pessoa que menos tem medo de me tocar ser um monstro.

Dou um passo para a frente e me atrevo a olhar mais de perto o soldado na penumbra.

Adam.

Ah, Adam.

Adam, que sabe exatamente do que sou capaz.

Meu coração é um balão de água explodindo no peito. Meus pulmões balançam na caixa torácica. Sinto como se todos os punhos do mundo decidissem socar meu estômago. Não deveria me importar tanto, mas me importo.

Agora ele vai me odiar para sempre. Não vai nem olhar para mim. Espero que ele abra minha porta, mas ele não se mexe.

– Adam? – arrisco. – Preciso da sua chave.

Vejo-o engolir em seco, sua respiração rasa, e, no mesmo instante, sinto que alguma coisa está errada. Aproximo-me mais e um movimento breve e duro de sua cabeça me diz para parar. ~~Não posso tocar nas pessoas não posso me aproximar das pessoas eu sou um monstro.~~ Adam não me quer perto dele. É claro que não. Nunca devo esquecer qual é o meu lugar.

Ele abre minha porta com imensa dificuldade e percebo que alguém o feriu em algum lugar que não consigo ver. As palavras de Warner ressurgem em minha mente e percebo que seu adeus era um aviso. Um aviso que destrói todas as terminações nervosas do meu corpo.

Adam vai ser punido pelos meus erros. Pela minha desobediência. Quero enterrar minhas lágrimas em um balde de arrependimento.

Passo pela porta e olho uma última vez para Adam, incapaz de sentir qualquer triunfo por sua dor. Apesar de tudo o que ele fez, não sei se consigo odiá-lo. Não a ele. Não o menino que eu conhecia.

– O vestido roxo – ele diz com uma voz falha e um pouco sussurrada, como se respirar doesse. Tenho que segurar as mãos para evitar que elas tentem alcançá-lo. – Use o vestido roxo. – Ele tosse. – Juliette.

Serei o manequim perfeito.

Dezesseis

Assim que entro no quarto, abro o armário e tiro o vestido roxo do cabide, antes mesmo de lembrar que estou sendo observada. *Câmeras.* E me pergunto se, além de tudo, Adam foi punido por me contar sobre as câmeras. E me pergunto se assumiu algum outro risco comigo. E me pergunto por que os assumiria.

Toco o material rígido e moderno do vestido e meus dedos se arrastam até a bainha, exatamente como Adam fez ontem. Não consigo deixar de me perguntar por que ele gosta tanto desse vestido. Por que tem que ser esse. Por que tenho que usar um vestido, para começo de conversa.

Não sou nenhuma boneca.

Minha mão descansa na pequena prateleira de madeira abaixo das roupas penduradas, e uma textura nada familiar roça minha pele. É áspera e estranha, mas ao mesmo tempo familiar. Dou um passo mais para perto do armário e me escondo entre as portas. Meus dedos tateiam a superfície e uma onda de luz do sol brota em meu estômago até eu ter certeza de que estou explodindo de esperança e sentindo a força de uma felicidade besta tão forte que me surpreendo por não haver lágrimas escorrendo em meu rosto.

Meu caderno.

Ele guardou meu caderno. ~~Adam guardou a única coisa que tenho~~.

Pego meu vestido roxo e enfio o caderno nas dobras antes de levá-lo escondido para o banheiro.

O banheiro, onde não há câmeras.

O banheiro, onde não há câmeras.

O banheiro, onde não há câmeras.

Ele estava tentando me comunicar que fez isso, agora percebo. Antes, no banheiro. Estava tentando me dizer alguma coisa e senti tanto medo que acabei assustando-o.

Eu o assustei.

Fecho a porta ao passar e minhas mãos tremem enquanto abro o familiar bloco de folhas de papel unidas por cola. Folheio as páginas para ter certeza de que estão todas lá e meus olhos deslizam pelo registro mais recente. Bem no final, percebo uma alteração. Uma nova frase, uma que não foi anotada com a minha caligrafia.

Uma nova frase, que deve ter sido escrita por ele.

Não é o que você está pensando.

Fico completamente paralisada.

Cada centímetro da minha pele se encontra enrijecido pela tensão, assustado pela sensação, e a pressão cresce em meu peito, que bate mais alto e mais rápido e mais intenso. Não tremo quando estou congelada no tempo. Treino minha respiração para sair mais lenta, conto coisas que não existem, invento números que não tenho, finjo que o tempo é uma ampulheta quebrada sangrando segundos pela areia. Eu me atrevo a acreditar.

Eu me atrevo a alimentar a esperança de que Adam está tentando se comunicar comigo. Sou louca a ponto de considerar essa possibilidade.

Arranco a página do pequeno caderno e a seguro bem próxima do peito, ativamente engolindo a histeria que a cada instante formiga mais forte em minha mente.

Tento esconder o caderno em um bolso do vestido roxo. O bolso no qual Adam deve tê-lo enfiado. O bolso do qual deve ter caído. ~~O bolso do vestido roxo. O bolso do vestido roxo.~~

A esperança é um bolso de possibilidades.

Estou com ela em minhas mãos.

Warner não se atrasa.

Tampouco bate à porta.

Estou calçando os sapatos quando ele entra sem dizer nada, sem fazer sequer um esforço para deixar sua presença ser notada. Seus olhos deslizam por todo o meu corpo. Cerro o maxilar sem perceber.

– Você o feriu – pego-me dizendo.

– Você não deveria se importar – ele rebate, inclinando a cabeça, apontando para o meu vestido. – Mas claramente se importa.

Fecho a boca e torço para minhas mãos não estarem tremendo demais. Não sei onde Adam está. Não sei o quão ferido está. Não sei o que Warner vai fazer, quão longe irá na busca pelo que quer, mas a possibilidade de Adam estar ferido é como uma mão fria apertando meu esôfago. Não consigo recuperar o fôlego. Tenho a sensação de que estou lutando para engolir um palito de dente. Se Adam estiver tentando me ajudar, isso poderia lhe custar a vida.

Toco a folha de papel enfiada em meu bolso.

Respiro.

Os olhos de Warner estão voltados para minha janela.

Respiro.

— É hora de ir — ele comunica.

Respiro.

— Aonde vamos?

Saímos do quarto. Eu olho em volta. O corredor está abandonado, vazio. Onde está ~~Adam~~ todo mundo...?

— Gosto muito desse vestido — Warner elogia enquanto desliza o braço pela minha cintura. Afasto-me com um puxão, mas ele me arrasta para perto, guiando-me na direção do elevador. — O caimento está espetacular. Ajuda a me distrair de todas as suas perguntas.

— Coitada da sua mãe.

Warner quase tropeça em seus próprios pés. Seus olhos se arregalam, alarmados. Ele para bem perto de nosso ponto de chegada. Dá meia-volta.

— O que você quer dizer com isso?

Meu estômago cai no chão.

A expressão em seu rosto: tensão declarada, terror vacilante, apreensão repentina em seus traços.

Eu estava tentando fazer uma piadinha, isso é o que não conto a ele. Coitada da sua mãe, era o que ia dizer a ele, por ter tido de lidar com um filho tão patético e maldoso. Mas não digo nada disso.

Warner segura minhas mãos, olha em meus olhos. A urgência pulsa em suas têmporas.

— O que quer dizer com isso? — insiste.

— Na-nada — gaguejo. Minha voz se racha ao meio. — Eu não quis dizer nada... Foi só uma brincadeira.

Warner solta minhas mãos como se elas o estivessem queimando. Desvia o olhar. Avança na direção do elevador e não espera até eu alcançá-lo.

Eu me pergunto o que ele não está me contando.

Só depois que já descemos vários andares e quando estamos passando por um corredor desconhecido a caminho de uma saída desconhecida Warner finalmente olha para mim. E me oferece 4 palavras.

– Bem-vinda ao seu futuro.

Dezessete

Estou nadando sob a luz do sol.

Warner segura uma porta aberta, uma porta que leva diretamente para o lado de fora, e estou tão despreparada para a experiência que quase não consigo enxergar direito. Ele segura meu cotovelo para me colocar no caminho certo, e eu o encaro.

– Vamos lá para fora... – digo, porque sinto a necessidade de expressar isso em voz alta. Porque o mundo lá fora é um mimo que raramente me é oferecido. Porque não sei se Warner está tentando ser gentil outra vez. Desvio o olhar de onde ele está para o que parece ser um pátio de concreto, encaro-o outra vez. – O que vamos fazer lá fora?

– Temos alguns assuntos para cuidar.

Ele me puxa na direção do centro desse novo universo e eu tento me afastar, estendendo a mão para tocar o céu, como se tivesse esperança de que o céu pudesse se lembrar de mim. As nuvens são cinza como sempre foram, mas esparsas e modestas. O sol está alto alto alto, descansando contra um pano de fundo, lançando seus raios e disparando seu calor na direção de todos nós. Fico na ponta dos pés e tento tocá-lo. O vento bate em meus braços e toca minha pele. Lufadas de ar frescas, sedosas, uma brisa leve deslizando por meus cabelos. Esse pátio quadrado poderia ser meu salão de baile.

Quero dançar com as intempéries.

Warner segura minha mão. Viro-me para ele.

Está sorrindo.

– Isso aqui... – diz, apontando para o mundo cinza sob nossos pés. – Isso a deixa feliz?

Olho em volta. Percebo que o pátio não é exatamente uma cobertura, mas está entre dois prédios. Aproximo-me da beirada e consigo avistar a paisagem morta e as árvores despidas e galpões espalhados por quilômetros.

– O ar frio tem um cheiro tão limpo – comento. – Fresco. Novo. É a fragrância mais maravilhosa do mundo.

Seus olhos parecem bem-humorados, agitados, interessados e confusos, tudo ao mesmo tempo. Ele balança a cabeça. Tateia a jaqueta em busca de um bolso interno. Puxa um revólver com um punho de ouro que brilha ao ser tocado pelos raios de sol.

Inspiro de forma audível.

Ele inspeciona a arma de uma maneira que não entendo, presumivelmente para verificar se está ou não pronta para ser usada. Desliza-a por sua mão, os dedos tocando o gatilho. Vira-se e finalmente lê a expressão em meu rosto.

Quase dá risada.

– Não se preocupe. Não é para você.

– Por que está armado? – Engulo em seco, com dificuldade, abraçando meu peito com força. – O que estamos fazendo aqui?

Warner enfia a arma de volta no bolso e vai até a beirada oposta. Acena para que eu o siga. Aproximo-me lentamente. Sigo seu olhar. Olho além da barreira.

Todos os soldados no prédio estão alinhados a menos de 5 metros lá embaixo.

Consigo distinguir quase 50 linhas, todas perfeitamente retas, perfeitamente espaçadas, tantos soldados enfileirados que perco as contas. ~~Me pergunto se Adam está em meio a eles. E me pergunto se consegue me ver.~~

~~E me pergunto o que pensa de mim agora.~~

Avisto soldados parados em uma área quadrada quase idêntica à que Warner e eu agora ocupamos, mas são uma massa preta organizada: calças pretas, camisas pretas, coturnos pretos até a canela; nenhuma arma visível. Todos estão parados com a mão esquerda no coração. Congelados no mesmo lugar.

Preto e cinza

e

preto e cinza

e

preto e cinza

e

sem vida.

De repente me dou conta de que minhas roupas não são nada práticas.

De repente, o vento é insensível demais, frio demais, doloroso demais ao tentar atravessar a multidão. Estremeço, mas a reação nada tem a ver com a temperatura. Procuro Warner, mas ele já tomou seu lugar na extremidade do pátio; fica óbvio que já fez isso muitas vezes antes. Puxa do bolso um quadradinho de metal perfurado e o segura perto dos lábios. Quando fala, sua voz é transmitida, amplificada por sobre a multidão.

– Setor 45.

1 palavra. 1 número.

Todo o grupo se mexe: mãos esquerdas descem, caindo na lateral do corpo; mãos diretas elevadas ao peito. Eles formam uma máquina lubrificada, trabalhando em perfeita colaboração uns com os outros. Se não estivesse tão apreensiva, acho que ficaria impressionada.

– Temos dois assuntos para tratar nesta manhã. – A voz de Warner penetra a atmosfera: limpa, clara, insuportavelmente confiante. – A primeira está bem ao meu lado.

Centenas de olhos se viram na minha direção. Sinto-me tremer.

– Juliette, venha cá, por favor.

2 dedos se dobram 2 vezes, acenando para que eu me aproxime. Entro no ângulo de visão deles.

Warner passa o braço pela minha cintura. Eu tremo. A multidão se agita. Meu coração bate fora de controle. Sinto medo demais para me afastar dele. A arma está perto demais do meu corpo.

Os soldados parecem impressionados ao verem Warner disposto a tocar em mim.

– Jenkins, pode dar um passo à frente, por favor?

Meus dedos correm uma maratona pela minha coxa. Não consigo ficar parada. Não consigo acalmar as palpitações arrasando meu sistema nervoso. Jenkins sai da fila. Avisto-o imediatamente.

Ele está bem.

Graças a Deus.

Ele está bem.

– Jenkins teve o prazer de conhecer Juliette ontem à noite – prossegue Warner. A tensão entre os homens é quase tangível. Aparentemente ninguém sabe aonde esse discurso vai chegar. E aparentemente ninguém deixou de ouvir a história de Jenkins. A minha história. – Espero que todos a cumprimentem com o mesmo nível de gentileza – acrescenta Warner, seus lábios rindo em silêncio. – Juliette vai passar algum tempo conosco e será um bem muito valioso para os nossos esforços. O Restabelecimento lhe dá as boas-vindas. Eu lhe dou as boas-vindas. Vocês devem lhe dar as boas-vindas.

Os soldados imediatamente soltam as mãos, todos exatamente ao mesmo tempo.

Eles se movimentam como se fossem um único corpo, 5 passos para trás, 5 passos para a frente, 5 passos parados no mesmo lugar. Erguem o braço esquerdo bem alto e fecham os dedos em punho.

Em seguida se abaixam, apoiando o corpo em um único joelho. Corro até a beirada, desesperada para ver mais de perto uma rotina tão estranhamente coreografada. Nunca presenciei nada parecido.

Warner os faz ficar como estão, curvados desse jeito, punhos erguidos no ar. Não diz nada por pelo menos 30 segundos. E então fala:

– Ótimo.

Os soldados se levantam e levam o punho direito outra vez ao peito.

– O segundo assunto em pauta é ainda mais agradável do que o primeiro – continua, embora não pareça tão contente ao falar. Seus olhos se estreitam na direção dos soldados lá embaixo, estilhaços de esmeralda brilhando como chamas verdes sobre os corpos deles. – Delalieu tem uma notícia para nós.

Ele passa uma eternidade simplesmente encarando os soldados, deixando suas palavras marinarem na mente deles. Deixando suas imaginações levá-los à loucura. Deixando a culpa existente neles se transformar em angústia.

Warner passa um longo tempo sem dizer nada.

E ninguém se mexe durante todo o período.

Começo a temer por minha vida, mesmo depois das garantias que ele me deu. Começo a me perguntar se talvez eu não seja a culpada. Se talvez a arma em seu bolso esteja ali por minha causa. Finalmente me atrevo a me virar na direção de Warner. Ele me olha pela primeira vez e não tenho ideia de como interpretá-lo.

Seu rosto são 10 000 possibilidades olhando em minha direção.

– Delalieu – diz, ainda olhando para mim. – Pode dar um passo adiante.

Na quinta fileira, um homem magro, calvo, usando um uniforme ligeiramente mais decorado dá um passo adiante. Não parece completamente estável. Baixa a cabeça um centímetro. Sua voz treme quando ele diz:

– Senhor.

Warner finalmente desvia o olhar do meu e assente, quase imperceptivelmente, na direção do homem calvo.

Delalieu recita:

– Temos uma acusação contra o Soldado 45B-76423. Fletcher, Seamus.

Os soldados ficam todos congelados nas fileiras, congelados de alívio, congelados de medo, congelados de ansiedade. Nada se mexe. Nada respira. Até o vento tem medo de fazer barulho.

– Fletcher.

Uma palavra pronunciada por Warner e vários pescoços apontam na mesma direção.

Fletcher dá um passo para fora da fileira.

Parece um homem feito de biscoito de gengibre. Cabelos vermelhos. Sardas vermelhas. Lábios quase artificialmente vermelhos. Em seu rosto, nenhuma emoção.

Nunca, em toda a minha vida, senti mais medo por um desconhecido.

Delalieu fala outra vez:

— O soldado Fletcher foi encontrado em uma área não regulamentada, confraternizando com civis que, segundo se acredita, integram um partido rebelde. Ele roubou comida e suprimentos das unidades de armazenamento dedicadas aos cidadãos do Setor 45. Não se sabe se entregou informações confidenciais.

Warner olha para o homem de biscoito de gengibre.

— Soldado, você nega essas acusações?

As narinas de Fletcher inflam. O maxilar tensiona. A voz vacila quando fala:

— Não, senhor.

Warner assente. Respira rapidamente. Umedece os lábios.

E atira na testa do homem.

Dezoito

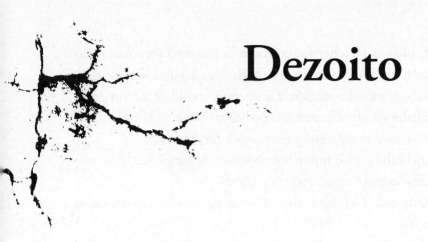

Ninguém se mexe.

O rosto de Fletcher parece tomado por um horror permanente enquanto ele desmorona no chão. Fico tão impressionada com a impossibilidade de tudo isso que não consigo decidir se estou ou não sonhando, não consigo saber se estou ou não morrendo, não consigo definir se desmaiar é ou não uma boa ideia.

Os braços e as pernas de Fletcher se dobram em ângulos estranhos no chão de concreto frio. Poças de sangue se formam à sua volta, mas todos continuam sem se mexer. Ninguém diz uma palavra sequer. Ninguém entrega um único olhar de medo.

Continuo tocando meus lábios para saber se meus gritos escaparam.

Warner guarda a arma de volta no bolso da jaqueta.

– Setor 45, estão dispensados.

Todos os soldados fazem uma reverência se apoiando sobre um joelho.

Warner guarda novamente o aparelho metálico que usou para amplificar sua voz e tem que me puxar para que eu saia do lugar onde estou colada no chão. Tropeço em meus próprios pés, meus membros fracos doem até os ossos. Sinto náusea, sinto-me delirante, incapaz de me manter de pé. Tento falar, mas as palavras grudam em minha língua. De repente estou suando e de repente estou congelando e de repente estou tão enjoada que vejo manchas embaçando minha visão.

Warner tenta me fazer passar pela porta.

– Você precisa mesmo comer mais – aconselha.

Estou de olhos arregalados, boca escancarada, sentindo buracos em todo canto, buracos perfurados no terreno da minha pele.

Meu coração deve estar sangrando para fora do peito.

Baixo o olhar e não consigo entender por que não há sangue no meu vestido, por que essa dor no coração parece tão real.

– Você o matou – consigo sussurrar. – Você acabou de matá-lo...

– Você é muito astuta.

– Por que *o matou* por que foi *matá-lo* como pôde *fazer* uma coisa dessas...

– Fique de olhos abertos, Juliette. Agora não é hora de dormir.

Puxo sua camisa. Paro-o antes de entrar. Uma lufada de vento estapeia meu rosto e de repente assumo o controle dos meus sentidos. Empurro-o com força, batendo suas costas na porta.

– Você me dá nojo. – Encaro seus olhos gelados. – Você me dá *nojo*...

Ele me gira no ar e me segura contra a porta em que acabei de prendê-lo. Segura meu rosto com as mãos enluvadas e sustenta meu olhar. As mesmas mãos que acabou de usar para matar um homem.

Estou presa.

Petrificada.

Ligeiramente aterrorizada.

Seu polegar roça minha bochecha.

– A vida é um lugar sombrio – sussurra. – Às vezes você tem que aprender a atirar primeiro.

Warner me acompanha até meu quarto.

— É melhor você dormir — aconselha. É a primeira vez que fala comigo desde que deixamos o pátio na cobertura do prédio. — Mandarei trazerem algo para você comer no quarto, mas, fora isso, tomarei as providências para que não seja incomodada.

— Onde está Adam? ~~Está bem? Está inteiro? Você vai feri-lo?~~ Warner estremece antes de recuperar a compostura.

— Por que se importa?

~~Eu me importo com Adam Kent desde que estava na terceira série.~~

— Não era para ele estar me observando? Ele não está aqui. Isso significa que você também vai matá-lo?

Eu me sinto uma idiota. E me sinto corajosa justamente porque me sinto idiota. Minhas palavras não usam paraquedas ao voarem para fora da boca.

— Eu só mato pessoas se realmente for necessário.

— Que generoso...

— Mais do que a maioria.

Dou uma risada triste, dividindo-a apenas comigo mesma.

— Pode tirar o resto do dia para descansar. Nosso trabalho de verdade começa amanhã. Adam vai levá-la até mim. — Ele olha fixamente em meus olhos. Engole um sorriso. — Até lá, tente não matar ninguém.

— Você e eu... — digo, fúria correndo em minhas veias. — Você e eu não somos iguais...

— Para ser sincero, não acredito nisso.

— Acha que pode comparar minha... minha *doença*... com a sua insanidade?

— *Doença*? — Ele corre para a frente, repentinamente exaltado, e eu me esforço para transparecer coragem. — Você acha que tem uma *doença*? – berra. – O que você tem é um dom! Uma capacidade extraordinária que não se esforça para entender! Seu *potencial*...

– Eu não tenho potencial nenhum!

– Está errada! – Ele me lança um olhar penetrante. Não tenho outra forma de descrever. Posso quase dizer que, nesse momento, ele me odeia. Ele me odeia porque eu mesma me odeio.

– Bem, você é o assassino – afirmo. – Então deve estar certo.

Seu sorriso é coberto por dinamite.

– Vá dormir.

– Vá para o inferno!

Ele move o queixo. Vai até a porta.

– Estou trabalhando para isso.

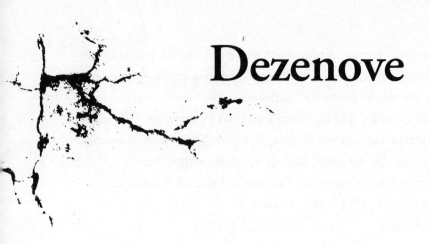

Dezenove

A escuridão me sufoca.

Meus sonhos são sangrentos e ensanguentados e o sangue sangra por toda a minha mente e não consigo mais dormir. Os únicos sonhos que me traziam paz agora ficaram no passado e não sei como recuperá-los. Não sei como encontrar o pássaro branco. Não sei se vai chegar a voar. Só sei que agora, quando fecho os olhos, não vejo nada além de devastação. Fletcher é fuzilado várias e várias e várias vezes e Jenkins está morrendo em meus braços e Warner está atirando na cabeça de Adam e o vento canta do lado de fora da minha janela mas é estridente e desafinado e não tenho coragem de lhe dizer para parar.

Estou congelando em minhas roupas.

A cama macia contra minhas costas parece repleta de nuvens partidas e neve recém-caída; é macia demais, confortável demais. Lembra demais como foi dormir no quarto de Warner e não consigo suportar esse pensamento. Percebo-me amedrontada demais para me cobrir.

Não consigo não me perguntar se Adam está bem, se vai voltar, se Warner vai continuar a feri-lo toda vez que eu desobedecer suas ordens. Realmente, eu não deveria me importar tanto.

A mensagem deixada por Adam em meu caderno pode ser apenas parte do plano de Warner para me deixar louca.

Arrasto-me pelo chão e abro meu punho em busca do pedaço de papel amassado que venho segurando há 2 dias. É a única esperança que me resta e nem sei se é real.

Estou ficando sem opções.

– O que você está fazendo aqui?

Engulo um grito e cambaleio para a frente, para o lado, quase trombando com Adam, que está deitado no chão, perto de mim. Não o tinha visto.

– Juliette?

Ele não se mexe um centímetro sequer. Seu olhar está fixo em mim: calmo, imperturbado; 2 baldes de água fluvial à meia-noite.

Sinto vontade de chorar dentro de seus olhos.

Não sei por que exatamente lhe conto a verdade.

– Eu não estava conseguindo dormir na cama.

Ele não me pergunta o porquê. Fica de pé e tosse e resmunga e me lembro que foi ferido. E me pergunto que tipo de dor está sentindo. Não faço perguntas enquanto ele puxa um travesseiro e o cobertor da minha cama. Ajeita o travesseiro no chão.

– Deite-se – é tudo o que me diz. Baixinho, é como me diz.

~~O dia todo todos os dias para todo o sempre é quando quero que me diga isso.~~

São só 2 palavras e não sei por que estou enrubescendo. Deito-me, apesar de as sirenes tocarem em meu sangue, e descanso a cabeça no travesseiro. Ele ajeita o cobertor sobre meu corpo. Deixo-o fazer isso. Observo seus braços se curvando e flexionando na penumbra da noite, a luz da lua espreitando pela janela, iluminando sua silhueta. Ele se deita no chão, deixando apenas alguns centímetros de espaço entre nós. Adam não precisa de cobertor.

Não usa travesseiro. Continua dormindo sem camisa e descobri que não sei respirar. Percebi que provavelmente nunca vou soltar a respiração na presença dele.

– Não precisa mais gritar – ele sussurra.

Todo o ar escapa dos meus pulmões.

Curvo os dedos em volta da possibilidade de ter Adam entre meus dedos e durmo mais pesado do que jamais dormi na vida.

Meus olhos são 2 janelas violentamente abertas pelo caos desse mundo.

Uma brisa fresca faz minha pele arrepiar e eu me sento, esfrego a mão nos olhos para afastar o sono e percebo que Adam não está mais ao meu lado. Pisco e me arrasto de volta para a cama, onde ajeito novamente o cobertor e o travesseiro.

Olho na direção da porta e me pergunto o que me aguarda do outro lado.

Olho na direção da janela e me pergunto se algum dia verei um pássaro passar voando.

Olho na direção do relógio na parede e me pergunto o que significa estar outra vez vivendo de acordo com os números. E me pergunto o que 6h30 da manhã significa nesse prédio.

Decido lavar o rosto. A ideia me deixa animada e sinto um pouco de vergonha.

Abro a porta do banheiro e percebo o reflexo de Adam no espelho. Suas mãos rápidas vestem a camisa antes que eu tenha a oportunidade de detalhar qualquer coisa, mas vi o bastante para enxergar o que não tinha visto na escuridão.

Está coberto de hematomas.

Minhas pernas parecem quebrar. Não sei como ajudá-lo. Queria poder ajudá-lo.

– Sinto muito – apressa-se em dizer. – Não sabia que estava acordada.

Puxa a barra da camiseta como se ela não fosse longa o bastante, como se eu pudesse fingir que sou cega.

Assinto para o vazio. Olho para o piso debaixo de meus pés. Não sei o que dizer.

– Juliette. – Sua voz abraça as letras do meu nome com tanta maciez que morro 5 vezes nesse 1 segundo. Seu rosto é uma floresta de emoções. Ele nega com a cabeça. – Eu sinto muito – diz tão baixinho que tenho certeza de que tudo é só imaginação minha. – Não é... – Aperta o maxilar e desliza a mão nervosa pelos cabelos. – Tudo isso... não é...

Abro minha mão para ele. O papel é um chumaço amassado de possibilidades.

– Eu sei.

Um alívio se espalha por cada traço de seu rosto e de repente seus olhos são a única reafirmação de que preciso. Adam não me traiu. Não sei por que ou como ou o que ou nada mesmo, só que ele ainda é meu amigo.

Ainda está parado na minha frente e não quer que eu morra.

Dou um passo para frente e fecho a porta.

Abro a boca para falar.

– Não!

Meu queixo cai.

– Espere – pede, erguendo a mão. Seus lábios se movimentam, mas nenhum som escapa. Percebo que, apesar da ausência de câmeras, ainda pode haver microfones no banheiro. Adam olha em volta, para um lado e para outro e para todos os cantos.

Para de olhar.

O banheiro é formado por 4 paredes de mármore e ele está abrindo a porta antes de eu ter qualquer ideia do que está acontecendo. Liga o chuveiro com força total e o barulho da água saindo ecoa pelo cômodo, abafando tudo ao se espalhar pelo vazio à nossa volta. O espelho está embaçando por causa do calor e, quando penso que estou começando a entender seu plano, ele me puxa em seus braços e me ergue no chuveiro.

Meus gritos são vapor, sussurros que não consigo entender.

A água quente ensopa minhas roupas. Molha meus cabelos e desce por meu pescoço, mas só consigo sentir as mãos de Adam na minha cintura. Quero gritar por todos os motivos errados.

Seus olhos me prendem onde estou. Sua urgência incendeia meus ossos. Gotículas de água serpenteiam pelas planícies de seu rosto, e seus dedos me apertam contra a parede.

Seus lábios seus lábios seus lábios seus lábios seus lábios

Meus olhos lutam para não se entregarem

Minhas pernas ganharam o direito de tremer

Minha pele pega fogo em todos os pontos em que ele não me toca.

Seus lábios estão muito próximos do meu ouvido e eu sou água e nada e tudo e derreto em um desejo tão desesperado que queima quando eu o engulo.

– Posso tocar em você – ele afirma, e me pergunto por que há beija-flores no meu coração. – Eu não entendia até ontem à noite – murmura, e estou embriagada demais para entender o peso de qualquer coisa, mas seu corpo paira muito perto do meu.

– Juliette... – Seu corpo chega mais perto e percebo que não estou prestando atenção em nada além dos dentes-de-leão soprando desejos em meus pulmões. Meus olhos se abrem bruscamente e ele lambe o lábio inferior pelo menor dos segundos e alguma coisa no meu cérebro ganha vida.

Eu arfo. Arfo. Arfo.

– O que está fazendo...?

– Juliette, *por favor*... – Sua voz é ansiosa e ele olha para trás como se não soubesse ao certo se estamos sozinhos. – Ontem à noite... – Franze os lábios. Fecha os olhos por meio segundo e eu me impressiono com as gotas gotas gotas de água quente presas em seus cílios, que mais parecem pérolas forjadas pela dor. Seus dedos se arrastam pela lateral do meu corpo como se ele lutasse para mantê-los no lugar, como se se esforçasse para não me tocar em cada centímetro cada centímetro cada centímetro e seus olhos bebem meus 1 metro e 60 centímetros de altura e estou tão tão tão envolvida.

– Agora enfim entendo – fala ao meu ouvido. – Eu sei... sei por que Warner quer você.

As pontas de seus dedos são 10 focos de eletricidade me matando com alguma coisa que nunca conheci antes. ~~Algo que sempre quis sentir.~~

– Por que então você está aqui? – sussurro, acabada, morrendo em seus braços. – Por que... – 1, 2 tentativas de inspirar. – Por que está me tocando?

– Porque eu posso. – Quase abre um sorriso e eu quase sinto um par de asas brotar em minhas costas. – Já toquei.

– O quê? – Pisco os olhos, subitamente sóbria. – Do que você está falando?

– Naquela primeira noite na cela – suspira. E baixa o olhar. – Você estava gritando enquanto dormia.

Eu espero.

Eu espero.

Eu espero para sempre.

— Toquei seu rosto – fala ao meu ouvido. – Sua mão… Acariciei seu braço… – Ele se afasta e seus olhos descansam em meu ombro, descem pelo cotovelo, pousam em meu punho. Fico suspensa, descrente. – Eu não sabia como acordá-la. Você não acordava. Então me sentei e fiquei observando. Esperei você parar de gritar.

— Não. É. Possível.

3 palavras são tudo o que consigo pronunciar.

Mas suas mãos se tornam braços em volta da minha cintura seus lábios se tornam uma bochecha pressionada em minha bochecha e seu corpo se une ao meu, sua pele me tocando me tocando me tocando e ele não está gritando ele não está morrendo ele não está fugindo de mim e eu estou chorando

Estou engasgada

Estou estremecendo tremendo me desfazendo em lágrimas e ele está me abraçando de um jeito que ninguém jamais me abraçou.

Como se me quisesse.

— Vou tirá-la daqui – ele diz, e sua boca se mexe contra meus cabelos e suas mãos deslizam por meus braços e estou soltando a cabeça para trás e ele me olha nos olhos e eu devo estar sonhando.

— Por que… por que você… eu não…

Estou negando com a cabeça e tremendo porque isso não pode estar acontecendo e tento me livrar das lágrimas coladas em meu rosto. Não pode ser real.

Seus olhos se suavizam, seu sorriso perturba minhas articulações e quem me dera conhecer o sabor de seus lábios. Queria ter coragem de tocá-lo.

— Tenho que ir – diz. – Você precisa estar arrumada e lá embaixo às oito horas.

Estou me afogando em seus olhos e não sei o que dizer.

Ele tira a camisa e não sei para onde olhar.

Encontro meu reflexo no vidro do box e fecho os olhos com força e pisco quando alguma coisa chega perto demais. Seus dedos estão a um instante do meu rosto e estou pingando queimando derretendo de ansiedade.

— Não precisa desviar o rosto – diz. E diz com um sorrisinho do tamanho de Júpiter.

Analiso seus traços, o sorriso desajeitado que quero saborear, a cor em seus olhos, aquela que eu usaria para pintar um milhão de imagens. Acompanho a linha de seu maxilar até o pescoço para espreitar a clavícula; memorizo as colinas e os vales esculpidos em seus braços, a perfeição de seu torso. O pássaro em seu peito.

O pássaro em seu peito.

Uma tatuagem.

Um pássaro branco, com riscas douradas no topo da cabeça, como uma coroa. Está voando.

— Adam – tento falar com ele. – Adam... – tento me expressar. – Adam... – tento dizer tantas vezes e fracasso.

Tento encontrar seus olhos só para me dar conta de que ele está me observando enquanto o estudo. As partes de seu rosto estão repuxadas, formando linhas de emoção tão profundas que me pergunto qual deve ser minha aparência a seus olhos. Passa 2 dedos pelo meu queixo, ergue meu rosto só o suficiente e sou um fio elétrico na água.

— Vou descobrir um jeito de falar com você – diz, e suas mãos estão me arruinando e meu rosto está encostado em seu peito e o mundo de repente se torna mais iluminado, maior, bonito.

O mundo de repente significa alguma coisa para mim, a possibilidade de ter um lado humano significa alguma coisa para mim, todo o universo para de repente e gira na outra direção e eu sou o pássaro.

Eu sou o pássaro e estou voando.

Vinte

São oito horas da manhã e estou usando um vestido da cor de florestas mortas e latas velhas.

É uma peça mais justa do que qualquer outra coisa que já usei na vida, com um corte moderno e angular, quase casual; o material é rígido e espesso, mas, de algum modo, me permite respirar. Olho minhas pernas e me maravilho por ainda estarem aqui.

Sinto-me mais exposta do que em toda a minha vida.

Passei 17 anos me treinando para cobrir cada centímetro de pele e Warner está me forçando a me despir dessas camadas. Só posso supor que esteja fazendo de propósito. Meu corpo é uma flor carnívora, uma planta venenosa, uma arma carregada com um milhão de gatilhos e ela está mais do que pronta para atirar.

Toque em mim e sofra as consequências. Nunca existiram exceções a essa regra.

Nunca, até Adam.

Ele me deixou parada, encharcada debaixo do chuveiro, libertando uma corrente torrencial de lágrimas quentes. Observei pelo vidro embaçado enquanto ele se secava e vestia seu uniforme padrão.

Eu o vi indo embora. E durante todo o tempo eu me perguntava por que por que por que

Por que ele pode me tocar?
Por que está disposto a me ajudar?
~~Ele se lembra de mim?~~
Minha pele continua fumegante.

Meus ossos estão presos nas dobras justas desse vestido estranho, sendo o zíper a única coisa que me mantém inteira. O zíper e a possibilidade de alguma coisa com a qual ~~sempre~~ nunca me atrevi a sonhar.

Meus lábios vão ficar para sempre costurados com os segredos dessa manhã, mas meu coração está tão cheio de confiança e espanto e paz e possibilidades que parece prestes a explodir e me pergunto se vai rasgar o vestido.

A esperança me puxa, me segura em seus braços, seca minhas lágrimas e me diz que hoje e amanhã e daqui a dois dias estarei bem e estou delirando tanto que realmente me atrevo a acreditar.

Estou sentada em um cômodo azul.

As paredes são tomadas por papel de parede de tecido da cor de um dia de céu perfumado de verão, o chão enterrado em um tapete de 5 centímetros de espessura, todo o cômodo vazio, exceto por 2 belas poltronas de veludo arrancadas de uma constelação. Cada variação de cor é como um hematoma, um belo erro, um lembrete do que fizeram com Adam ~~por minha causa~~.

Estou sentada totalmente sozinha em uma cadeira de veludo em um cômodo azul e usando um vestido feito de olivas. O peso do caderno em meu bolso faz parecer que estou equilibrando uma bola de boliche nos joelhos.

— Você está linda.

Warner entra como se precisasse do ar daqui para viver. Não está acompanhado por ninguém.

Meus olhos involuntariamente desviam para meus tênis e me pergunto se quebrei alguma regra ao evitar as pernas de pau em meu armário, aqueles saltos que tenho certeza de que não foram feitos para usar nos pés. Ergo o olhar e ele está parado bem na minha frente.

— Você fica linda de verde — comenta, com um sorriso idiota. — Realmente destaca a cor dos seus olhos.

— Qual é a cor dos meus olhos? — pergunto para a parede.

Ele ri.

— Você não pode estar falando sério.

— Quantos anos você tem?

Warner para de rir.

— Você quer mesmo saber?

— Fiquei curiosa.

Ocupa um assento ao meu lado.

— Não vou responder às suas perguntas se não olhar para mim enquanto falo com você.

— Você quer que eu torture pessoas contra a minha vontade. Quer que eu seja uma arma na sua guerra. Quer que eu me transforme em um monstro por você. — Faço uma pausa. — Olhar na sua cara me deixa enjoada.

— Você é muito mais teimosa do que eu imaginei.

— Estou usando o seu vestido. Comi a sua comida. Estou aqui.

Ergo os olhos para fitá-lo, e ele já está me olhando diretamente. Por um instante, a força em seu olhar me deixa sem reação.

— Você não fez nada disso por mim — fala baixinho.

Quase rio alto.

— E por que eu faria? — Seus olhos e seus lábios disputam o direito de falar. Desvio o rosto. — O que estamos fazendo nesta sala?

— Ah... — Ele respira fundo. — Café da manhã. Depois passo a sua programação.

Aperta um botão no braço da cadeira e quase instantaneamente carrinhos e bandejas são trazidos por homens e mulheres que claramente não são soldados. Seus rostos parecem endurecidos e rachados e finos demais para serem saudáveis.

A cena parte meu coração em dois.

– Eu costumo comer sozinho – continua Warner, sua voz como um pingente de gelo perfurando a carne das minhas memórias. – Mas imaginei que você e eu devêssemos nos conhecer melhor. Especialmente se considerarmos que vamos passar tanto tempo juntos.

~~Os empregados os escravizados~~ As pessoas-que-não-são-soldados saem e Warner me oferece alguma coisa em um prato.

– Não estou com fome.

– Não é uma opção.

Ergo o olhar e percebo que ele está muito, muito sério.

– Você não tem autorização para morrer de fome. Não anda se alimentando direito e preciso que esteja saudável. Você não tem autorização para cometer suicídio. Não tem autorização para fazer mal a si mesma. É valiosa demais para mim.

– Eu não sou seu *brinquedo*. – Quase cuspo as palavras.

Warner solta o prato no carrinho e fico surpresa por não estilhaçar. Pigarreia e talvez eu chegue a sentir medo.

– Esse processo seria muito mais fácil se você simplesmente cooperasse – afirma, pronunciando cada palavra.

Cinco Cinco Cinco Cinco Cinco batimentos cardíacos.

– O mundo tem nojo de você – continua, seus lábios tremelicando com ares de bom humor. – Todo mundo que você já conheceu tem ódio de você. Corre de você. Abandona você. Seus próprios pais a entregaram, *ofereceram* a sua existência às autoridades. Estavam muito desesperados para se livrarem de você, para transformá-la em um problema de outra pessoa, para se convencerem de que a abominação que trouxeram ao mundo não era, de fato, filha deles.

Meu rosto é estapeado por 100 mãos.

— E ainda assim... — Agora ele ri abertamente. — Ainda assim você insiste em *me* transformar no vilão. — Ele me encara nos olhos. — Eu estou tentando te ajudar. Estou lhe dando uma oportunidade que nenhuma outra pessoa ofereceria. Estou disposto a tratá-la como igual. Estou disposto a te dar tudo que sempre quis e, acima de tudo, posso colocar poder em suas mãos. Posso fazê-los sofrer pelo que lhe causaram. — Aproxima-se apenas um pouquinho. — Eu sou capaz de mudar o seu mundo.

Ele está errado ele está errado ele está mais errado do que um arco-íris de ponta-cabeça.

Mas tudo que disse é verdade.

— Não se atreva a me odiar tão rápido — continua. — Pode ser que se pegue gostando dessa situação, gostando muito mais do que esperava. Para sua sorte, estou disposto a ser paciente. — Warner sorri. Apoia as costas no encosto da poltrona. — De todo modo, o fato de você ser alarmantemente linda não atrapalha.

Estou pingando tinta vermelha no tapete.

Ele é um mentiroso e um ser humano horrível horrível horrível e eu não sei se me importo porque ele está certo ou porque tudo está tão errado ou porque estou tão desesperada por sentir que conheço alguma coisa nesse mundo. Ninguém jamais me disse nada assim.

Tudo isso me faz querer me olhar no espelho.

— Você e eu não somos tão diferentes quanto você talvez espere.

Seu sorriso é tão convencido que me dá vontade de retorcê-lo em um beliscão.

— Você e eu não somos tão parecidos quanto você talvez espere.

Ele abre um sorriso enorme e não sei bem como reagir.

— A propósito, tenho 19.

— Perdão?

– Tenho 19 anos – esclarece. – Sou um indivíduo bastante impressionante para a minha idade, eu sei.

Pego minha colher e cutuco a matéria comestível em meu prato. Nem sei mais o que é comida.

– Não tenho respeito algum por você.

– Mas vai mudar de ideia – rebate com facilidade. – Agora se apresse com essa refeição. Temos muito trabalho a fazer.

Vinte e um

Matar o tempo não é tão difícil quanto parece.

Posso atirar uma centena de números em meu peito e vê-los sangrar em pontos decimais na palma da mão. Posso arrancar os números de um relógio e ver o ponteiro das horas tique tique tique seu último taque pouco antes de eu dormir. Posso sufocar segundos apenas segurando a respiração. Estou assassinando minutos há horas e ninguém parece se importar.

Uma semana já se passou desde que falei com Adam.

Voltei-me para ele uma vez. Abri a boca só uma vez, mas nunca tive a chance de dizer nada antes de Warner me interceptar.

– Você não tem autorização para conversar com os soldados – alertou. – Se tiver perguntas a fazer, pode me procurar. Sou a única pessoa com a qual você tem de se preocupar enquanto estiver aqui.

"Possessivo" não é uma palavra enfática o bastante para definir Warner.

Ele me acompanha por todos os cantos. Conversa comigo em excesso. Minha programação é composta por encontros com Warner e refeições com Warner e ouvir o que Warner tem a dizer. Se estiver ocupado, sou mandada para o meu quarto. Se estiver livre, vai me encontrar. Ele me conta tudo sobre os livros que eles destruíram. Os artefatos que serão queimados em breve. Suas ideias de um novo mundo e como serei de grande ajuda para ele quando estiver pronta. Assim que eu perceber o quanto quero *tudo isso*, o quanto *o* quero, o quanto quero essa vida nova, gloriosa, poderosa. Está esperando que eu reúna meu potencial. Diz o quão grata eu deveria me sentir por sua paciência. Por sua bondade. Por sua disposição para entender que essa transição deve ser complicada.

Não consigo olhar para Adam. Não consigo falar com ele. Ele dorme no meu quarto, mas nunca o vejo. Respira tão perto do meu corpo, mas não abre a boca na minha direção. Não me segue para dentro do banheiro. Não deixa mensagens secretas em meu caderno.

Começo a me perguntar se imaginei tudo o que ele me disse.

Preciso saber se alguma coisa mudou. Preciso saber se estou louca por me apegar a essa esperança que brota em meu coração e preciso saber o que significa a mensagem de Adam, mas cada dia que ele me trata como uma desconhecida é mais um dia em que começo a duvidar de mim mesma.

Preciso conversar com ele, mas não posso.

Porque agora Warner está de olho em mim.

As câmeras estão observando tudo.

— Quero que tire as câmeras do meu quarto.

Warner para de mastigar a comida/lixo/café da manhã/porcaria em sua boca. Engole cuidadosamente antes de se recostar na cadeira e me olhar nos olhos.

— De jeito nenhum.

— Se me tratar como prisioneira, vou agir como uma. Não gosto de ser observada.

– Não posso confiar em você sozinha.

Ele pega outra vez a colher.

– Cada respiração minha é monitorada. Há guardas parados em intervalos de pouco mais de um metro em todos os corredores. Sequer tenho acesso ao meu próprio quarto – protesto. – Câmeras não fazem diferença.

Uma espécie estranha de bom humor dança em seus lábios.

– Sabe, você não é exatamente estável. Pode matar alguém.

– Não. – Aperto meus dedos. – Não, eu não faria isso... Eu não matei Jenkins.

– Não estou falando de Jenkins.

Seu sorriso é um tonel de ácido respingando em minha pele.

Warner não para de me encarar. De sorrir para mim. De me torturar com seus olhos.

E aqui estou eu, gritando em silêncio para meus próprios punhos.

– Foi um acidente.

As palavras caem da minha boca tão baixinhas, tão rápidas que nem sei se realmente as pronunciei ou se ainda estou realmente sentada aqui ou se realmente tenho 14 anos outra vez e outra vez e outra vez e estou gritando e morrendo e afundando em uma piscina de memórias que nunca nunca nunca nunca

pareço conseguir esquecer.

Eu a vi na mercearia. Suas pernas cruzadas na altura dos tornozelos, seu filho em uma coleira que ela pensou que ele pensava ser uma mochila. Ela achava-o inocente demais/jovem demais/imaturo demais para entender que a corda prendendo-o ao punho dela era um item criado para mantê-lo preso ao seu ciclo vicioso de autopiedade. É nova demais para ter filhos, para ter responsabilidades para ser soterrada por uma criança que tem necessidades que não estão de acordo com suas próprias. Sua vida é incrivelmente insuportável tão imensamente multifacetada glamorosa demais para que o legado na coleira em seu quadril entenda.

Crianças não são idiotas, era o que eu queria dizer a ela.

Eu queria dizer a ela que o sétimo grito dele não significava que estivesse tentando ser desagradável, que a décima quarta censura na forma de pirralho/você é um pirralho/você está me constrangendo seu pirralhinho/não me faça contar ao seu pai que você agiu como um pirralho era indesejada. Não queria observá-la, mas não pude me conter. O rosto de 3 anos dele estava tomado pela dor, as mãozinhas tentando abrir as correntes que ela havia prendido ao peito dele e puxava com tanta força que ele caiu e chorou e ela disse que ele merecia.

Queria perguntar a ela por que estava agindo assim.

Queria fazer tantas perguntas, mas não as fiz porque não conversamos mais com ninguém porque dizer alguma coisa seria mais estranho do que não dizer nada a um estranho. Ele caiu no chão e se debateu até eu soltar tudo o que tinha nas mãos e cada traço do meu rosto.

Eu sinto muito, foi o que nunca disse ao filho dela.

Pensei que minhas mãos estivessem ajudando

Pensei que meu coração estivesse ajudando

Pensei tantas coisas que

eu nunca

nunca

nunca

nunca

nunca pensei

— Você matou um menininho.

Estou pregada a uma cadeira de veludo por um milhão de memórias e sou assombrada pelo terror que minhas mãos nuas criaram e sou lembrada a cada instante de que sou indesejada por bons motivos. Minhas mãos podem matar pessoas. Minhas mãos podem destruir tudo.

Eu não devia ter autorização para viver.

– Quero... – arfo, lutando para engolir o punho fechado alojado em minha garganta. – Quero que mande tirar as câmeras. Mande tirá-las ou vou morrer lutando contra você por esse direito.

– Finalmente! – Warner se levanta e junta as mãos como se para se parabenizar. – Estava mesmo me perguntando quando você acordaria. Estava à espera do fogo que sei que deve estar consumindo-a a cada dia. Você está enterrada em ódio, não está? Raiva? Frustração? Ansiedade por fazer *alguma coisa*? Por ser *alguém*?

– Não.

– É claro que está. É igualzinha a mim.

– Eu te odeio mais do que você jamais vai entender.

– Vamos formar uma equipe excelente.

– Nós não somos *nada*. Você não representa *nada* para mim...

– Eu sei o que você quer. – Ele se aproxima, baixa a voz. – Sei o que seu coraçãozinho sempre desejou. Posso lhe oferecer a aceitação que procura. Posso ser seu *amigo*.

Congelo. Cambaleio. Não consigo falar.

– Sei *tudo* a seu respeito, meu amor. – E sorri. – Faz muito tempo que a quero. Esperei uma eternidade até que estivesse pronta. Não a deixarei ir embora com tanta facilidade.

– Não quero ser um monstro – respondo, talvez mais para mim mesma do que para ele.

– Não bata de frente com aquilo que nasceu para ser. – Ele segura meus ombros. – Pare de deixar todo mundo lhe dizer o que é certo ou errado. Busque o seu lugar! Você se acovarda quando podia estar conquistando. Tem muito mais força do que imagina e, francamente, eu estou fascinado – afirma, balançando a cabeça.

– Eu não sou sua *aberração*! – esbravejo. – Não vou fazer uma *performance* para você.

Ele segura meu braço com mais força e não consigo me libertar. Aproxima-se a uma distância perigosa do meu rosto e não sei por que, mas não consigo respirar.

– Eu não tenho medo de você, minha querida – diz com leveza. – Estou absolutamente impressionado.

– Ou você se livra das câmeras ou vou encontrar e quebrar cada uma delas.

Estou mentindo. Estou mentindo, mas me sinto furiosa e desesperada e horrorizada. Warner quer que eu me transforme em um animal que caça os mais fracos. Os inocentes.

Se quer que eu lute por ele, vai ter que lutar comigo primeiro.

Um sorriso se espalha lentamente por seu rosto. Ele encosta os dedos enluvados em minha bochecha e ergue meu olhar, então aperta meu queixo quando tento desviar.

– Você é uma delícia quando está brava.

– Uma pena que meu sabor seja como veneno em seu prato.

Estou vibrando de nojo da cabeça aos pés.

– Esse detalhe torna o jogo muito, muito mais interessante.

– Você é nojento, tão *nojento*...

Ele ri e solta meu queixo apenas para fazer um inventário das partes do meu corpo. Seus olhos percorrem um caminho preguiçoso por minha estrutura e sinto a necessidade repentina de arrebentar seu baço.

– Se eu tirar as suas câmeras, o que vai fazer por mim?

Seus olhos são perversos.

— Nada.

Ele nega com a cabeça.

— Nada não serve. Eu posso aceitar sua proposta se você concordar com uma condição.

Aperto o maxilar.

— O que você quer?

Agora o sorriso é maior do que antes.

— Essa é uma pergunta perigosa.

— Qual é a sua *condição*? – peço um esclarecimento, já impaciente.

— Toque em mim.

— O quê?

Minha arfada é tão violenta que se prende na garganta só para depois avançar desesperada pelo cômodo.

— Quero saber do que exatamente você é capaz.

Sua voz é constante; as sobrancelhas, tensas.

— Não vou fazer isso outra vez – explodo. – Você viu o que me obrigou a fazer com Jenkins...

— Dane-se o Jenkins! – cospe. – Quero que toque em *mim*. Quero sentir *eu mesmo*...

— Não... – Nego com a cabeça com tanta força que chego a sentir vertigem. – Não. Nunca. Você é louco... Eu não vou...

— Ah, vai. Na verdade, você vai, sim.

— *Não* vou...

— Você vai ter que... *trabalhar*... mais cedo ou mais tarde – afirma, fazendo um esforço para moderar a voz. – Mesmo que não considere minha condição, você está aqui por um motivo, Juliette. Eu convenci meu pai de que você precisa ser um ativo do Restabelecimento. De que seria capaz de conter quaisquer rebeldes que...

— Você quer dizer *torturar*...

– Sim. – Warner abre um sorriso. – Perdão, eu quis dizer torturar. Você vai poder nos ajudar a torturar qualquer um que capturarmos. – Faz uma pausa. – Você precisa entender que infligir dor é um método incrivelmente eficiente para obter informações de qualquer pessoa. E com você? – Ele olha para minhas mãos. – Bem, custa barato. É rápido. Eficaz. – Abre um sorriso ainda maior. – E, contanto que a mantenhamos viva, você vai funcionar por pelo menos algumas décadas. O fato de você não funcionar à base de baterias é muito positivo.

– Você... *você*... – gaguejo.

– Você deveria me agradecer. Eu a salvei do buraco doentio que era aquele hospício... Eu a coloquei em uma posição de poder. Eu lhe dei tudo de que poderia precisar para se sentir à vontade. – Ele volta a olhar para mim. – Agora preciso que se concentre. Preciso que deixe para trás suas esperanças de viver como todas as outras pessoas. Você *não* é normal. Nunca foi e nunca será. Aceite quem você é.

– Eu... – Engulo em seco. – Eu não sou... Eu não sou... Não sou...

– Uma assassina?

– Não.

– Um instrumento de tortura?

– Pare...

– Você está mentindo para si mesma.

Sinto-me pronta para destruí-lo.

Ele inclina a cabeça e engole um sorriso.

– Você esteve à beira da loucura a vida inteira, não é? São tantas as pessoas que a chamam de louca que talvez tenha começado a acreditar que realmente era. Passou a se perguntar se elas não estariam certas. Você se perguntava se podia consertar essa situação.

Pensava que podia tentar um pouquinho mais, ser um pouquinho melhor, mais inteligente, mais gentil... Pensava que o mundo mudaria de ideia a seu respeito. E culpava a si própria por tudo.

Fico sem ar.

Meu lábio inferior treme sem minha permissão. Mal consigo controlar a tensão em meu maxilar.

~~Não quero admitir que ele está certo.~~

— Você escondeu toda sua raiva e ressentimento porque queria ser amada — continua, agora sem sorrir. — Talvez eu a entenda, Juliette. Talvez devesse confiar em mim. Talvez devesse aceitar o fato de que tentou por tanto tempo ser outra pessoa que, independentemente do que fizesse, aqueles idiotas nunca ficavam felizes. Nunca estavam satisfeitos. Nunca deram a mínima, não é?

Ele olha para mim e, por um instante, quase parece humano. Por um instante, quero acreditar nele. Por um instante, quero me sentar no chão e chorar o oceano alojado em minha garganta.

— É hora de parar de fingir — continua, com delicadeza. — Juliette... — Ele segura meu rosto com suas mãos enluvadas e tão inesperadamente gentis. — Você não precisa mais ser boazinha. Pode destruir todos eles. Pode acabar com eles e dominar esse mundo e...

Um trem me atinge no rosto.

— Eu não quero destruir ninguém — afirmo. — Eu não quero machucar as pessoas...

— Mas elas merecem! — Frustrado, Warner se afasta de mim. — Como pode não ter vontade de retaliar? Como pode não querer revidar...

Levanto-me lentamente, tremendo de raiva, esperando que minhas pernas não cedam.

— Você pensa que porque sou indesejada, porque fui negligenciada e... e descartada... — Minha voz fica mais aguda a cada palavra, as emoções não mais refreadas saindo de meus pulmões. — Você acha que eu não tenho coração? Acha que não tenho sentimentos? Acha que, só porque posso, eu devo causar dor? Você é exatamente como todos os outros. Pensa que sou um monstro, como todos os outros pensam. Você simplesmente não me entende...

— Juliette...

— Não.

Não quero isso. Não quero a vida dele.

Não quero ser nada para ninguém além de mim mesma. Quero fazer minhas próprias escolhas e nunca quis ser um monstro. Minhas palavras são lentas e constantes quando digo:

— Eu valorizo a vida humana muito mais do que você valoriza, Warner.

Ele abre a boca para retrucar antes de se conter. Ri alto e balança a cabeça.

Sorri para mim.

— O que foi? — pergunto antes de conseguir me deter.

— Você acabou de pronunciar meu nome. — Abre um sorriso ainda maior. — Nunca antes se dirigiu a mim de forma direta. Deve significar que estou progredindo com você.

— Acabei de dizer para você que eu não...

Ele me interrompe.

— Não estou preocupado com seus dilemas morais. Só está tentando ganhar tempo porque está em negação. Não se preocupe, você vai superar. Posso esperar um pouco mais.

— Não estou em negação...

— É claro que está. Você ainda não sabe, Juliette, mas é uma menina muito malvada – diz, levando a mão ao coração. – Exatamente o meu tipo.

Essa conversa é impossível.

— Há um soldado vivendo no meu quarto. – Estou arfando. – Se você quer que eu fique aqui, precisa mandar tirar as câmeras.

Por um instante, os olhos de Warner se tornam sombrios.

— A propósito, onde está seu soldado?

— Como é que vou saber? – Peço a Deus para não enrubescer. – Você que deu a ele a tarefa de ficar atrás de mim.

— Verdade. – Warner parece pensativo. – Gosto de vê-la constrangida. Ele a deixa desconfortável, não deixa?

Penso nas mãos de Adam em meu corpo e seus lábios tão próximos dos meus e no cheiro de sua pele ensopada no chuveiro, em nós dois ensopados juntos, e de repente meu coração se transforma em dois punhos fechados socando minhas costelas, exigindo escapar.

— Sim. – Ai meu Deus. – Sim. Ele me deixa muito... desconfortável.

— Sabe por que o escolhi? – Warner pergunta e sou atropelada por um trator.

Adam foi escolhido.

É claro que foi. Warner não mandaria qualquer soldado aleatório para a minha cela. Ele não faz nada sem um motivo por trás. Deve saber que Adam e eu temos uma história. Warner é mais frio e calculista do que eu imaginava.

— Não. – Inspiro. – Não sei por quê. – Expiro.

Não posso esquecer de respirar.

— Ele se ofereceu como voluntário – Warner explica, de forma bastante direta e, por um instante, me deixa pasma. – Ele disse que estudou com você alguns anos atrás. E que você provavelmente não se lembraria dele, que está muito diferente agora. Ele me convenceu. – Um instante para respirar. – Disse que ficou muito feliz ao saber que você seria trancafiada.

Warner finalmente olha para mim.

Meus ossos são como cubos de gelo batendo uns nos outros, gelando-me até a espinha.

– Mas fiquei curioso – prossegue, inclinando a cabeça ao falar. – Você se lembrava dele?

– Não – minto, e ao falar nem sei se estou viva. Tento separar verdades de mentiras de suposições de postulações, mas sentenças de execução se enrolam em minha garganta.

Adam me conhecia quando entrou naquela cela.

Sabia exatamente quem eu era.

Já sabia meu nome.

Nossa

Nossa

Nossa

Tudo não passava de uma armadilha.

– Essa informação a deixa... com raiva? – ele pergunta, e eu sinto vontade de costurar seus lábios em uma carranca permanente.

Não digo nada e, de algum jeito, deixo a situação ainda pior.

Warner está com um sorriso enorme no rosto.

– Eu nunca contei a ele, obviamente, por que você havia sido trancafiada... Pensei que a experiência no hospício devia permanecer inalterada, a salvo de informações a mais... Mas Adam falou que você sempre foi uma ameaça aos outros alunos. Que todos sempre queriam ficar longe de você, embora as autoridades nunca tenham explicado o porquê. Admitiu que queria ver mais de perto a monstruosidade em que você havia se transformado.

Meu coração trinca. Meus olhos brilham. Estou tão ofendida tão furiosa tão horrorizada tão humilhada e queimando com uma indignação tão ácida que é quase como se um incêndio se espalhasse dentro de mim, transformando todas as esperanças em cinzas. Quero amassar a espinha de Warner com minhas próprias mãos. Quero que ele saiba o que é sentir dor, infligir uma agonia tão insuportável em outras pessoas. Quero que conheça a minha dor e a dor de Jenkins e a dor de Fletcher e quero que sinta muita dor. Talvez porque Warner esteja certo.

Talvez outras pessoas mereçam.

— Tire a camisa.

Para alguém tão cheio de pose, Warner parece genuinamente surpreso, mas não perde tempo em desabotoar a jaqueta, tirar as luvas e se livrar da camada de algodão grudada em sua pele.

Seus olhos brilham com uma ansiedade asquerosa; não disfarça sua curiosidade.

Warner solta as roupas no chão e olha de uma maneira quase íntima para mim. Tenho que engolir o nojo borbulhando em minha boca. Seu rosto perfeito. Seu corpo perfeito. Seus olhos tão duros e lindos quanto pedras preciosas congeladas. Ele me causa repulsa. Quero que seu exterior fique tão horrível quanto seu interior. Quero usar apenas a palma da mão para acabar com sua petulância.

Ele se aproxima até estarmos a poucos centímetros de distância um do outro. Sua altura e seu porte me fazem sentir como um graveto caído.

— Está pronta? — pergunta, arrogante e tolo.

Contemplo a ideia de quebrar seu pescoço.

— Se eu fizer isso, você vai tirar todas as câmeras do meu quarto. Todos os microfones escondidos. Tudo.

Ele se aproxima. Baixa a cabeça. Está olhando para os meus lábios, me estudando de um jeito completamente novo.

– Minhas promessas não têm muito valor, meu amor – sussurra. – Ou já se esqueceu disso? – 6 centímetros mais perto. A mão na direção da minha cintura. O hálito doce e cálido em meu pescoço. – Sou um mentiroso excepcional.

A realidade recai sobre mim na forma de 200 quilos de bom senso. Eu não devia estar fazendo isso. Não devia fechar nenhum acordo com essa criatura. Não devia contemplar a ideia da tortura meu Deus do céu eu perdi a cabeça. Meus punhos estão fechados e meu corpo todo treme. Mal consigo encontrar forças para falar.

– Vá para o inferno.

Sinto meu corpo amolecer.

Tropeço para trás, bato contra uma parede e solto o corpo como uma pilha de inutilidade; de desespero. Penso em Adam e meu coração se esvazia.

Não posso mais ficar aqui.

Saio voando em direção às portas duplas diante do meu quarto e abro-as violentamente antes que Warner possa me conter. Mas Adam consegue me impedir. Está parado bem ali na frente. Esperando. Vigiando-me aonde quer que eu vá.

Eu me pergunto se ele ouviu tudo e meus olhos apontam para o chão, meu rosto sem cor, meu coração na mão, em pedaços. É claro que ouviu tudo. É claro que sabe que sou uma assassina. Um monstro. Uma alma sem valor enfiada em um corpo venenoso.

Warner fez de propósito.

E eu estou parada entre eles. Warner, sem camisa. Adam, olhando para sua arma.

— Soldado — Warner chama. — Leve-a de volta para o quarto e desligue todas as câmeras. Ela pode almoçar sozinha se quiser, mas eu a espero para o jantar.

Adam pisca por um instante longo demais.

— Sim, senhor.

— Juliette?

Congelo onde estou. De costas para Warner. E não me viro.

— Espero que cumpra a sua parte desse acordo.

Vinte e dois

Passamos 5 anos andando até o elevador. 15 outros anos subindo. Tenho um milhão de anos quando entro em meu quarto. Adam está parado, em silêncio, circunspecto e com movimentos mecânicos. Não há nada em seus olhos, em seus membros, nos movimentos de seu corpo que indique que sequer saiba meu nome.

Observo-o se movendo com agilidade e cuidado pelo quarto, encontrando os pequenos aparelhos cujo objetivo é monitorar meu comportamento, desligando-os um a um. Se alguém perguntar por que minhas câmeras não estão funcionando, Adam não terá problema. Essa ordem veio de Warner. O que a torna oficial.

Isso me permite ter um pouco de privacidade.

Pensei que precisasse de privacidade.

Sou uma idiota.

Adam não é o garoto de quem me lembro.

Eu estava na terceira série.

Tinha acabado de me mudar para a cidade depois de ser ~~expulsa~~ convidada a me retirar do meu colégio antigo. Meus pais estavam sempre se mudando, sempre fugindo das confusões que eu criava, dos coleguinhas que eu destruía, das amizades que nunca tive. Ninguém jamais quis conversar sobre o meu "problema", mas a infelicidade rondando minha existência de alguma maneira piorava as coisas. A imaginação humana com frequência é desastrosa se deixada para funcionar sozinha. Eu só ouvia fragmentos dos sussurros deles.

"Louca!"

"Você ficou sabendo do que ela *fez*...?"

"Que perdedora."

"... foi expulsa de sua antiga escola..."

"Louca!"

"Ela tem alguma doença..."

Ninguém conversava comigo. Todos me encaravam. Eu era tão novinha que ainda chorava. Almoçava sozinha perto de uma cerca de alambrado e nunca me olhava no espelho. Nunca queria ver o rosto que todo mundo odiava tanto. As meninas me chutavam e saíam correndo. Os meninos jogavam pedras em mim. Ainda tenho algumas cicatrizes.

Assistia ao mundo passar por essas cercas de alambrado. Olhava os carros e os pais deixando seus filhos e os momentos dos quais eu jamais seria parte. Isso foi antes de as doenças se tornarem tão comuns a ponto de a morte ser parte natural de uma conversa. Isso foi antes de percebermos que as nuvens tinham a cor errada, antes de nos darmos conta de que todos os animais estavam morrendo ou tinham sido infectados, antes de percebermos que todos morreriam de fome, e rápido. Foi na época em que ainda pensávamos que nossos problemas tinham soluções. Naqueles tempos, Adam era o menino que ia a pé à escola. Adam era o menino que se sentava 3 fileiras à minha frente. Suas roupas eram piores do que as minhas; seu almoço, inexistente. Nunca o vi comer.

Certa manhã, foi para a escola de carro.

Sei disso porque o vi sendo empurrado para fora do veículo. Seu pai dirigia embriagado, gritava e balançava o punho por algum motivo desconhecido. Adam ficou completamente paralisado, olhando para o chão como se esperasse alguma coisa, preparando-se para o inevitável. Vi o pai dar um tapa na cara de seu filho de 8 anos. Vi Adam cair no chão e ali fiquei, sem movimento, enquanto suas costelas recebiam chutes e mais chutes.

– É tudo culpa sua! É culpa *sua,* seu merdinha, você não vale nada – o pai gritava várias e várias e várias vezes, até eu vomitar bem ali, em cima de um canteiro de dentes-de-leão.

Adam não chorou. Permaneceu com o corpo curvado no chão até seu pai desistir, até ir embora. Somente quando teve certeza de que todos estavam longe seu corpo se entregou ao pranto intenso, o rostinho sujo de terra, os braços envolvendo o abdômen ferido. Eu não consegui desviar o olhar.

Jamais consegui tirar aquele barulho da cabeça, aquela cena.

Foi ali que comecei a prestar atenção em Adam Kent.

– Juliette.

Seguro a respiração e desejo que minhas mãos não estejam tremendo. Queria não ter olhos.

– Juliette – ele repete, dessa vez com uma voz mais leve, e meu corpo é um liquidificador e sou feita de polpa.

Meus ossos ardem ardem ardem pelo calor dele.

Não vou me virar.

– Você sempre soube quem eu era – sussurro.

Ele não diz nada, e de repente estou desesperada por ver seus olhos. De repente preciso ver seus olhos. Apesar de tudo, viro-me para encará-lo, só para descobrir que está olhando para suas mãos.

– Eu sinto muito – é tudo o que diz.

Apoio o corpo na parede e fecho os olhos bem apertados. Era tudo uma encenação. Roubar minha cama. Perguntar meu nome. Perguntar sobre minha família. Ele estava fazendo uma encenação para Warner. Para os guardas. Para quem estivesse assistindo. Nem sei mais no que acreditar.

Preciso falar. Preciso me expressar. Preciso abrir minhas feridas e sangrar para ele.

– É verdade – digo. – Sobre o menininho. – Minha voz sai muito mais trêmula do que eu pensei que sairia. – Eu fiz aquilo.

Ele passa um bom tempo em silêncio.

– Eu nunca entendi antes. Logo que ouvi. Só agora me dei conta do que deve ter acontecido.

– O quê?

Eu nunca imaginei que fosse capaz de piscar tanto os olhos.

– Nunca fez sentido para mim – afirma, e cada palavra é um chute em meu estômago. Ergue o olhar e parece agonizar mais do que jamais desejei que agonizasse. – Quando eu fiquei sabendo. Todos nós ficamos sabendo. Toda a escola...

– Foi um acidente – arfo, já sem conseguir me controlar. – Ele... e-ele... caiu... e eu estava tentando ajudá-lo... e eu só... eu não... eu pensei que...

– Eu sei.

– O quê? – Arquejo tão alto que devo ter engolido o quarto todo em uma única lufada.

– Eu acredito em você – ele me diz.

– Como... Por quê?

Meus olhos engolem as lágrimas, minhas mãos parecem instáveis, meu coração se vê tomado por uma esperança nervosa.

Ele mordisca o lábio inferior. Desvia o olhar. Vai para perto da parede. Abre e fecha a boca várias vezes antes de as palavras saírem apressadas:

– Porque eu *conhecia* você, Juliette... Eu... Meu Deus... Eu só... – Ele cobre a boca com uma das mãos, baixa os dedos até o pescoço. Massageia a testa, fecha os olhos, sela os lábios. Abre-os um bocadinho. – Aquele era o dia em que eu ia conversar com você. – Um sorriso estranho. Uma risada esquisita. Corre os dedos pelos cabelos. Olha para o teto. Vira-se de costas para mim. – Eu finalmente ia conversar com você. Eu finalmente ia falar com você e aí... – Sacode a cabeça, com força, e tenta esboçar outra risada dolorosa. – Meu Deus, você não se lembra de mim.

Centenas de milhares de segundos passam e eu não consigo parar de morrer.

Quero rir e chorar e gritar e correr e não consigo escolher o que fazer primeiro.

Então confesso:

– É claro que me lembro de você. – Minha voz é um sussurro estrangulado. Fecho os olhos com força. ~~Eu me lembro de você todos os dias para sempre em cada momento fracassado da minha vida.~~ – Você era o único que me via como um ser humano.

Ele nunca conversou comigo. Nunca me disse uma única palavra, mas era o único que se atrevia a se sentar perto da minha cerca. Era o único que se levantava por mim, a única pessoa que brigava por mim, o único que socava a cara de alguém que jogasse uma pedra em mim. Eu nem sabia como agradecer.

Adam foi a coisa mais próxima de um amigo que eu já tive.

Abro os olhos e ele está parado bem à minha frente. Meu coração é um campo de lírios florindo sob um painel de vidro, ganhando vida como o cair das gotas de chuva. Seu maxilar estava tão apertado quanto seus olhos tão apertados quanto seus punhos tão apertados quanto a tensão em seus braços.

— Você sempre soube? — 3 palavras sussurradas e ele abre minha represa, destrava meus lábios e rouba outra vez meu coração.

Mal consigo sentir as lágrimas descendo por meu rosto.

— Adam. — Tento rir e meus lábios se transformam em um soluço sufocado. — Eu reconheceria seus olhos em qualquer lugar do mundo.

E é isso.

Dessa vez, não existe autocontrole.

Dessa vez, estou em seus braços e contra a parede e tremendo em todos os lugares e ele é tão delicado, tão cuidadoso, tocando-me como se eu fosse feita de porcelana e eu quero me estilhaçar.

Está correndo as mãos por meu corpo correndo os olhos por meu rosto correndo em círculos com seu coração e eu estou correndo maratonas em minha mente.

Tudo está pegando fogo. Minhas bochechas minhas mãos a base do estômago e estou me afogando em ondas de emoção e em um temporal de chuva fresca e só sinto a força de sua silhueta contra mim e eu nunca nunca nunca quero esquecer esse momento. Quero gravá-lo em minha pele e salvá-lo para sempre.

Adam segura minhas mãos e pressiona as palmas em seu rosto e sei que nunca conheci a beleza do sentimento humano antes disso. Sei que ainda estou chorando quando fecho os olhos.

Sussurro seu nome.

E ele está respirando com mais dificuldade do que eu e de repente seus lábios estão em meu pescoço e eu estou arfando e morrendo e segurando seus braços e ele me toca me toca me toca e eu sou trovão e relâmpago e me pergunto quando é que vou acordar.

Uma, duas, cem vezes seus lábios provam minha nuca e me pergunto se é possível morrer de euforia. Ele me olha nos olhos somente para segurar meu rosto e estou enrubescendo de prazer e dor e impossibilidade.

— Há tanto tempo quero beijá-la. — Sua voz sai rouca, irregular, profunda em meu ouvido.

Estou congelada de ansiedade e tão preocupada porque ele vai me beijar, tão preocupada porque não vai me beijar. Olho para seus lábios e não sei quão próximos estamos até nos separarmos.

3 chiados eletrônicos reverberam pelo quarto e Adam olha para mim como se por um momento não conseguisse entender onde está. Pisca os olhos. E corre na direção de um interfone, onde aperta os botões que devem ser apertados. Percebo que ainda está respirando com dificuldade.

Meu interior todo treme.

— Nome e número — a voz no interfone pergunta.

— Kent, Adam. 45B-86659.

Uma pausa se instala.

— Soldado, está ciente de que as câmeras em seu quarto foram desativadas?

— Sim, senhor. Recebi ordens diretas para desligar os aparelhos.

— Quem emitiu essa ordem?

— Warner, senhor.

Um longo silêncio.

— Verificaremos em busca de confirmação. Interferências não autorizadas em aparelhos de segurança podem resultar em uma expulsão imediata e desonrosa, soldado. Espero que esteja ciente disso.

— Sim, senhor.

A linha fica silenciosa.

Adam solta o corpo contra a parede, o peito arquejando. Não sei ao certo, mas poderia jurar que seus lábios se repuxaram no mais discreto dos sorrisos. Fecha os olhos e solta o ar.

Não sei o que fazer com o alívio retumbante em minhas mãos.

— Venha cá — diz, ainda de olhos fechados.

Vou na ponta dos pés e ele me puxa em seus braços. Sente o cheiro dos meus cabelos e beija a lateral da minha cabeça e nunca em minha vida senti algo tão incrível. Não sou nem mais humana. Sou muito mais do que isso. O Sol e a Lua se fundiram e a Terra está de cabeça para baixo. Sinto que posso ser exatamente quem eu quiser em seus braços.

Ele me faz esquecer os horrores de que sou capaz.

— Juliette — sussurra no meu ouvido. — Precisamos dar o fora deste lugar.

Vinte e três

    Tenho 14 anos outra vez e estou olhando para a parte de trás da cabeça dele na pequena sala de aula. Tenho 14 anos e há anos sou apaixonada por Adam Kent. Tive certeza de ser extremamente cuidadosa, de me manter muito silenciosa, de ser muito cooperativa porque não queria me mudar outra vez. Não queria deixar o colégio com o único rosto amigável que já conheci. Eu o vi crescer um pouco mais a cada dia, ficar um pouco mais alto a cada dia, um pouco mais forte, um pouco mais durão, um pouco mais silencioso a cada dia. Enfim se tornou grande demais para ser espancado por seu pai, mas ninguém nunca soube o que aconteceu com sua mãe. Os alunos o evitavam, constrangiam-no até ele revidar, até a pressão do mundo finalmente o fazer rachar.

    Mas seus olhos sempre permaneceram os mesmos.

    Sempre os mesmos quando olhavam para mim. Gentis. Compassivos. Desesperados por entender. Contudo, ele nunca fazia perguntas. Nunca me forçava a dizer uma palavra sequer. Só tomava o cuidado de se manter próximo o bastante para espantar todos os demais.

    Pensei que talvez eu não fosse tão ruim. Talvez.

Pensei que talvez ele visse alguma coisa em mim. Pensei que talvez eu não fosse tão horrível quanto todos diziam. Não tocava em ninguém há anos. Não me atrevia a me aproximar das pessoas. Não podia arriscar.

Até que um dia arrisquei, e arruinei tudo.

Matei um menininho em um mercado quando fui simplesmente ajudá-lo a se levantar. Ao segurar sua mãozinha. Não entendi por que estava gritando. Foi a minha primeira experiência tocando em alguém em muito tempo e eu não entendi o que estava acontecendo. Nas poucas vezes em que acidentalmente coloquei as mãos em alguém, sempre me afastei. Eu me afastava assim que lembrava que não podia tocar em ninguém. Assim que ouvia o primeiro grito escapar de seus lábios.

Com o menininho foi diferente.

Eu quis ajudá-lo. Senti um golpe enorme de raiva repentina por sua mãe, porque ela negligenciava os gritos do filho. Sua falta de compaixão como mãe me deixou arrasada ~~e me lembrou muito da minha própria mãe~~. Eu só quis ajudá-lo. Queria que soubesse que alguém estava ouvindo – que outra pessoa se importava. Não entendi por que me senti tão estranha e estimulada ao tocá-lo. Não sabia que estava sugando sua vida e não consegui entender por que seu corpo enfraquecia ou por que ele ficava em silêncio em meus braços. Pensei que talvez o golpe de força e sentimentos positivos significava que eu havia sido curada da minha terrível doença. Pensei tantas coisas idiotas e estraguei tudo.

Pensei que estava ajudando.

Passei os 3 anos seguintes da minha vida em hospitais, escritórios de advocacia, centros de detenção de jovens e sofri com remédios e terapia de choque. Nada funcionava. Nada ajudava. Além de me matar, me deixar trancafiada em uma instituição era a única solução. O único jeito de proteger as pessoas do terror de Juliette.

Quando Adam Kent entrou em minha cela, eu não o via há três anos.

E ele está mesmo diferente. Mais forte, mais alto, mais endurecido, mais perspicaz, tatuado. Musculoso, maduro, quieto e rápido. É quase como se não pudesse se dar ao luxo de ser delicado ou lento ou tranquilo. Não pode se dar ao luxo de ser nada além de músculos, nada além de força e eficiência. Os traços em seu rosto são suaves, precisos, desenhados por anos de vida dura e treinamento e tentativas de sobreviver.

Não é mais um menininho. Não sente medo. Está no exército.

Mas, ao mesmo tempo, não está tão diferente assim. Ainda tem os olhos azuis mais extraordinários que já vi. Intensos e profundos e cheios de paixão. Sempre me perguntei como seria ver o mundo por lentes tão lindas. E me perguntava se a cor de seus olhos significava ver o mundo de forma diferente. Se, como resultado, o mundo também o via de forma diferente.

Eu devia ter imaginado que era ele quando apareceu em minha cela.

Parte de mim sabia. Mas tentei tanto reprimir as memórias de meu passado que me recusei a acreditar que seria possível. Porque parte de mim não queria lembrar. Parte de mim sentia medo demais para ter esperança. Parte de mim não sabia que faria diferença acreditar que era mesmo ele.

Com frequência me pergunto como deve ser minha aparência.

E me pergunto se sou apenas uma sombra da pessoa que já fui. Não me olho no espelho há 3 anos. Tenho muito medo do que vou encontrar.

Alguém bate à porta.

Sou catapultada pelo meu próprio medo até o outro lado do quarto. Adam me olha nos olhos antes de abrir a porta, então decido me afastar para o outro canto do cômodo.

Aguço a audição só para ouvir vozes abafadas, tons apressados e alguém raspando a garganta. Não sei o que fazer.

– Desço em um minuto – Adam diz, um pouco alto.

Percebo que está tentando colocar um ponto-final na conversa.

– Qual é, cara? Eu só quero vê-la.

– Ela não é um espetáculo, Kenji. Suma logo daqui.

– Espere. Só me diga uma coisa: ela ateia fogo nas coisas com os olhos? – Kenji ri e eu ranjo os dentes, soltando o corpo no chão atrás da cama.

Curvo o corpo e tento não ouvir o resto da conversa.

Mas fracasso.

Adam suspira. Já consigo imaginá-lo massageando a testa com a mão.

– Saia logo daqui.

Kenji tenta abafar sua risada.

– Poxa, você de repente ficou todo sensível, hein? Andar com uma garota está mudando você, cara...

Adam fala alguma coisa que não consigo ouvir.

A porta bate violentamente.

Do meu esconderijo, espreito Adam. Parece envergonhado.

Minhas bochechas ficam coradas. Estudo os fios intrincados do tapete refinado sob meus pés. Toco o papel de parede de tecido e espero ouvi-lo falar alguma coisa. Levanto-me para olhar pela janela pequena, só para deparar com o pano de fundo sem vida de uma cidade arrasada. Encosto a testa no vidro.

Cubos de metal se agrupam no horizonte: complexos abrigando civis que tentam encontrar refúgio do frio. Uma mãe segurando a mão do filho pequeno. Soldados em volta deles, parados feito estátuas, rifles prontos para atirar. Pilhas e pilhas e pilhas de lixo, sobras perigosas de ferro e aço brilhando no chão. Árvores solitárias acenando com o vento.

As mãos de Adam deslizam por minha cintura.

Seus lábios estão em minha orelha. Ele não diz nada, mas eu derreto até me transformar em um punhado de manteiga quente escorrendo por seu corpo. Quero comer cada minuto desse momento.

Permito que meus olhos se fechem outra vez para não ver o mundo lá fora. Só mais um pouquinho.

Adam respira fundo e me puxa ainda mais para perto. Estou moldada à forma de sua silhueta; suas mãos envolvem minha cintura e a bochecha encosta em minha cabeça.

— Sentir você é incrível.

Tento rir, mas aparentemente esqueci como se faz isso.

— Essas são palavras que jamais pensei que ouviria.

Adam me faz girar, então o estou encarando e de repente estou olhando e não olhando para seu rosto. Sou tocada por milhões de chamas e estou engolindo um milhão de outras. Ele me olha como se jamais tivesse me visto antes. Quero lavar minha alma no poço azul sem fundo de seus olhos.

Adam inclina o corpo até sua testa descansar junto à minha e nossos lábios ainda não estão próximos o bastante. E sussurra:

— Como você está?

E eu quero beijar cada lindo batimento de seu coração.

"*Como você está?*", 3 palavras e uma pergunta que ninguém nunca me faz.

— Eu quero fugir daqui — é tudo em que consigo pensar.

Ele me aperta junto a seu peito e fico impressionada com a força, a glória, o milagre em um movimento tão simples. Adam parece 1 bloco de força de quase 2 metros de altura.

Todas as borboletas do mundo migraram para meu estômago.

— Juliette. — Inclino o corpo para ver seu rosto. — Está falando sério sobre ir embora? — pergunta. Seus dedos roçam minha bochecha. Ajeitam uma mecha de cabelo atrás da minha orelha. — Entende os riscos envolvidos?

Respiro fundo. Sei que o único risco real é a morte.

— Sim.

Ele assente. Baixa os olhos, a voz.

— As tropas estão se mobilizando para realizar algum tipo de ataque. Andam acontecendo muitos protestos de grupos que antes permaneciam em silêncio, e nosso trabalho é extinguir a resistência. Acho que querem que esse ataque seja o último — conta baixinho. — Tem alguma coisa importante acontecendo, mas não sei o que é, ainda não. De todo modo, seja lá o que for, temos que estar prontos para partir junto com eles.

Congelo.

— O que você quer dizer com isso?

— Quando as tropas estiverem prontas para entrar em ação, eu e você devemos estar prontos para fugir. É o único jeito de conseguirmos tempo para desaparecer. Todos estarão concentrados demais no ataque... Isso nos dará tempo antes de perceberem que desaparecemos ou de conseguirem reunir pessoas para nos procurar.

— Mas... você está dizendo que... vai comigo? Está disposto a fazer isso por mim?

Ele abre um leve sorriso. Seus lábios se repuxam como se tentassem não rir. Seus olhos se suavizam enquanto estudam os meus.

— Tem muito pouca coisa que eu não faria por você.

Respiro fundo e fecho os olhos, tocando os dedos em seu peito, imaginando o pássaro voando por sua pele, e lhe faço a pergunta que mais me dá medo:

— Por quê?

— Como assim? — Ele dá um passo para trás.

— Por que, Adam? Por que se importa comigo? Por que quer me ajudar? Não estou entendendo... Não sei por que estaria disposto a arriscar sua vida.

Mas então seus braços envolvem minha cintura e ele me puxa para tão perto e seus lábios estão em minha orelha e ele pronuncia meu nome uma vez, duas vezes, e eu não sabia que podia pegar fogo tão rápido. Sua boca sorri contra minha pele.

— Você não sabe?

Não sei nada, é o que eu lhe diria se tivesse ideia de como falar.

Ele ri um pouquinho e se afasta. Segura minha mão e a estuda.

— Lembra da quarta série? — pergunta. — Quando Molly Carter se inscreveu na excursão do colégio atrasada? Todas as vagas estavam preenchidas e ela ficou do lado de fora do ônibus chorando porque queria ir? — Não espera minha resposta. — Eu lembro que você saiu do ônibus. Ofereceu seu lugar a ela, e ela nem agradeceu. Eu a vi ficar na sarjeta enquanto partíamos.

Não estou mais respirando.

— Você se lembra da quinta série? A semana em que os pais de Dana quase se divorciaram? Ela foi a semana toda sem levar almoço para a escola. E você ofereceu o seu para ela. — Faz uma pausa. — Assim que aquela semana chegou ao fim, ela voltou a fingir que você não existia.

Continuo sem ar.

– Na sétima série, Shelly Morrison foi pega colando da sua prova de matemática. E ficou gritando que, se ela fosse reprovada, seu pai a mataria. Você falou para a professora que era *você* quem estava colando dela. Tirou zero na prova e ficou uma semana de castigo. – Ele ergue a cabeça, mas não olha para mim. – Depois disso, passou pelo menos um mês com hematomas nos braços. Sempre me perguntei de onde vieram.

Meu coração está batendo rápido demais. Perigosamente rápido. Aperto os dedos para tentar evitar que tremam. Cerro o maxilar e afasto as emoções do rosto, mas não posso diminuir o tamborilar em meu peito, por mais que tente.

– Um milhão de vezes – ele diz, agora com a voz muito baixa. – Eu a vi fazer coisas assim um milhão de vezes. Mas você nunca disse uma palavra, a não ser que a forçassem. – Ele ri outra vez, agora mais intensamente, uma risada pesada. Está olhando para um ponto diretamente atrás dos meus ombros. – Você nunca pediu nada a ninguém. – Enfim, ele olha em meus olhos. – Mas ninguém nunca lhe deu uma chance.

Engulo em seco, tento desviar o olhar, mas ele segura meu rosto. E sussurra:

– Você não tem ideia do quanto pensei em você. De quantas vezes sonhei... – Respira fundo. – De quantas vezes sonhei em estar perto de você. – Ajeita-se para passar a mão nos cabelos antes de mudar de ideia. Olha para baixo. Olha para cima. – Meu Deus, Juliette, eu iria com você a qualquer lugar. Você é a única coisa boa que ainda resta neste mundo.

Imploro a mim mesma para não explodir em lágrimas, mas não sei se está funcionando. Vejo-me estilhaçando e colando as partes outra vez e enrubescendo totalmente e mal consigo encontrar forças para olhá-lo nos olhos.

Seus dedos encontram meu queixo. Levantam minha cabeça.

– Temos no máximo três semanas – conta. – Acho que não vão conseguir controlar a multidão muito mais tempo.

Assinto. Pisco os olhos. Descanso o rosto em seu peito e finjo que não estou chorando.

3 semanas.

Vinte e quatro

2 semanas se passam.

2 semanas de vestidos e banhos e comida que quero jogar do outro lado do quarto. 2 semanas de Warner sorrindo e tocando minha cintura, rindo e roçando na base da minha coluna, certo de que estou em minha melhor aparência ao seu lado. Acha que sou seu troféu. Sua arma secreta.

Tenho de lutar contra a vontade de estourar seus dedos no concreto.

Porém, ofereço-lhe 2 semanas de cooperação porque em 1 semana estarei longe daqui.

Assim espero.

Porém, acima de qualquer outra coisa, descobri que não odeio Warner tanto quanto pensei que odiava.

Sinto pena dele.

Ele encontra um estranho consolo em minha companhia; pensa que posso me identificar com ele e suas ideias absurdas, sua criação cruel, seu pai ausente e, ao mesmo tempo, exigente.

Contudo, jamais fala de sua mãe.

Adam diz que ninguém sabe nada sobre a mãe de Warner – que nunca se falou dela e ninguém tem ideia de quem seja. Diz que só se sabe que Warner é a consequência de uma criação implacável e um desejo frio e calculista pelo poder. Ele odeia crianças felizes e pais felizes e suas vidas felizes.

Acho que Warner pensa que eu entendo. Que eu o entendo.

E eu entendo. E não entendo.

Porque não somos iguais.

Eu quero ser melhor.

Fora as noites, Adam e eu passamos pouco tempo juntos. E, mesmo se considerarmos as noites, não é tanto tempo. Warner me observa mais atentamente a cada dia; desligar as câmeras só o deixou mais desconfiado. Está sempre entrando inesperadamente em meu quarto, guiando-me em visitas desnecessárias pelo prédio, falando sobre nada além de seus planos e seus planos de fazer mais planos e como juntos conquistaremos o mundo. Nem finjo me importar.

Talvez seja eu quem está piorando a situação.

– Não consigo acreditar que Warner realmente concordou em desligar as câmeras daqui – Adam me disse certa noite.

– Ele é louco. Não é racional. É tão doente que acho que nunca vou entender.

Nesse momento, Adam suspirou.

– Está obcecado por você.

– O quê? – Quase machuquei o pescoço, tamanha a surpresa.

– Ele só fala de você. – Adam ficou em silêncio por um instante, o maxilar tenso demais. – Ouvi histórias a seu respeito antes mesmo de você chegar aqui. Foi por isso que me envolvi. Foi por isso que me ofereci como voluntário para ir buscá-la. Warner passou meses coletando informações a seu respeito: endereços, registros médicos, histórias pessoais, relações familiares, certidões de nascimento, exames de sangue. Todo o exército comentava sobre o novo projeto dele; todos sabiam que Warner estava atrás de uma garota que tinha matado um menino em um mercado. Uma garota chamada Juliette.

Segurei a respiração.

Adam balançou a cabeça.

— Eu sabia que era você. Só podia ser. Perguntei a Warner se podia ajudar com o projeto, contei que havia estudado com você, que tinha ouvido sobre a história do menino, que a tinha visto pessoalmente. — Adam deu uma risada dura. — Warner ficou muito empolgado. Achou que isso tornaria o experimento mais interessante — acrescentou, enjoado. — E eu sabia que, se ele quisesse procurá-la para envolvê-la em algum projeto doentio...

Ele hesitou por um instante. Desviou o olhar. Passou a mão pelos cabelos.

— Eu simplesmente sabia que tinha que fazer alguma coisa. Pensei que podia tentar ajudar. Mas agora a coisa piorou. Warner não para de falar sobre as coisas de que você é capaz ou o quão valiosa é para os esforços dele e como está animado por tê-la aqui. Todos estão começando a notar. Warner é implacável... Não tem misericórdia por ninguém. Ele ama o poder, o frio na barriga que sente ao destruir pessoas. Mas está começando a ficar louco, Juliette. Está tão desesperado por possuí-la... Desesperado para vê-la se *unir* a ele. E, apesar de todas as ameaças, ele não quer forçá-la. Ele quer que você queira. Que o escolha, de certo modo. — Adam olhou para baixo, respirou fundo. — Ele está perdendo a sanidade. E, sempre que vejo o rosto de Warner, estou a um milímetro de fazer alguma loucura. Eu adoraria quebrar o maxilar dele.

Sim. Warner está ficando louco.

Está paranoico, mas tem bons motivos para isso. Porém, ao mesmo tempo, é paciente e impaciente comigo. Animado e nervoso o tempo todo. É uma contradição ambulante.

Ele desliga as minhas câmeras, mas algumas noites exige que Adam durma do lado de fora da porta para ter certeza de que não vou escapar. Diz que posso almoçar sozinha, mas sempre acaba me convocando para estar com ele. As poucas horas que Adam e eu teríamos juntos nos são roubadas, mas as poucas noites que Adam tem autorização para dormir dentro do quarto, consigo passar em seus braços.

Dormimos no chão agora, envolvendo um ao outro em busca de calor, mesmo com as cobertas sobre nossos corpos. Toda vez que ele me toca é como uma explosão de fogo e eletricidade incendiando meus ossos do jeito mais impressionante. É o tipo de sensação que eu queria poder segurar na mão.

Adam me conta sobre os novos acontecimentos, sussurros que ouviu de outros soldados. Conta que há múltiplos quartéis espalhados pelo que sobrou do país. Que o pai de Warner está na capital, que deixou o filho no comando desse setor inteiro. Conta que Warner detesta o pai, mas ama o poder. A destruição. A devastação. Adam acaricia meus cabelos e me conta histórias e me puxa para perto como se temesse que eu pudesse desaparecer. Pinta imagens de pessoas e lugares até eu cair no sono, até eu me afundar na droga dos sonhos para escapar de um mundo sem refúgio, sem alívio, sem libertação além de suas reafirmações em meu ouvido. Dormir é a única coisa que me anima ultimamente. Quase nem lembro por que eu costumava gritar.

As coisas estão ficando confortáveis demais, e eu já começo a entrar em pânico.

– Vista isso – Warner me diz.

Tomar o café da manhã no salão azul se tornou uma rotina. Como e não questiono de onde vem a comida, se os funcionários estão ou não sendo pagos pelo que fazem, como esse prédio consegue sustentar tantas vidas, bombear tanta água ou usar tanta eletricidade. Agora tudo o que faço é esperar minha hora. E cooperar.

Warner não me pediu para tocá-lo outra vez, e eu não ofereço.

– Para que são? – Observo as pequenas peças de tecido em sua mão e sinto um pontada no estômago.

Ele abre um sorriso lento, sorrateiro.

– Um teste de aptidão. – Segura meu punho e coloca o montinho em minha mão. – Não vou olhar, só dessa vez.

Estou quase nervosa demais para sentir nojo dele.

Minhas mãos tremem enquanto visto as peças, uma blusinha e shorts minúsculos. Estou praticamente nua. Estou praticamente convulsionando de medo do que isso pode significar. Pigarreio só um pouquinho e Warner se vira.

Ele demora muito para falar; seus olhos estão ocupados viajando pelo mapa do meu corpo. Quero rasgar o tapete e costurá-lo em minha pele. Ele sorri e me oferece sua mão.

Sou granito e calcário e mármore. Não me mexo.

Ele baixa a mão. Inclina a cabeça.

– Venha comigo.

Warner abre a porta. Adam está parado do lado de fora. Tem tanta prática em disfarçar suas emoções que quase nem percebo o olhar de choque que surge e some de seus traços. Apenas uma leve tensão na testa, rigidez nas têmporas, entregando-o. Sabe que algo não está certo. Na verdade, vira o rosto para observar minha aparência. E pisca.

– Senhor?

– Continue onde está, soldado. A partir daqui, eu assumo.

Adam não responde não responde não responde...

– Sim, senhor – diz, a voz de repente rouca.

Sinto seus olhos apontados para mim enquanto atravesso o corredor.

Warner me leva a um lugar novo. Estamos passando por corredores que nunca vi, mais escuros e mais sem vida e mais estreitos conforme seguimos. Percebo que estamos descendo.

Rumo ao porão.

Passamos por 1, 2, 4 portas de metal. Soldados por todos os lados, seus olhos por todos os lados, avaliando-me com medo e algo mais que prefiro nem imaginar. Já percebi que há pouquíssimas mulheres nesse prédio.

Se existe um lugar no mundo para se sentir grata por ser intocável, esse lugar é aqui.

Ser intocável é o único motivo pelo qual tenho uma trégua dos olhos arregalados de centenas de homens solitários. É o único motivo pelo qual Adam fica comigo – porque Warner pensa que Adam é um recorte de papelão de regurgitações de baunilha. Acha que Adam é uma máquina lubrificada por ordens e exigências. Acha que Adam é um lembrete do meu passado, um lembrete que ele usa para me deixar desconfortável. Jamais imaginou que Adam pudesse encostar um dedo em mim.

Ninguém imaginaria. Todos que conheço ficam absolutamente petrificados.

A escuridão é como uma tela preta perfurada por uma faca cega, com feixes de luz atravessando. Lembra muito minha cela antiga. Minha pele se arrepia com um terror incontrolável.

Estou cercada por armas.

— Entre — Warner ordena. Sou empurrada para dentro de um cômodo vazio com um leve cheiro de mofo. Alguém toca no interruptor e as luzes fluorescentes se acendem para revelar paredes creme e tapete da cor de grama morta. A porta bate violentamente atrás de mim.

Não há nada além de teias de aranha e um espelho enorme nesse cômodo. O espelho toma metade da parede. Instintivamente sei que Warner e seus cúmplices devem estar me observando. Só não sei por quê.

Os segredos estão por todos os cantos.

As respostas não estão em lugar algum.

Estalos/estouros/rangidos e movimentos mecânicos fazem tremer o espaço onde estou. O chão ganha vida. O teto treme com a promessa de caos. De repente, há lanças de metal por todos os lados, espalhadas pelo quarto, perfurando cada superfície em alturas diferentes. A cada poucos segundos desaparecem, mas só para reaparecerem acompanhadas de um choque de horror, cortando o ar como agulhas.

Percebo que estou em uma câmara de tortura.

Estática e chiados de alto-falantes mais velhos do que meu coração moribundo ecoam pelo ar. Sou um cavalo de corrida galopando a caminho de uma linha de chegada falsa, arfando pela vitória de outra pessoa.

— Está pronta? — a voz amplificada de Warner ecoa pelo cômodo.

— Para que devo estar pronta? — grito no espaço vazio, certa de que alguém pode me ouvir. ~~Estou calma. Estou calma. Estou calma.~~ Estou petrificada.

— Fizemos um acordo, lembra? — a câmara responde.

— O quê?!

— Eu desliguei suas câmeras. Agora é sua vez de cumprir sua parte da barganha.

— Eu não vou tocar em você! — grito, girando sem sair do lugar, aterrorizada, horrorizada, preocupada com a possibilidade de desmaiar a qualquer momento.

— Tudo bem — ele diz. — Vou enviar meu substituto.

A porta se abre e uma criança entra, uma criança usando nada além de fralda. Está com os olhos vendados e chorando, tremendo de medo.

Um alfinete estoura minha existência, transformando-a em nada.

— Se você não salvá-lo, nós tampouco o salvaremos — a voz de Warner ecoa com os chiados pela sala.

Essa criança.

Ele deve ter um pai e uma mãe que o amam, essa criança essa criança essa criança aproximando-se aterrorizada. Poderia ser perfurada a qualquer segundo por uma das estalagmites de metal.

Salvá-lo é simples: preciso pegá-lo, encontrar um espaço seguro no chão e segurá-lo em meus braços até o experimento terminar.

Só tem um problema.

Se eu tocá-lo, ele pode morrer.

Vinte e cinco

Warner sabe que não tenho escolha. Quer me forçar a entrar em outra situação na qual ele consiga ver o impacto das minhas habilidades. E não tem problema nenhum em torturar uma criança inocente para conseguir exatamente o que quer.

Nesse momento, não me restam opções.

Tenho de me arriscar antes que esse menininho dê um passo na direção errada.

Rapidamente memorizo tudo o que consigo das armadilhas e me esquivo/salto/evito as lanças até chegar o mais perto possível.

Respiro profunda e trepidamente, e me concentro nos membros trêmulos do menino à minha frente e peço a Deus que esteja tomando a decisão certa. Estou prestes a tirar minha camisa e usar como barreira entre nós quando percebo a leve vibração no chão. A vibração que precede o horror. Sei que tenho metade de um segundo antes de as lanças subirem e cortarem o ar, e menos tempo ainda para reagir.

Puxo-o em meus braços.

Seu grito me corta como se eu estivesse sendo fuzilada, uma bala a cada segundo. Ele arranha meus braços, meu peito, chuta meu corpo com toda a força que consegue, gritando em agonia, até a dor paralisá-lo. Seu corpo enfraquece em meus braços e estou sendo rasgada em pedaços, meus olhos, meus ossos, minhas veias todas saltando para fora do lugar, todas se virando para mim para me torturarem para sempre com memórias dos horrores pelos quais sou responsável.

Dor e força sangram de seu corpo para o meu, pulsando em seus membros e me invadindo até eu quase derrubá-lo. ~~É como reviver um pesadelo que passei 3 anos tentando esquecer.~~

— Absolutamente impressionante — suspira Warner pelos alto-falantes, e então me dou conta de que estava certa. Ele deve estar observando por algum vidro. — Magnífico, querida. Estou totalmente impressionado.

Agora me sinto desesperada demais para conseguir me concentrar em Warner. Não tenho ideia de quanto tempo esse jogo doentio vai durar e preciso diminuir a quantidade de pele exposta desse garotinho.

Minhas roupas minúsculas fazem muito mais sentido agora.

Ajeito-o outra vez em meus braços e consigo pegar em sua fralda. Estou segurando-o com a palma da mão. E desesperada por acreditar que não o toquei tempo o bastante para causar problemas sérios.

Ele solta um soluço; seu corpo treme de volta à vida.

Eu poderia chorar de felicidade.

Porém, logo os berros recomeçam, agora não mais gritos de tortura, mas de medo. Está desesperado por se livrar de mim e eu estou perdendo a pegada, meu punho quase quebra com o esforço. Não me atrevo a tirar sua vida. Eu preferiria morrer a deixá-lo ver esse espaço ou meu rosto.

Aperto o maxilar com tanta força que temo quebrar os dentes. Se eu colocá-lo no chão, ele começará a correr. E, se começar a correr, estará arruinado. Preciso continuar segurando-o.

O rugido de alguma coisa mecânica e velha faz meu coração se reavivar. As lanças se enterraram outra vez no chão, uma a uma, até desaparecerem por completo. O cômodo se torna outra vez inofensivo com tanta rapidez que temo ter apenas imaginado o perigo. Solto o menininho outra vez no chão e mordo o lábio para engolir a dor inchando em meu peito.

Ele começa a correr e acidentalmente tropeça em minhas pernas expostas.

Grita e treme e cai no chão com o corpinho curvado, chorando até eu pensar na ideia de me destruir, de me livrar desse mundo. Lágrimas escorrem tão rápido por meu rosto e não quero nada além de estender a mão e ajudá-lo, abraçá-lo apertado, beijar suas lindas bochechas e lhe dizer que vou cuidar para sempre dele, que vamos fugir juntos, que vou fazer brincadeiras com ele e ler histórias à noite e sei que não posso. Sei que jamais poderei. Sei que nunca será possível.

E, de repente, o mundo desaparece do meu campo de visão.

Sou tomada por uma raiva, uma intensidade, uma fúria tão potente que quase saio do chão. Fervo com ódio e nojo cegos. Nem sei como meus pés se movimentam no instante seguinte. Não entendo minhas mãos e o que estão fazendo ou como decidiram se lançar para a frente, dedos abertos, avançando na direção da janela. Só sei que quero sentir o pescoço de Warner quebrando entre minhas duas mãos. Quero que ele viva o mesmo terror que infligiu a uma criança. Quero vê-lo morrer. Quero vê-lo implorar por misericórdia.

Bato nas paredes de concreto.

Amasso o vidro com 10 dedos.

Estou apertando um punhado de cascalho e um punhado de tecido no pescoço de Warner e tem 50 armas diferentes apontadas para minha cabeça. O ar é saturado com cheiro de cimento e enxofre, o vidro caindo em uma sinfonia agonizante de corações estilhaçados.

Jogo Warner contra a pedra corroída.

– Não se atrevam a atirar nela – ele chia para os guardas.

Ainda não toquei sua pele, mas tenho a mais forte suspeita de que poderia amassar sua caixa torácica e destruir seu coração se apertasse um pouquinho mais forte.

– Eu devia matar você! – Minha voz sai em uma respiração funda e descontrolada.

– Você... – Ele tenta engolir. – Você acabou de arrebentar o concreto usando só as mãos.

Pisco. Não me atrevo a olhar para trás. Mas sei, mesmo sem olhar, que ele não pode estar mentindo. Devo ter feito isso. Minha mente é um labirinto de impossibilidades.

Perco o foco por um instante.

As armas...

clique

clique

clique

Todo o momento é carregado.

– Se algum de vocês fizer alguma coisa contra ela, eu mesmo vou fuzilar cada um – Warner rosna.

– Mas senhor...

– Recuar, soldado!

A raiva desaparece. A raiva repentina e descontrolada desaparece. Minha mente já se rendeu à descrença. Confusão. Não sei o que fiz. Claramente não sei do que sou capaz, pois não tinha ideia de que poderia destruir alguma coisa, e de repente estou com tanto medo com tanto medo com tanto medo de minhas próprias mãos. Cambaleio para trás, impressionada, e vejo Warner me olhando faminto, ansioso, seus olhos esmeralda iluminados com uma fascinação infantil.

Há uma cobra na minha garganta e não consigo engolir. Olho Warner nos olhos.

— Se voltar a me colocar naquela posição, eu mato você. E vou gostar de matar.

Nem sei se estou mentindo.

Vinte e seis

Adam me encontra com o corpo curvado no chão do banheiro.

Estou chorando há tanto tempo que certamente a água quente não é composta de nada além das minhas lágrimas. Minhas roupas estão grudadas à pele, ensopadas e inúteis. Quero tirá-las, lavá-las. Quero afundar na ignorância. Quero ser idiota, tola, muda, completamente acéfala. Quero cortar meus próprios membros. Quero me livrar dessa pele capaz de matar e dessas mãos que destroem e desse corpo que nem sei como entender.

Tudo está desmoronando.

– Juliette… – Ele encosta a mão no vidro. Mal consigo ouvi-lo.

Não respondo, então ele abre a porta do banheiro. Está coberto de pingos de chuva rebeldes e tira o coturno antes de cair de joelhos no chão. Estende a mão para tocar meus braços e a sensação só me deixa mais desesperada por morrer. Suspira e me puxa para cima, apenas o suficiente para erguer minha cabeça. Suas mãos seguram meu rosto e seus olhos me analisam até eu desviar o rosto.

– Eu sei o que aconteceu – fala baixinho.

Minha garganta é um réptil coberto de escamas.

– Alguém devia simplesmente me matar – chio, cada palavra estalando.

Os braços de Adam me seguram até me levantarem e ainda estou cambaleando e nós dois estamos de pé. Ele entra no chuveiro e fecha a porta.

Eu arfo.

Adam me segura contra a parede e não vejo nada além de sua camiseta branca ensopada, nada além da água dançando em seu rosto, nada além de seus olhos repletos de um mundo do qual morro de vontade de fazer parte.

— Não foi culpa sua — sussurra.

— É o que eu *sou* — bufo.

— Não. Warner está errado sobre você — explica. — Ele quer que você se torne alguém que não é, e você não pode deixar que ele a corrompa. Não o deixe influenciá-la. Ele *quer* que você pense que é um monstro. Quer que você pense que não resta escolha senão unir-se a ele. Ele quer que você pense que nunca será capaz de viver uma vida normal...

— Mas eu não vou ter uma vida normal. — Engulo um soluço. — Nunca, jamais... Eu nunca... nunca...

Adam está negando com a cabeça.

— Vai, sim. Nós vamos embora deste lugar. Não vou deixar isso acontecer com você.

— Como... como você pode se importar com alguém... como *eu*? — Quase não consigo respirar de tão nervosa e petrificada, mas de algum jeito consigo olhar para seus lábios, estudar sua silhueta, contar as gotas de água que deslizam pelas colinas e vales de sua boca.

— Porque estou apaixonado por você.

Engulo meu próprio estômago. Meus olhos se abrem violentamente para lerem seu rosto, mas sou uma mistura complicada de correntes elétricas, vibrando com vida e brilhando, quente e fria e meu coração é errático. Estou tremendo em seus braços e meus lábios se separaram sem motivo para isso.

Sua boca se suaviza em um sorriso. Meus ossos desapareceram.

Estou girando em delírio.

Seu nariz toca o meu, seus lábios estão a um sopro de distância, seus olhos já me devoram e eu sou uma poça sem braços e pernas. Consigo sentir seu cheiro em todos os lugares. Sinto cada ponto de seu corpo tocando o meu; suas mãos em minha cintura, agarrando meu quadril; suas pernas roçando as minhas. Sinto a força de seu peito me dominando, o corpo construído com tijolos de desejo. O sabor de suas palavras fica em meus lábios.

– De verdade...? – Deixo escapar um último suspiro de incredulidade, um esforço consciente para acreditar no que nunca foi feito. Sou arrastada para o chão e preenchida pelas palavras não ditas.

Ele olha para mim com tanta emoção que quase sou partida em duas.

– Meu Deus, Juliette...

E então ele está me beijando.

Uma vez, duas vezes, até eu sentir o gosto e me dar conta de que nunca será o bastante. Ele está em cada centímetro das minhas costas e em meus braços e de repente me beija com mais propósito, com mais intensidade, com uma necessidade urgente que nunca antes conheci. Afasta-se em busca de ar só para enterrar seus lábios em meu pescoço, em minha clavícula, no queixo e nas bochechas e estou desesperada por oxigênio e ele está me destruindo com as mãos e estamos ensopados de água e beleza e a euforia de um momento que jamais pensei ser possível.

Adam me empurra para trás com um gemido grave e quero que tire a camisa.

Preciso ver o pássaro. Preciso lhe contar sobre o pássaro.

ESTILHAÇA-ME

Meus dedos estão puxando a bainha de suas roupas molhadas e seus olhos se arregalam por apenas um segundo antes de ele rasgar o tecido. Ele segura minhas mãos e ergue meus braços sobre a cabeça e me prende contra a parede, beijando-me até eu ter certeza de que estou sonhando, bebendo em meus lábios com seus lábios e ele tem sabor de chuva e almíscar doce e estou prestes a explodir.

Meus joelhos batem um no outro e meu coração bate tão rápido que nem sei por que ainda está funcionando. Com seu beijo, ele afasta a dor, a mágoa, os anos de ódio por mim mesma, as inseguranças, as esperanças estilhaçadas de um futuro que sempre imaginei obsoleto. Ele está me incendiando, afastando a tortura dos jogos de Warner, a angústia que me envenena a cada dia. A intensidade de nossos corpos seria forte o bastante para estilhaçar essas paredes de vidro.

E quase estilhaça.

Por um instante apenas nos olhamos, a respiração dificultosa, até eu enrubescer, até ele fechar os olhos e soltar uma respiração firme e eu colocar a mão em seu peito. Atrevo-me a traçar o contorno do pássaro voando em sua pele, atrevo-me a correr os dedos pela extensão de seu abdômen.

– Você é o meu pássaro – digo a ele. – Você é o meu pássaro e vai me ajudar a voar para longe.

Quando saio do banho, Adam já se foi.

Pendurou suas roupas e se secou e me ofereceu privacidade para me trocar. Privacidade com a qual nem sei mais se me importo. Deslizo 2 dedos pelos lábios e sinto o gosto dele em todas as partes.

Mas, quando entro no quarto, ele não está ali. Teve de descer para se reportar.

Olho as roupas em meu armário.

Sempre escolho um vestido com bolsos porque não sei em que outro lugar guardar meu caderno. Não há nele nenhuma informação capaz de me incriminar e a única folha de papel que carrega a caligrafia de Adam já foi destruída e despejada no vaso sanitário, mas gosto de manter o caderno por perto. Ele representa tanto com apenas algumas palavras anotadas no papel. É um pequeno símbolo da minha resistência.

Enfio o caderno em um bolso e decido que finalmente estou pronta para me encarar. Respiro fundo, afasto as mexas úmidas de cabelos dos olhos e entro no banheiro. O vapor do chuveiro embaçou o espelho. Estendo a mão ansiosa para limpar um pequeno círculo. Apenas do tamanho necessário.

Um rosto espantado me olha de volta.

Toco minhas bochechas e estudo o reflexo na superfície, estudo a imagem de uma garota que é ao mesmo tempo estranha e familiar para mim. Meu rosto está mais magro, mais pálido, as bochechas mais altas do que me lembro, as sobrancelhas empoleiradas acima de 2 olhos grandes nem azuis, nem verdes, mas algum tom no meio. Minha pele está rosada pelo calor e por algo chamado Adam. Meus lábios são rosas demais. Os dentes são incomumente retos. Deslizo o dedo sobre o nariz, traço a forma do queixo e então, de canto de olho, percebo um movimento.

— Você é tão linda — ele me diz.

Estou rosa e vermelha e iluminada, tudo de uma vez. Baixo a cabeça e tropeço para longe do espelho só para vê-lo me segurar em seus braços.

— Tinha esquecido como era meu próprio rosto — sussurro.

— Só não se esqueça de quem é — ele responde.

— Eu nem sei quem sou.

– Sabe, sim. – Ergue meu rosto. – Eu sei.

Observo a força em seu maxilar, em seus olhos, em seu corpo. Tento entender a confiança que ele tem em quem acha que sou e percebo que sua reafirmação é a única coisa que me impede de afundar em uma piscina cheia de minha própria insanidade. Adam sempre acreditou em mim. Mesmo em silêncio, lutou por mim. Sempre.

É meu único amigo.

Pego sua mão e a seguro diante dos meus lábios.

– Eu sempre te amei – declaro a ele.

O sol ilumina, descansa, brilha em seu rosto e ele quase sorri, quase não consegue me olhar nos olhos. Seus músculos relaxam, seus ombros encontram alívio do peso de um novo tipo de maravilha, e ele expira. Toca minha bochecha, toca meus lábios, a ponta do meu queixo e eu pisco e ele está me beijando, está me puxando para seus braços e me levantando no ar e de alguma forma estamos na mesma cama e unidos um ao outro e estou dopada de emoção, dopada de cada momento de afeto. Seus dedos roçam meu ombro, descem por minha silhueta, descansam em meu quadril. Ele me puxa mais para perto, sussurra meu nome, dá beijinhos em meu pescoço e luta com o tecido rígido do meu vestido. Suas mãos tremem ~~apenas~~ levemente, seus olhos brilham com sentimentos, o coração bate de dor e afeição e eu quero viver aqui, em seus braços, em seus braços pelo resto da minha vida.

Deslizo a mão por debaixo de sua camisa e ele engole um gemido que se transforma em beijo e precisa de mim e me quer e tem que me ter de forma tão desesperadora que parece a forma mais aguda de tortura. Seu peso me pressiona. Em meu corpo, pontos infinitos de sensações para cada terminação nervosa e sua mão direita está em minha nuca e sua mão esquerda está me acariciando e seus lábios estão descendo pela minha blusa e não lembro por que preciso usar roupas e sou uma coexistência de trovão e raio e a possibilidade de explodir em lágrimas a qualquer momento inoportuno. Êxtase Êxtase Êxtase batendo em meu peito.

Nem lembro o que significa respirar.
Eu nunca
nunca
nunca
soube
o que significa *sentir*.

Um alarme martela as paredes.

O quarto bipa e ganha vida e Adam se enrijece, se afasta; seu rosto entra em colapso.

— Este é um CÓDIGO SETE. Todos os soldados devem se reportar imediatamente ao Quadrante. Este é um CÓDIGO SETE. Todos os soldados devem se reportar imediatamente ao Quadrante. Este é um CÓDIGO SETE. Todos os soldados devem se reportar imediatamente ao Quadra...

Adam está de pé e me puxando para que me levante e a voz continua gritando ordens pelo sistema de som instalado no prédio.

— Aconteceu alguma violação... — diz, sua voz instável e sussurrada, os olhos deslizando entre mim e a porta. — Meu Deus, não posso simplesmente deixá-la aqui...

— Vá. Você tem que ir... Eu vou ficar bem...

Passos ecoam pelos corredores e soldados latem tão alto uns com os outros que consigo ouvi-los daqui, do outro lado da parede.

Adam ainda está em serviço. Precisa trabalhar. Precisa manter as aparências até conseguirmos fugir. Sei disso.

Ele me puxa para perto.

— Isso não é nenhuma brincadeira, Juliette... Não sei o que está acontecendo... Pode ser qualquer coisa.

Um *clique* metálico. Um barulho mecânico. A porta se abre e Adam e eu pulamos 1 metro um para longe do outro.

Ele se apressa em sair enquanto Warner entra. Os dois congelam.

— Tenho certeza de que o alarme está soando há pelo menos um minuto, soldado.

— Sim, senhor. Eu não sabia direito o que fazer com ela.

De repente está recomposto, uma estátua perfeita. Assente para mim como se eu fosse um pensamento secundário, mas sei que está ligeiramente enrijecido demais na altura dos ombros. Respirando só um pouquinho rápido demais.

— Para sua sorte, estou aqui para cuidar disso. Pode se reportar ao seu comandante.

— Sim, senhor. — Adam assente, dá meia-volta e passa pela porta.

Espero que Warner não note sua hesitação.

Warner se vira para me encarar com um sorriso tão calmo e casual que começo a questionar se o que está por vir é realmente um caos. Estuda meu rosto. Meus cabelos. Olha para os lençóis amarrotados atrás de mim e eu tenho a sensação de que engoli uma aranha.

— Você cochilou?

— Não consegui dormir ontem à noite.

— E rasgou o vestido?

— O que você está fazendo aqui? — Preciso que ele pare de me encarar, preciso que pare de beber os detalhes da minha existência.

— Se não gosta de um vestido, sempre pode usar outro diferente, sabia? Eu mesmo os escolhi para você.

— Tudo bem. Não tem problema nenhum com o vestido. — Olho para o relógio, mas sem nenhum motivo real para isso. Já são 16h30 da tarde. — Por que não me conta o que está acontecendo?

Ele está perto demais. Está perto demais e olhando para mim e meus pulmões não conseguem se expandir.

— Você devia mesmo mudar.

— Eu não quero mudar. — Não sei por que me sinto tão nervosa. Por que ele está me deixando tão nervosa. Por que o espaço entre nós está se desfazendo tão rapidamente.

Ele prende um dedo no meu quadril, perto da cintura do vestido, e me faz engolir um grito.

— Isso não vai funcionar.

— Tudo bem...

Warner me puxa com tanta força pelo rasgo do vestido que abre o tecido e cria uma fenda na lateral da perna.

— Assim fica um pouco melhor.

— O que você está fazendo...?

Suas mãos deslizam pela minha cintura e congelo meus braços onde estão e sei que preciso me defender, mas estou congelada e quero gritar, ainda assim minha voz está fraca fraca fraca. Sou uma respiração irregular e desesperada.

— Tenho uma pergunta — anuncia e tento chutá-lo com esse vestido inútil e ele só me prende contra a parede, o peso de seu corpo me contendo onde estou, cada centímetro de seu corpo coberto de tecido, uma camada de proteção entre nós.

— Eu falei que tenho uma pergunta, Juliette.

Suas mãos deslizam para dentro do meu bolso tão rapidamente que preciso de um momento para me dar conta do que acabou de fazer. Pego-me arfando contra a parede, tremendo e tentando encontrar meus pensamentos.

– Fiquei curioso – continua. – O que é isso?
Ele está segurando meu caderno entre 2 de seus dedos.
Ai meu Deus.

Esse vestido é justo demais para esconder o contorno do caderno e eu estava ocupada demais olhando meu próprio rosto para verificar o vestido no espelho. ~~Tudo isso é culpa minha tudo isso é culpa minha tudo isso é culpa minha~~ Não consigo acreditar. É tudo culpa minha. Eu devia ter imaginado.

Não falo nada.

Ele inclina a cabeça.

– Não me lembro de ter dado nenhum caderno a você. E certamente tampouco me lembro de ter lhe concedido permissão para ter posses.

– Eu trouxe comigo. – Minha voz falha.

– Agora você está mentindo.

– O que você quer de mim? – pergunto, já em pânico.

– Que pergunta ridícula, Juliette.

Barulho de metal saindo do lugar.

Alguém abriu minha porta.

Clique.

– Tire as mãos dela antes que eu enterre uma bala na sua cabeça.

Vinte e sete

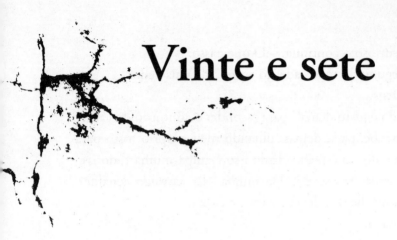

Os olhos de Warner se fecham muito lentamente. Ele se afasta muito lentamente. Seus lábios se repuxam em um sorriso perigoso.
— Kent.

As mãos de Adam permanecem firmes, o cano da arma pressionado contra a parte de trás do crânio de Warner.

— Você vai limpar nosso caminho para sairmos daqui.

Warner dá risada. Abre os olhos e puxa uma arma de dentro do bolso, aponta-a diretamente para a minha testa.

— Vou matá-la agora mesmo.

— Você não é tão idiota assim — Adam rebate.

— Se ela se movimentar um milímetro sequer, vou atirar nela. E aí vou rasgar você em pedaços.

Adam se movimenta com agilidade, batendo a coronha do revólver na cabeça de Warner. A arma de Warner falha, então Adam agarra seu braço e torce seu punho até ele soltá-la. Pego a arma de Warner e bato a coronha em seu rosto. Fico impressionada com meus reflexos. Nunca segurei uma arma na vida, mas acho que tudo tem uma primeira vez.

Aponto para os olhos de Warner.

— Não me subestime.

— *Cacete*! — Adam não se preocupa em esconder sua surpresa.

Warner tosse em meio a uma risada, se ajeita e tenta sorrir enquanto limpa o sangue do nariz.

— Eu nunca a subestimei — afirma. — Jamais.

Adam balança a cabeça por menos de um segundo antes de seu rosto ser estampado por um sorriso enorme. Está sorrindo para mim enquanto pressiona a arma com mais força contra o crânio de Warner.

— Vamos dar o fora daqui.

Pego as duas mochilas enfiadas no armário e jogo uma delas para Adam. Já faz quase uma semana que deixamos nossas coisas preparadas. Se ele quer dar o fora antes do planejado, não tenho nada de que me queixar.

A sorte de Warner é que estamos mostrando piedade.

Mas temos a sorte de todo o prédio ter sido evacuado. Ele não tem ninguém com quem contar.

Warner pigarreia. Está olhando diretamente para mim quando fala:

— Posso lhe assegurar, soldado, que seu triunfo terá vida curta. Seria melhor me matar agora, porque quando encontrá-lo, vou gostar muito de destruir cada osso do seu corpo. Você é um idiota se pensa que pode sair ileso disso.

— Eu não sou seu soldado. — O rosto de Adam parece feito de pedra. — Nunca fui. Você anda tão envolvido com os detalhes das suas próprias fantasias que não notou os perigos bem diante de você.

— Não podemos matar você ainda — acrescento. — Você tem que nos tirar daqui antes.

— Está cometendo um erro enorme, Juliette — alerta. Sua voz agora se suaviza. — Está jogando no lixo todo um futuro. — Suspira. — Como sabe que pode confiar nele?

Olho para Adam, o menino que sempre me defendeu, mesmo quando não tinha nada a ganhar com isso. Balanço a cabeça para limpar meus pensamentos. Lembro que Warner é um mentiroso. Um lunático ensandecido. Um psicopata assassino. Ele jamais tentaria me ajudar.

Acho.

— Vamos embora antes que seja tarde demais — digo a Adam. — Ele só está tentando ganhar tempo até os soldados voltarem.

— Ele não está nem aí para você — Warner explode. Estremeço com a insanidade repentina e descontrolada em sua voz. — Ele só quer um jeito de sair daqui e está usando você para isso. — Dá um passo adiante. — Eu posso amá-la, Juliette... Eu a trataria como uma *rainha*...

Adam lhe dá uma gravata e aponta a arma para sua têmpora.

— Você obviamente não entende o que está acontecendo aqui — avisa com muito cuidado.

— Então me informe, soldado — Warner zomba. Seus olhos são chamas dançando perigosamente. — Diga o que não estou conseguindo entender.

— Adam... — Estou negando com a cabeça.

Ele me olha nos olhos. Assente. Vira-se para Warner.

— Faça a ligação — ordena, apertando um pouco mais o pescoço dele em seu braço. — Tire a gente daqui *agora*.

— Nem morto eu a deixaria passar por aquela porta. — Warner massageia o maxilar e cospe sangue no chão. — Você, eu mataria por prazer — rosna a Adam. — Mas Juliette, eu a quero para sempre.

— Eu não sou sua para você querer nada. — Estou arfando alto demais. Ansiosa por sair daqui. Com raiva por ele não parar de falar, e adoraria arrebentar seu rosto, mas ele se tornaria inútil para nós se ficasse inconsciente.

– Você sabe que poderia me amar. – Warner oferece um sorriso muito estranho. – Ninguém conseguiria nos deter. Nós mudaríamos o mundo. Eu poderia fazê-la feliz – afirma para mim.

Adam parece capaz de estourar o pescoço de Warner. Seu rosto está tão rijo, tão tenso, tão furioso. Eu nunca o vi assim.

– Você não tem nada a oferecer a ela, seu canalha.

Warner fecha os olhos com força por um segundo.

– Juliette. Não seja ansiosa. Não tome nenhuma decisão apressada. Fique comigo. Vou ser paciente com você. Vou lhe dar tempo para se acostumar. Vou cuidar de você...

– Você é louco. – Minhas mãos tremem, mas seguro a arma diante do rosto dele. Preciso tirá-lo da minha cabeça. Preciso lembrar o que fez comigo. – Você quer que eu seja um *monstro* para você...

– Quero que você use o seu *potencial*!

– Deixe-me ir – peço baixinho. – Não quero ser uma criatura sua. Não quero ferir as pessoas...

– O mundo já a feriu – ele retruca. – O *mundo* a colocou aqui. Você está aqui por causa deles! Acha que, se você for embora, eles vão aceitá-la? Acha que pode fugir e levar uma vida normal? Ninguém vai se importar com você. Ninguém vai chegar perto de você... Continuará sendo uma pária, como sempre foi! Nada mudou! O seu lugar é ao meu lado!

– O lugar dela é ao *meu* lado. – A voz de Adam seria capaz de cortar uma placa de aço.

Warner treme. Pela primeira vez, parece entender o que para mim era óbvio. Seus olhos estão arregalados, horrorizados, incrédulos, encarando-me com um novo tipo de angústia.

– Não. – Uma risada breve, lunática. – Juliette. Por favor. Por favor. Não me diga que ele encheu sua cabeça de ideias românticas. Por favor, não me diga que se apaixonou pelas palavras falsas dele...

Adam bate o joelho contra a espinha de Warner, que cai no chão com uma pancada abafada e uma inspiração dura. Adam o dominou esse tempo todo. Sinto que deveria estar comemorando.

Porém, pego-me ansiosa demais. Estou suspensa no ar, tamanha minha incredulidade. Sinto-me insegura demais para confiar em minhas próprias decisões. Preciso me recompor.

— Adam...

— Eu te *amo* – declara para mim, seus olhos tão sinceros quanto sempre, as palavras tão urgentes quanto eu poderia esperar. – Não deixe que ele a confunda...

— Você a *ama*? – Warner praticamente cospe. – Você nem...

— Adam. – Meus olhos focam o quarto todo. Estou olhando para a janela. Encaro-o outra vez.

Seus olhos quase tocam as sobrancelhas.

— Você quer *pular*?

Confirmo com a cabeça.

— Mas estamos no décimo quinto andar...

— Que escolha nos resta se ele não coopera? – Olho para Warner. Inclino a cabeça. – Não tem nenhum Código Sete, não é?

Os lábios de Warner tremem. Ele não diz nada.

— Por que você faria isso? – pergunto a ele. – Por que acionaria um alarme falso?

— Por que não pergunta ao soldado de quem você de repente passou a gostar tanto? – Warner esbraveja, enojado. – Por que não pergunta a si mesma o motivo de estar confiando sua vida a alguém incapaz até mesmo de diferenciar uma ameaça real de uma imaginária?

Adam xinga baixinho.

Olho-o nos olhos e ele me joga sua arma.

Nega com a cabeça. Xinga outra vez. Abre e fecha o punho.

— Foi só um exercício militar.

Warner chega a rir.

Adam olha para a porta, para o relógio, para meu rosto.

— Não temos muito tempo.

Estou segurando a arma de Warner na mão esquerda e a de Adam na direita e apontando as duas para a testa de Warner, fazendo o possível para ignorar os olhares que ele aponta em minha direção. Adam usa a mão livre para buscar algo no bolso. Puxa um par de lacres de plástico e chuta as costas de Warner antes de prender seus membros. O coturno e as luvas de Warner foram deixados no chão. Adam mantém um coturno pressionando o estômago dele.

— Um milhão de alarmes vão soar assim que pularmos pela janela — ele me explica. — Teremos de fugir rápido, então não podemos correr o risco de quebrar as pernas. Pular não é uma opção.

— O que fazemos, então?

Ele passa a mão nos cabelos e mordisca o lábio inferior e por um minuto de delírio tudo o que quero é sentir seu gosto. Forço-me a focar outra vez.

— Eu tenho cordas — anuncia. — Teremos de descer por elas. E rápido.

Começa a abrir um rolo de corda preso a uma âncora. Eu tinha perguntado um milhão de vezes para que eram aquelas cordas, por que ele as tinha colocado na bolsa que preparou para a fuga. Adam me disse que cordas nunca são demais. Agora, quase sinto vontade de rir.

Volta-se para mim.

— Eu desço primeiro para poder pegá-la do outro lado.

Warner ri alto, alto demais.

— Você não pode pegá-la, seu idiota. — Ele se repuxa nas algemas de plástico. — Ela não está vestindo quase nada. Vai matá-lo e se matar com a queda.

Meu olhar desliza entre os dois. Não tenho mais tempo para brincar com os joguinhos de Warner. Tomo uma decisão apressada.

– Vá. Eu vou logo atrás de você.

Warner parece louco, confuso.

– O que você está fazendo?

Ignoro-o.

– Espere...

Ignoro-o.

– Juliette.

Ignoro-o.

– Juliette! – Sua voz fica mais apertada, mais aguda, respinga raiva e terror e negação e traição. Uma ideia parece confundir ainda mais sua mente. – Ele pode *tocar* em você?

Adam está envolvendo o punho com o lençol.

– Juliette, me responda! Merda! – Warner está se contorcendo no chão, transtornado de um jeito que eu pensava ser impossível. Parece selvagem, olhos incrédulos, horrorizados. – Ele *tocou* em você?

Não consigo entender por que as paredes de repente estão no teto. Tudo está desmoronando para o lado.

– Juliette...

Adam quebra o vidro com um soco rápido e violento e, no mesmo instante, todo o quarto ecoa o som da histeria, um barulho mais histérico do que qualquer alarme que já ouvi na vida.

O quarto está se desfazendo sob meus pés, passos pesados ecoam pelos corredores e sei que estamos a cerca de um minuto de sermos descobertos.

Adam joga a corda pela janela e a bolsa nas costas.

– Jogue sua bolsa para mim – grita, e quase não consigo ouvi-lo.

Jogo-a e ele a segura antes de passar pela janela. Corro para acompanhá-lo.

Warner tenta agarrar minha perna.

Sua tentativa fracassada quase me faz tropeçar, mas consigo cambalear até a janela sem perder muito tempo. Olho mais uma vez para a porta e sinto o coração acelerar até os ossos. O barulho de soldados correndo e gritando se torna mais alto, mais próximo, mais claro a cada segundo.

– Corra! – Adam grita para mim.

– Juliette, *por favor*...

Warner puxa minha perna outra vez e arfo tão alto que quase me ouço por sobre as sirenes estilhaçando meus tímpanos. ~~Não vou olhar para ele. Não vou olhar para ele. Não vou olhar para ele.~~

Passo uma perna pela janela e agarro a corda. Minhas pernas expostas vão transformar essa descida em um fardo excruciante. Ambas estão expostas. Minhas mãos, no lugar certo. Adam grita para mim lá embaixo. Não sei quão lá embaixo está. Warner berra meu nome e olho para cima, mesmo com todos os meus esforços para não fazer isso.

Seus olhos são dois tiros verdes do outro lado do painel de vidro. Cortando-me.

Respiro fundo e espero não morrer.

Respiro fundo e vou descendo cada centímetro de corda.

Respiro fundo e tenho a esperança de que Warner não perceba o que acaba de acontecer.

Espero que não saiba que acabou de tocar minha perna.

E nada aconteceu.

Vinte e oito

Estou queimando.

A fricção da corda em minhas pernas se transforma em uma massa de fogo tão dolorosa que me surpreendo por não soltar fumaça. Engulo a dor porque não me resta outra escolha. A massa histérica no prédio perfura meus sentidos, faz chover raiva à nossa volta. Adam grita lá embaixo, diz para eu pular, promete que vai me segurar. Sinto vergonha demais para admitir que tenho medo da queda.

Nunca tive a chance de tomar uma decisão sozinha.

Soldados já invadem o que antes era meu quarto, gritando, confusos, provavelmente em choque ao se depararem com Warner em uma posição tão vulnerável. Realmente, foi fácil demais dominá-lo. E isso me preocupa.

E me faz pensar que fizemos algo errado.

Alguns soldados passam a cabeça pela janela estilhaçada e estou frenética demais para descer pela corda, mas eles já estão se movimentando para soltá-la da âncora. Preparo-me para a sensação nauseante da queda livre só para me dar conta de que não estão tentando me derrubar. Estão tentando me puxar de volta.

Warner deve estar lhes dizendo o que fazer.

Olho para Adam abaixo de mim e finalmente cedo a seus chamados. Fecho os olhos bem apertados e me solto.

E caio bem em seus braços abertos.

Nós dois vamos para o chão, mas o ar é extraído de nossos pulmões por um breve instante. Adam segura minha mão e imediatamente saímos correndo.

Não há nada além de uma área vazia e estéril se estendendo à nossa frente. Asfalto rachado, calçadas irregulares, estradas de terra, árvores sem folhas, plantas morrendo, uma cidade amarelada abandonada aos sabores do clima, afogando-se nas folhas mortas amassadas por nossos pés. Os complexos que abrigam civis são baixos e parecem escorados, agrupados sem nenhuma ordem específica. Adam busca garantir que passemos o mais longe possível deles. Os alto-falantes já trabalham contra nós. O som de uma voz feminina jovem e delicada abafa as sirenes.

"O toque de recolher agora está funcionando. Todos devem retornar imediatamente às suas casas. Há rebeldes à solta. Estão armados e preparados para atirar. O toque de recolher agora está funcionando. Todos devem retornar imediatamente às suas casas. Há rebeldes à solta. Estão armados e preparados para atirar. O toque de recolher agora está funcionando. Todos devem retornar imediatamente às suas casas. Há rebeldes à solta. Estão armados e preparados..."

Meus flancos sentem cãibras; minha pele, tensão. A garganta seca e se desespera por água. Nem sei quanto corremos. Só sei que ouço o som de coturnos batendo nas calçadas, o derrapar de pneus que saem de seus abrigos, a lamúria dos alarmes.

Olho para trás e vejo pessoas gritando e correndo em busca de abrigo, desviando dos soldados que invadem suas casas, batendo nas portas para ver se encontramos refúgios em algum lugar. Adam me puxa para longe da civilização e segue na direção das ruas desertas há décadas: lojas e restaurantes velhos, ruas laterais estreitas e parquinhos abandonados. A terra sofrida de nossas vidas passadas foi levada ao limite. É um território proibido. Tudo está fechado. Tudo quebrado, enferrujado, sem vida. Ninguém tem permissão para andar por aqui. Nem mesmo os soldados.

E estamos correndo por essas ruas, tentando permanecer longe da vista.

O sol desliza pelo céu e tropeça no limite da terra. Logo será noite e não tenho ideia de onde estamos. Nunca esperei que tanta coisa acontecesse tão rápido e nunca esperei que tudo acontecesse no mesmo dia. Mas tenho de alimentar a esperança de que vou sobreviver, embora não tenha a menor ideia de aonde estamos indo. Nunca me ocorreu perguntar a Adam aonde ele poderia ir.

Estamos avançando em um milhão de direções. Virando abruptamente, seguindo por alguns metros só para depois correr em um caminho oposto. Se eu tivesse de apostar, diria que Adam está tentando confundir e/ou distrair nossos perseguidores o máximo possível. Não posso fazer nada além de tentar manter o ritmo.

E fracasso.

Adam é um soldado treinado. É treinado exatamente para situações desse tipo. Sabe fugir, sabe permanecer imperceptível, sabe se movimentar em silêncio em qualquer espaço. Eu, por outro lado, sou uma garota fraca, que não sabe o que é exercício há muito tempo. Meus pulmões queimam com o esforço de inalar oxigênio, chiam com o esforço para liberar dióxido de carbono.

De repente me pego arfando tão desesperadamente que Adam é forçado a me puxar para uma rua lateral. Está respirando um pouco mais dificultosamente do que de costume, mas eu só consigo afundar na fraqueza de meu corpo vacilante.

Ele segura meu rosto e tenta fazer meus olhos focarem.

– Quero que respire como eu estou respirando, está bem?
Chio um pouco mais.
– Concentre-se, Juliette. – Seus olhos são muito determinados. Infinitamente pacientes. Ele parece tão destemido, e eu invejo sua compostura. – Acalme o coração – pede. – Respire como eu estou respirando.

Ele inspira rapidamente por 3 vezes, segura o ar por alguns segundos e solta demoradamente. Tento imitá-lo. Não sou muito bem-sucedida nessa missão.

– Está bem. Quero que continue respirando assim...

Ele para. Olha para cima e para a rua abandonada por uma fração de segundo. Agora sei que temos de seguir nosso caminho.

Tiros estilhaçam a atmosfera. Nunca me dei conta de como soam altos ou de quanto aquele barulho fratura cada osso em meu corpo. Um medo gelado se espalha por meu sangue e imediatamente sei que não estão tentando me matar. Estão tentando matar Adam.

De repente percebo estar asfixiando com um tipo novo de ansiedade. Não posso deixar esses homens ferirem-no.

Não por mim.

Mas Adam não tem tempo para que eu recupere o fôlego e a sanidade. Ele me ergue em seus braços e corre em diagonal por outra ruela.

E nós estamos correndo.

E eu estou respirando.

E ele grita:

– Abrace o meu pescoço!

E eu solto a mão que apertava sua camiseta e sou tão idiota a ponto de sentir timidez enquanto o abraço. Ele me ajeita encostada em seu corpo para que fique mais alta, mais perto de seu peito. E me leva como se eu pesasse quase nada.

Fecho os olhos e pressiono a bochecha em seu pescoço.

Os tiros vêm de algum ponto atrás de nós, mas não sei dizer, com base no som, se estão muito longe ou na direção errada. Parece que, por agora, conseguimos deixá-los para trás. Seus carros não conseguem nos encontrar porque Adam evitou todas as ruas principais. Parece ter seu próprio mapa da cidade. Parece saber exatamente o que está fazendo – como se tivesse passado muito tempo planejando isso.

Depois de inspirar 594 vezes, Adam me solta em pé diante de uma cerca de alambrado. Percebo que está lutando para absorver oxigênio, mas não arfa como eu arfo. Sabe regular a respiração. Sabe estabilizar seu pulso, acalmar o coração, manter o controle dos órgãos. Sabe sobreviver. Espero que também me ensine.

– Juliette – chama depois de um momento sem ar. – Você consegue pular essa cerca?

Estou tão ansiosa por deixar de ser um estorvo que quase consigo correr e saltar por sobre a barreira de metal. Mas acabo me provando descuidada. E apressada demais. Rasgo meu vestido e, no processo, acabo arranhando as pernas. Tremo com a dor excruciante e, no tempo que preciso para abrir outra vez os olhos, Adam já está ao meu lado.

Vê minha perna e suspira. Quase dá risada. Pergunto a mim mesma como deve estar minha aparência, maltrapilha e bagunçada nesse vestido esfarrapado. A essa altura, a fenda que Warner criou alcança meu quadril. Devo parecer um animal selvagem enlouquecido.

Adam parece não se importar.

Ele também diminuiu o ritmo. Agora estamos andando rápido, mas sem avançar desesperados pelas ruas. Percebo que devemos estar próximos de algo que se assemelhe a um porto seguro, mas não sei se agora é a hora certa para fazer perguntas ou se devo deixá-las para mais tarde. Adam responde meus pensamentos silenciosos.

— Eles não vão conseguir me rastrear aqui — explica, e então me dou conta de que todos os soldados devem ter algum aparelho de rastreamento em seus corpos. E me pergunto por que nunca instalaram um em mim.

Escapar não deveria ser tão fácil assim.

— Nossos rastreadores não são tangíveis — elucida.

Viramos à esquerda em outra ruela. O sol já se afunda no horizonte. Pego-me indagando em silêncio sobre onde estaríamos. Quão distantes dos assentamentos do Restabelecimento devemos estar para não haver ninguém aqui.

— É um sérum especial que injetam em nossa corrente sanguínea — Adam prossegue. — E foi criado para funcionar com os processos naturais dos nossos corpos. Avisaria, por exemplo, se eu morresse. É uma excelente maneira de manter um registro dos soldados mortos em combate.

Olha para mim de canto de olho. E abre um sorriso torto que quero beijar.

— Como você fez para confundir o rastreador?

Seu sorriso se torna maior. Ele acena à nossa volta com uma mão.

— Essa área na qual estamos? Ela foi usada como uma usina de energia nuclear. Um dia, tudo aqui explodiu.

Meus olhos ficam arregalados a ponto de engolirem meu rosto.

— Quando foi que isso aconteceu?

— Faz uns cinco anos. Eles limparam e esconderam tudo com muita rapidez. Esconderam da imprensa, das pessoas. Na verdade, ninguém sabe o que realmente aconteceu aqui. Mesmo assim, só a radiação já é suficiente para matar. — Faz uma pausa. — Aliás, já matou.

Ele para de andar e prossegue.

— Já passei por essa área um milhão de vezes e nunca fui afetado. Warner costumava me mandar aqui para coletar amostras da terra. Queria estudar os efeitos. – Passa a mão pelos cabelos. – Acho que queria manipular a toxidade, transformá-la em algum tipo de veneno. Na primeira vez em que vim aqui, ele pensou que eu tivesse morrido. O rastreador fica ligado a todo o nosso sistema e um alerta dispara sempre que um soldado é perdido. Ele sabia que estava correndo risco ao me mandar para cá, então não acho que tenha ficado muito surpreso ao ouvir que eu tinha morrido. Na verdade, ficou mais surpreso quando me viu voltar. – Dá de ombros, como se sua morte fosse um detalhe insignificante. – Há alguma coisa nos compostos químicos daqui que neutraliza a composição molecular do sistema de rastreamento. Então, basicamente, a essa altura todos pensam que eu morri.

— Mas Warner não vai suspeitar que você poderia estar aqui?

— Talvez. – Ele aperta os olhos para o pôr do sol. Nossas sombras são longas e estáticas. – Ou que tomei um tiro. De um jeito ou de outro, as hipóteses dele nos fazem ganhar tempo.

Adam segura minha mão e sorri para mim antes de alguma coisa atingir minha consciência.

— E quanto a *mim*? – pergunto. – Essa radiação não pode me matar? – Espero não soar tão nervosa quanto me sinto. Nunca quis tanto estar viva. Não quero perder tudo tão rápido.

— Ah… não. – Ele balança a cabeça. – Desculpa, eu me esqueci de explicar… Um dos motivos pelos quais Warner queria que eu levasse as amostras de terra? É porque você também é imune. Ele a estava estudando. Disse que descobriu essa informação nos seus registros do hospital. Que você tinha sido examinada…

— Mas ninguém nunca…

— ...provavelmente sem você saber e, apesar de os exames darem positivo para radiação, biologicamente você estava intacta. Não havia nada de inerentemente errado com você.

Nada de inerentemente errado com você.

A observação é tão descaradamente falsa que começo a rir. Tento reprimir minha incredulidade.

— Não há nada de errado comigo? Você está de brincadeira, não é?

Adam me encara por tanto tempo que começo a enrubescer. Ergue meu queixo para que eu o olhe nos olhos. Olhos azuis que me perfuram. Sua voz é profunda, estável.

— Acho que nunca a ouvi dando risada.

Ele está tão excruciantemente certo que nem sei como responder, a não ser com a verdade. Meu sorriso é uma linha reta.

— A risada surge com a vida. — Dou de ombros, tentando parecer indiferente. — Eu nunca estive viva antes.

Seus olhos não perderam o foco. Ele me segura onde estou com uma força enorme que vem de seu interior. Posso quase sentir seu coração batendo contra minha pele. Posso quase sentir seus lábios expirando contra meus pulmões. Posso quase sentir seu gosto em minha língua.

Adam respira dificultosamente e me puxa para perto. Beija o topo da minha cabeça.

— Vamos para casa — sussurra.

Vinte e nove

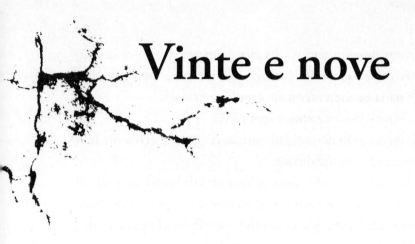

Para casa.
Casa.
O que Adam quer dizer com isso?
Abro a boca para indagá-lo e seu sorriso desajeitado é a única resposta que recebo. Sinto-me constrangida e animada e ansiosa. Meu estômago está cheio de batidas alimentadas pela sincronia do meu coração. Estou praticamente pulsando com nervos elétricos.

Cada passo é um passo que nos leva para mais longe do hospício, de Warner, da futilidade da existência que sempre conheci. Cada passo é um passo que dou porque *quero*. Pela primeira vez na vida, sigo meu caminho porque *quero*, porque sinto esperança e amor e a euforia da beleza, porque quero saber como é *viver*. Eu poderia pular e ser levada pela brisa para sempre.

Sinto que estou pronta para ter asas.

Adam me guia para um galpão abandonado nos arredores de um campo aberto, cercado pela vegetação selvagem e tentáculos de arbustos ensandecidos, irregulares e horríveis; parecem venenosos para quem os ingere. E me pergunto se é aqui que Adam planejava que ficássemos. Entro no espaço escuro e aperto os olhos. Consigo avistar uma silhueta.

Há um carro aqui dentro.

Pisco.

Não, não é um carro. É um tanque.

Adam quase não consegue controlar sua própria ansiedade. Olha para mim em busca de uma reação e parece feliz com meu espanto. Palavras lhe escapam:

— Convenci Warner de que tinha quebrado um dos tanques que trouxe para cá. Essas coisas foram criadas para funcionar com eletricidade, então eu falei que a unidade principal queimou quando entrou em contato com o conteúdo químico. Que foi destruída por alguma coisa na atmosfera. Ele mandou um carro me trazer e me buscar depois disso e falou que seria melhor deixar o tanque onde estava. — Ele quase sorri. — Warner me mandava aqui contra a vontade de seu pai e não queria que ninguém soubesse que ele tinha destruído um tanque de 500 mil dólares. O relatório oficial diz que o veículo foi sequestrado por rebeldes.

— E outra pessoa não poderia vir aqui e encontrar esse tanque?

Adam abre a porta do passageiro.

— Os civis ficam longe, muito longe deste lugar, e nenhum outro soldado jamais veio aqui. Ninguém quer sofrer os riscos da radiação. — Inclina a cabeça. — Esse é um dos motivos pelos quais Warner confiou a mim tomar conta de você. Ele gostava do fato de eu estar disposto a morrer por minha *tarefa*.

— Nunca pensou que você sairia da linha... — murmuro, entendendo.

Adam balança a cabeça.

— Não. E depois do que aconteceu com o sérum de rastreamento, ele não tinha motivos para duvidar de que coisas loucas realmente aconteciam aqui. Eu mesmo desativei a estrutura elétrica do tanque, por precaução, caso ele quisesse vir verificar. — Acena para o veículo monstruoso. – Tive a sensação de que poderia ser útil um dia. É sempre bom estar preparado.

Preparado. Ele sempre esteve preparado. Para fugir. Para escapar. Eu me pergunto por quê.

– Venha aqui – diz, a voz perceptivelmente mais doce. Estende a mão para mim na luz fraca e finjo ser uma feliz coincidência sua mão roçar minha coxa nua. Finjo que não é maravilhoso tê-lo segurando meu vestido enquanto me ajuda a subir no tanque. Finjo ser incapaz de notar o jeito como me olha enquanto os últimos raios de sol se despedem no horizonte.

– Preciso cuidar das suas pernas – diz, um sussurro contra minha pele, eletricidade em meu sangue.

Por um momento, sequer entendo o que ele quer dizer com isso. Nem me importo. Meus pensamentos são tão impraticáveis que me deixam surpresa. Nunca tive a liberdade de tocar em ninguém. Certamente ninguém jamais *quis* o toque das minhas mãos. Adam é uma experiência totalmente nova.

Tocá-lo é tudo em que quero pensar.

– Os cortes não estão tão ruins assim – prossegue, a ponta dos dedos deslizando por minhas panturrilhas. Respiro fundo. – Mas teremos de limpá-los, só por precaução. Às vezes é mais seguro ser cortado por um facão de açougueiro do que raspar em algum pedaço de metal desconhecido por aí. Não quero que se contamine.

Estou assentindo com a cabeça, mas sem nem saber por quê. E me perguntou se estou tremendo por fora tanto quanto tremo por dentro. Espero que esteja escuro demais para ele ver o quão ruborizado meu rosto está, o quão constrangedor é ele tocar meu joelho e me deixar louca. Preciso dizer alguma coisa.

– É melhor seguirmos nosso caminho, não é?

— Sim. — Adam respira fundo e parece voltar a si. — Verdade. Precisamos seguir caminho. — Espreita a luz do anoitecer. — Temos algum tempo antes de eles descobrirem que ainda estou vivo. E temos que tirar vantagem desse tempo.

— Mas, assim que deixarmos este lugar... o rastreador vai voltar a funcionar, não? Eles não vão descobrir que você não está morto?

— Não. — Salta no banco do motorista e tateia em busca da ignição. Não usa chave, apenas aperta um botão. Fico curiosa por saber se o veículo reconhece a impressão digital de Adam para começar a funcionar. Um leve estalo e a máquina ganha vida. — Warner tinha que renovar meu sérum toda vez que eu voltava. Uma vez que deixa de funcionar, deixa de funcionar para sempre. — Abre um sorrisinho torto. — Então, agora podemos realmente dar o fora daqui.

— Mas aonde estamos indo? — finalmente pergunto.

Ele engata a marcha antes de responder.

— Para a minha casa.

Trinta

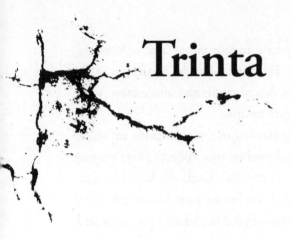

— Você tem uma *casa*?! — exclamo, em choque demais para ter modos.

Adam dá risada e desvia do caminho, deixando o campo para trás. O tanque é surpreendentemente rápido, surpreendentemente ágil e furtivo. O motor se aquietou, emitindo apenas um zumbido tranquilizante, e me pergunto se foi por isso que trocaram o sistema dos tanques de gás para eletricidade. Certamente chama menos atenção dessa maneira.

— Não exatamente — ele responde. — Mas, de certa forma, uma casa. Sim.

Quero perguntar e não quero perguntar e preciso perguntar e nunca quero perguntar. Tenho que perguntar. Preparo-me.

— Seu pai...

— Ele morreu já faz algum tempo.

Adam não está mais sorrindo. Sua voz sai apertada com alguma coisa que somente eu saberia especificar. Dor. Amargura. Raiva.

— Ah.

Ele segue dirigindo em silêncio, cada um absorto em seus próprios pensamentos. Não me atrevo a perguntar o que aconteceu com sua mãe. Só me pergunto como ele foi criado tão bem tendo um pai tão desprezível. E fico curiosa por saber por que ele entrou no exército se odeia tanto tudo aquilo. Nesse momento, minha timidez é grande demais para me deixar perguntar. Não quero violar suas barreiras emocionais.

Só Deus sabe que eu mesma tenho milhares delas.

Espreito pela janela e aperto os olhos para ver pelo que estamos passando, mas não consigo decifrar muito mais do que extensões tristes da terra à qual me tornei acostumada. Assentamentos do Restabelecimento e complexos de civis. Percebo outro tanque patrulhando a área, a menos de 30 metros, mas acho que não nos enxergam. Adam dirige com os faróis apagados, presumo que para atrair o mínimo possível de atenção. E me pergunto como consegue se deslocar assim. A lua é a única fonte de luz iluminando nosso caminho.

Tudo anda estranhamente silencioso.

Por um momento, permito que meus pensamentos retornem a Warner, permito-me indagar em silêncio o que deve estar acontecendo agora, me pergunto quantas pessoas devem estar me procurando, quais distâncias ele terá de percorrer até me recuperar. Warner quer Adam morto. E me quer viva. Não vai parar até eu estar presa ao seu lado.

Nunca nunca nunca pode saber que eu o toquei.

Nem posso imaginar o que ele faria se tivesse acesso ao meu corpo.

Inspiro uma lufada rápida, dura, trêmula, e contemplo a ideia de contar a Adam o que aconteceu. Não. Não. Não. Não. Fecho os olhos bem apertados e imagino que julguei a situação de forma errada. Foi caótica. Meu cérebro estava distraído. Talvez eu tenha imaginado. Sim.

Talvez eu tenha imaginado.

É estranho o bastante que Adam possa me tocar. A probabilidade de haver duas pessoas nesse mundo que sejam imunes ao meu toque não parece possível. Aliás, quanto mais penso nisso, mais me convenço de que devo ter cometido um erro. Poderia ser qualquer coisa tocando a minha perna. Talvez um pedaço do lençol que Adam abandonou depois de usar para se proteger ao socar a janela. Talvez um travesseiro caído da cama. Talvez as luvas de Warner soltas, descartadas no chão. Sim.

É impossível que tenha me tocado porque, se tivesse, teria gritado de agonia.

Como todo mundo.

A mão de Adam desliza silenciosamente na minha e eu seguro seus dedos com as duas mãos, de repente desesperada por me reassegurar de que ele tem mesmo essa imunidade. De repente me sinto desesperada por beber cada gota de seu ser, desesperada por saborear cada momento que nunca antes conheci. De repente me preocupo com a possibilidade de esse fenômeno ter uma data de validade. Um relógio batendo meia-noite. Uma carruagem de abóbora.

A possibilidade de perdê-lo

A possibilidade de perdê-lo

A possibilidade de perdê-lo significa cem anos de solidão que não quero imaginar. Não quero que meus braços sejam privados de seu calor. Seu toque. Seus lábios, meu Deus, seus lábios, sua boca em meu pescoço, seu corpo envolvendo o meu, segurando-me como se para afirmar que minha existência nesse planeta não é em vão.

A percepção é um pêndulo do tamanho da lua. Não para de me acertar.

– Juliette?

Engulo a bala de revólver em minha garganta.

— Sim?

— Por que você está chorando...? — Sua voz é quase tão leve quanto sua mão ao se soltar da minha.

Ele toca as lágrimas escorrendo por meu rosto e me sinto tão humilhada que quase não sei o que dizer.

— Você pode me *tocar* — expresso pela primeira vez, reconheço em voz alta pela primeira vez. Minhas palavras se transformam em um sussurro até desaparecerem. — Você pode me tocar. Você se importa e eu não sei por quê. É gentil comigo, e nem precisava ser. Minha própria mãe não se importou o suficiente para... para...

Minha voz fica engasgada e me pego apertando os lábios. Grudo-os com cola. Forço-me a permanecer parada.

Sou uma pedra. Uma estátua. Um movimento congelado no tempo. O gelo não é nada.

Adam não responde, não diz uma única palavra até sair da estrada e entrar em uma garagem subterrânea antiga. Percebo que chegamos a um lugar que lembra a civilização, mas é totalmente escuro e subterrâneo. Não consigo enxergar quase nada e mais uma vez me pergunto como Adam consegue se deslocar. Meu olhar recai sobre a tela iluminada do painel só para me fazer descobrir que o tanque tem visão noturna. É claro.

Adam desliga o motor. Ouço-o suspirar. Mal consigo distinguir sua silhueta antes de sentir sua mão em minha coxa, a outra mão tateando meu corpo para encontrar meu rosto. O calor se espalha por meus membros como lava derretida. As pontas dos meus dedos das mãos e dos pés formigam de volta à vida e tenho de engolir um tremor.

— Juliette — ele sussurra, e percebo como está próximo. Não sei ao certo por que não evaporei e me transformei em um vazio. — Somos eu e você contra o mundo, para sempre — declara. — Sempre foi assim. É culpa minha eu ter levado tanto tempo para fazer alguma coisa nesse sentido.

– Não. – Nego com a cabeça. – Não é culpa sua.

– É, sim. Eu me apaixonei por você há muito tempo. Só nunca tive coragem de tomar uma atitude.

– Porque eu poderia ter matado você.

Ele ri baixinho.

– Porque eu achava que não a merecia.

Sou uma alma espantada tomando a forma de um ser.

– O quê?

Ele encosta seu nariz no meu. Inclina-se para perto do meu pescoço. Enrola uma mecha dos meus cabelos em um dedo e eu não consigo eu não consigo eu não consigo respirar.

– Você é tão… *boa* – sussurra.

– Mas minhas mãos…

– Nunca fizeram nada para ferir ninguém.

Estou prestes a protestar quando ele se corrige.

– Não de propósito. – Solta o corpo para trás. Mal consigo vê-lo massageando a lateral do meu pescoço. – Você nunca revidou – continua depois de um instante. – Sempre me perguntei por quê. Nunca gritou nem se irritou ou tentou dizer nada a ninguém – afirma, e sei que estamos outra vez na terceira quarta quinta sexta sétima oitava série. – Mas, nossa! Você deve ter lido um milhão de livros. – Sei que está sorrindo ao dizer isso. Uma pausa. – Não incomodava ninguém, mas todos os dias era um alvo ambulante. Poderia ter revidado. Poderia ter ferido qualquer um, se quisesses.

– Eu não quero fazer mal a ninguém. – Minha voz é menos do que um sussurro. Não consigo tirar a imagem do Adam de oito anos da cabeça. Deitado no chão. Ferido. Abandonado. Chorando na terra.

O que as pessoas estão dispostas a fazer por poder…

— É por isso que você nunca vai ser o que Warner quer que seja.

Estou olhando para um ponto na escuridão, minha mente torturada pelas possibilidades.

— Como você pode ter tanta certeza?

Seus lábios estão próximos dos meus.

— Porque você ainda se importa com o mundo.

Quando tento recuperar o fôlego, ele está me beijando, um beijo intenso e poderoso e sem restrições. Seus braços envolvem minhas costas, baixando meu corpo até eu estar praticamente na horizontal, e não me importo. Minha cabeça está no assento, seu corpo pairando sobre mim, suas mãos segurando meu quadril por baixo do vestido em frangalhos e sou invadida por um milhão de chamas que o desejam tão desesperadamente que quase não consigo respirar. Ele é um banho quente, uma respiração curta, cinco dias de verão traduzidos em cinco dedos escrevendo histórias em meu corpo. Sou uma bagunça constrangedora de nervos batendo contra ele, controlados por uma corrente de eletricidade percorrendo o centro do corpo. Seu cheiro assalta meus sentidos.

Seus olhos

Suas mãos

Seu peito

Seus lábios

estão em meus ouvidos quando ele diz:

— A propósito, chegamos.

Agora sua respiração é mais dificultosa do que enquanto corríamos para salvar nossas próprias vidas. Sinto seu coração espancando minhas costelas. Suas palavras são um sussurro instável:

— Talvez devêssemos entrar. É mais seguro lá dentro.

Mas ele não se mexe.

Quase não entendo do que está falando. Apenas confirmo com a cabeça até lembrar que ele não consegue me ver. Tento lembrar como falar, mas estou focada demais nos dedos que ele agora desliza por minhas coxas e, por isso, não consigo articular frases. Há algo na escuridão absoluta, algo em não ser capaz de ver o que está acontecendo que me deixa embriagada por uma vertigem deliciosa.

– Sim – é tudo o que consigo pronunciar.

Ele me ajuda a me levantar, a me sentar, encosta sua testa à minha.

– Desculpe – diz. – Para mim, é difícil demais me conter.

Sua voz é perigosamente rouca; suas palavras formigam em minha pele.

Deixo minha mão deslizar para baixo de sua camisa e sinto seu corpo enrijecer, sinto-o engolir a saliva com dificuldade. Traço as linhas perfeitamente esculpidas de seu corpo. Ele não é nada além de músculos firmes.

– Não precisa se conter – digo a ele.

Seu coração está acelerado, bate tão rápido que não consigo distingui-lo do meu. O ar entre nós atinge 5 mil graus. Seus dedos estão no declive bem abaixo do meu osso do quadril, provocando a pequena peça de tecido que me mantém parcialmente decente.

– Juliette...

– Adam?

Ergo o pescoço, tomada por surpresa. Medo. Ansiedade. Adam para de se mexer, congela na minha frente. Não sei ao certo se está respirando. Olho em volta, mas não consigo encontrar um rosto junto à voz que chamou o nome dele e começo a entrar em pânico. Ele abre violentamente a porta e salta para fora do tanque. Só então volto a ouvir a voz.

– Adam... é você?

É um menino.

— James!

O som abafado do impacto, dois corpos colidindo, duas vozes felizes demais para serem perigosas.

— Não consigo acreditar que é mesmo você! Quero dizer, bem... Pensei que fosse porque ouvi alguma coisa e, inicialmente, imaginei que não fosse nada, mas aí decidi dar uma olhada só para ter certeza de que era você e... — James faz uma pausa. — Espere aí, o que você está fazendo aqui?

— Vim para casa. — Adam ri brevemente.

— Sério? — James grita. — Veio para casa para ficar?

— Sim. — Suspira. — Nossa, como é bom te ver!

— Senti saudade — James admite antes de ficar subitamente em silêncio.

Uma respiração profunda.

— Eu também, garoto. Eu também.

— Ei, então, você comeu alguma coisa? Benny acabou de trazer meu jantar e eu posso dividir com vo...

— James? — Adam o interrompe.

— Sim?

— Tem alguém que quero que conheça.

Minhas palmas estão suadas. Meu coração, na garganta. Ouço Adam se aproximar outra vez do tanque e não me dou conta de que enfiou a cabeça para dentro do veículo até ele fuçar em um interruptor. Uma luz fraca de emergência ilumina a cabine. Pisco algumas vezes e vejo um jovem parado a menos de 2 metros, cabelos loiro-escuros emoldurando um rosto redondo estampado com olhos azuis que parecem familiares demais. Seus lábios estão apertados, demonstrando sua concentração. Está me encarando.

Adam se move para abrir minha porta. Ajuda-me a levantar, mal consegue controlar o sorriso em seu rosto e fico impressionada com o nível de meu próprio nervosismo. Não sei por que estou tão nervosa, mas, meu Deus, estou nervosa. Esse menino é claramente importante para Adam. Não sei por que, mas sinto que *esse momento* também é importante. Fico com tanto medo de estragar tudo. Tento arrumar as dobras rasgadas do meu vestido, tento suavizar o tecido amarrotado. Passo desajeitadamente os dedos pelos cabelos. É inútil.

O pobre do garoto vai ficar petrificado.

Adam me guia para a frente. James tem alguns centímetros a menos do que eu, mas fica claro em seu rosto que é jovem, imaculado, intocado pelas realidades duras do mundo. Quero festejar a beleza de sua inocência.

– James, esta é Juliette. – Adam me encara. – Juliette, este é meu irmão, James.

Trinta e um

O irmão dele.
Tento acalmar os nervos. Tento sorrir para o garoto estudando meu rosto, estudando os pedaços patéticos de tecido que mal cobrem meu corpo. Como eu nunca soube que Adam tinha um irmão? Como pude nunca saber?
James se volta para Adam.
– *Esta* é Juliette?
Fico parada como uma idiota. Não lembro meus modos.
– Você sabe quem eu sou?
James se vira outra vez na minha direção.
– Ah, sim. Adam sempre fala de você. *Muito.*
Enrubesço e não consigo não observar Adam, que olha fixamente para um ponto no chão. Ele pigarreia.
– É um prazer enorme conhecê-lo – consigo dizer.
James inclina a cabeça.
– Então, você sempre se veste assim?
Sinto vontade de morrer um pouquinho.
– Ei, cara – Adam interrompe. – Juliette vai passar um tempinho com a gente. Por que não vai ver se tem cuecas suas espalhadas pelo chão, hein?

James fica muito envergonhado. Sai correndo na escuridão sem dizer uma palavra sequer.

O silêncio se instala por tantos segundos que perco as contas. Ouço algo que se assemelha a uma goteira ao longe.

Respiro fundo. Mordisco o lábio inferior. Tento encontrar as palavras certas. Fracasso.

— Eu não sabia que você tinha um irmão.

Adam hesita.

— Tudo bem... eu ter? Nós todos dividiremos o mesmo espaço e...

Meu estômago cai até os joelhos.

— É *claro* que tudo bem! Eu só... quer dizer... tem certeza de que não tem problema nenhum... para *ele*? Eu ficar aqui?

— Não tem nenhuma cueca em lugar *nenhum*! — James anuncia ao voltar, marchando na direção da luz. Eu me pergunto aonde ele foi, onde fica a casa. Ele me observa. — Então você vai ficar com a gente?

Adam intervém:

— Sim, ela vai ficar um tempo com a gente.

James desliza o olhar de Adam para mim. Estende a mão.

— Bem, é um prazer finalmente conhecê-la.

Toda a cor do meu rosto derrete. Meu coração bate nos ouvidos. Os joelhos estão prestes a quebrar. Não consigo parar de olhar para a mãozinha estendida que ele oferece para mim.

— *James* — Adam adverte com um tom cortante.

James começa a rir.

— Eu só estava brincando. — E baixa a mão.

— O quê?

Mal consigo respirar. Minha cabeça gira, confusa.

— Não se *preocupe* — James fala, ainda rindo. — Não vou tocar em você. Adam me contou tudo sobre os seus poderes mágicos.

Ele revira os olhos.

– Adam... contou... ele... *o quê?*

– Ei, talvez devêssemos entrar. – Adam pigarreia um pouco alto demais. – Só vou pegar nossas mochilas bem rápido...

E corre na direção do tanque. E me deixa encarando James, que não esconde sua curiosidade.

– Quantos anos você tem? – pergunta.

– Dezessete.

Assente.

– Foi o que Adam falou.

Fico arrepiada.

– O que mais Adam falou a meu respeito?

– Disse que você também não tem pais. Que é como nós.

Meu coração é uma barra de manteiga, derretendo descuidadamente em um dia quente de verão. Minha voz se suaviza.

– Quantos anos *você* tem?

– Vou completar onze no próximo ano.

Abro um sorriso.

– Então tem dez?

Ele cruza os braços. Franze o cenho.

– Terei doze em dois anos.

Acho que já adoro esse menino.

A luz da cabine se apaga e por um momento ficamos imersos na escuridão absoluta. Um leve *clique* e um discreto brilho circular nos oferece um pouco de luz. Adam segura uma lanterna.

– Ei, James? Por que não nos mostra o caminho?

– Sim, senhor. – Ele derrapa até parar diante de Adam, oferece uma saudação exagerada e corre tão rápido que é impossível segui-lo. Não consigo evitar o sorriso se formando em meu rosto.

A mão de Adam desliza para dentro da minha enquanto corremos.

– Você está bem?

Aperto seus dedos.

— Você contou ao seu irmão de dez anos sobre os meus poderes mágicos?

Ele dá risada.

— Eu conto muitas coisas a ele.

— Adam?

— Sim?

— Sua casa não seria o primeiro lugar onde Warner viria procurá-lo? Não é perigoso ficar aqui?

— Seria. Mas, nos registros públicos, eu não tenho casa.

— E seu irmão?

— Seria o primeiro alvo de Warner. É mais seguro para ele um lugar onde eu possa ficar de olho. Warner sabe que tenho um irmão, só não sabe onde. E, antes que ele descubra, e ele vai descobrir, temos de nos preparar.

— Para lutar?

— Para nos defender. Sim.

Mesmo na luz fraca desse espaço estranho, consigo enxergar a determinação que o sustenta. E isso me faz querer cantar.

Fecho os olhos.

— Está bem.

— Por que estão demorando tanto? — James grita ao longe.

E então seguimos nosso caminho.

A garagem fica localizada abaixo de um antigo e abandonado prédio comercial enterrado nas sombras. Uma saída de emergência leva ao piso principal.

James está tão animado que fica pulando nas escadas, desce correndo alguns degraus só para subi-los outra vez e reclamar que não somos rápidos o bastante. Adam o pega por trás e o levanta do chão. Ele ri.

— Você vai acabar quebrando o pescoço.

James protesta, mas só de brincadeira. Está feliz demais porque seu irmão voltou.

Uma pontada aguda de algum tipo de emoção distante atinge meu coração. Dói de uma maneira agridoce que eu seria incapaz de definir. Sinto-me ao mesmo tempo aquecida e entorpecida, de um jeito estranho.

Adam digita uma senha em um teclado perto da enorme porta de aço. Ouço um leve *clique*, um leve *bipe* e ele enfim vira a maçaneta.

Fico impressionada com o que encontro ali dentro.

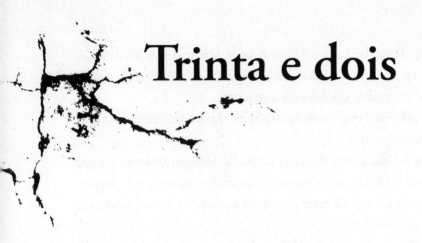

Trinta e dois

É uma sala de estar de verdade, aberta e com várias superfícies acolchoadas. Tapete macio, cadeiras confortáveis, um sofá posicionado contra a parede. Tons verdes e vermelhos e alaranjados, iluminação que transmite calor. Assemelha-se mais a uma casa do que qualquer coisa que eu já tenha visto. As memórias frias e solitárias de minha infância nem se comparam. Sinto-me tão segura de forma tão repentina que chego a ficar assustada.

– Gostou? – Adam está sorrindo para mim, sem dúvida se divertindo com a expressão em meu rosto.

Consigo recolher meu queixo, que já tinha ficado caído.

– Amei! – exclamo em voz alta ou em minha cabeça, já nem sei mais.

– Foi Adam quem fez isso – James diz, orgulhoso, o peito um pouco mais cheio do que o necessário. – Ele fez para mim.

– Eu não fiz – Adam o contraria, rindo. – Eu só... dei uma arrumada.

– Você mora sozinho aqui? – pergunto a James.

Ele enfia as mãos nos bolsos e assente.

– Benny passa bastante tempo comigo, mas na maioria das vezes fico sozinho, sim. Mesmo assim, tenho sorte.

Adam está soltando nossas bolsas no sofá. Passa a mão pelos cabelos e percebo os músculos de suas costas flexionados, rijos, apertados. Observo enquanto ele libera a tensão em seu corpo.

Sei o motivo, mas pergunto mesmo assim.

— Por que você tem sorte?

— Porque tenho visita. Nenhum dos outros garotos recebe visitas.

— Há outros garotos aqui? — Espero não parecer tão horrorizada quanto de fato me sinto.

James está assentindo tão rapidamente que sua cabeça quase solta do pescoço.

— Ah, sim. Há uma rua inteira. Todas as crianças ficam aqui. Mas eu sou o único com o próprio quarto. — Ele aponta para todo o espaço. — Tudo isso é meu porque Adam conseguiu para mim. Mas todos os outros têm de dividir. Temos uma escola, mais ou menos. E Benny traz pacotes de comida para mim. Adam diz que posso brincar com as outras crianças, mas não posso trazê-las aqui para dentro. — James dá de ombros. — É legal.

A realidade do que ele está dizendo se espalha como veneno na base do meu estômago.

Uma rua inteira de crianças órfãs.

Pergunto a mim mesma, em silêncio, como os pais delas morreram. Mas não penso nisso por muito tempo.

Faço um inventário da sala e percebo um pequeno refrigerador e um pequeno micro-ondas logo acima, ambos aninhados em um canto. Noto alguns armários dedicados a armazenar coisas. Adam trouxe tudo o que pôde — todo tipo de alimentos enlatados e não perecíveis. Nós dois trouxemos nossos itens de higiene pessoal e alguns conjuntos de roupas. Temos o suficiente para sobreviver pelo menos por algum tempo.

James puxa um embrulho coberto com papel alumínio da geladeira e coloca no micro-ondas.

– Espere… James… Não… – tento impedi-lo.

Seus olhos estão arregalados, congelados.

– O quê?

– O papel alumínio… não pode… não pode colocar metal no micro-ondas…

– O que é micro-ondas?

Pisco tantas vezes que o mundo começa a girar.

– O que…?

Ele puxa a tampa do embrulho metálico e revela um pequeno quadrado. Parece um cubo de sopa. Aponta para o cubo e depois assente para o micro-ondas.

– Não tem problema. Eu sempre coloco no Automat. É normal.

– O aparelho pega a composição molecular da comida e a multiplica. – Adam está parado ao meu lado. – Não acrescenta nenhum valor nutricional extra, mas faz a gente se sentir mais satisfeito por mais tempo.

– E é barato! – James acrescenta, sorrindo enquanto enfia o cubo na engenhoca.

Fico impressionada com como as coisas mudaram. As pessoas ficaram tão desesperadas que estão falsificando comida.

Tenho tantas perguntas que poderia explodir. Adam pressiona meu ombro com delicadeza. Ele sussurra:

– Conversaremos depois, prometo.

Mas sou uma enciclopédia com páginas demais em branco.

James dorme com a cabeça no colo de Adam.

Ele conversou sem parar comigo depois que terminou de comer, contando-me tudo sobre essa "mais ou menos" escola e seus "mais ou menos" amigos e Benny, uma senhora que cuida dele e que "acho que ela gosta mais de Adam do que de mim, mas às vezes me traz açúcar escondido, então tudo bem". Todos respeitam um toque de recolher. Ninguém além dos soldados tem autorização para andar na rua depois do pôr do sol, todos armados e instruídos para atirar segundo seu próprio critério. "Algumas pessoas recebem mais comidas e coisas do que outras", James me contou, mas isso é porque as pessoas são separadas com base no que podem oferecer ao Restabelecimento, e não porque são seres humanos com direito a não morrerem de fome.

Meu coração se parte um pouco mais a cada palavra que ele divide comigo.

— Você não se importa por eu falar muito, não é? — Nesse momento, James mordeu o lábio inferior e me estudou.

— De forma alguma.

— Todo mundo diz que eu falo muito. — Ele deu de ombros. — Mas o que posso fazer se tenho tanto a dizer?

— Ei... por falar nisso... — Adam o interrompeu —, você não pode contar a ninguém que estamos aqui, combinado?

A boca de James parou enquanto ele a abria para voltar a falar. Ele piscou algumas vezes. Encarou fixamente o irmão.

— Nem para Benny?

— Para ninguém — reforçou Adam.

Por um momento infinitesimal, notei alguma coisa que parecia uma compreensão explícita brilhar em seus olhos. Um menino de dez anos a quem se pode confiar tudo. Ele assentiu mais uma vez, e mais uma.

— Tudo bem. Você nunca esteve aqui.

Adam afasta algumas mechas rebeldes da testa de James. Olha para o rosto do irmão dormindo como se tentasse memorizar cada golpe de pincel de uma pintura a óleo. Eu o observo enquanto analisa James.

E me pergunto se sabe que está segurando meu coração na mão. Respiro tremulamente.

Adam ergue o olhar e eu olho para baixo e nós dois estamos constrangidos por motivos diferentes

Ele sussurra:

— Eu deveria levá-lo para a cama. — Mas não faz nenhum esforço para se mexer. James está em um sono pesado pesado pesado.

— Quando foi a última vez que você o tinha visto? — indago, tomando o cuidado de manter a voz baixa.

— Fazia uns seis meses. — Uma pausa. — Mas conversei muito com ele pelo telefone. — Um leve sorriso. — Contei muita coisa sobre você.

Enrubesço. Conto os dedos para ter certeza de que estão todos ali.

— Warner não monitorava seus telefonemas?

— Monitorava, mas Benny tem uma linha indetectável e eu sempre tomei o cuidado de mantê-la apenas para reportar coisas oficiais. De todo modo, James sabe da sua existência há muito tempo.

— Sério…?

Detesto ter que saber, mas não consigo me conter. Sou um emaranhado de borboletas.

Ele ergue o olhar, desvia o rosto. Olha-me nos olhos. Suspira.

— Juliette, eu estou em busca de você desde o dia em que partiu. — Meus cílios tropeçam nas sobrancelhas; meu queixo cai no colo. — Fiquei preocupado com você — fala baixinho. — Não sabia o que eles fariam.

— Por quê? — Arfo, engulo, tropeço em minhas palavras. — Por que você se importava?

Ele inclina o corpo no sofá. Passa a mão livre pelo rosto. Estações mudam. Estrelas explodem. Alguém está andando na lua. – Sabia que eu ainda lembro do primeiro dia em que você foi ao colégio? – Adam deixa escapar uma risada discreta e entristecida. – Talvez eu fosse jovem demais e talvez não soubesse muito sobre o mundo, mas havia alguma coisa em você que me atraiu imediatamente. Era como se eu só quisesse ficar perto de você, como se você tivesse essa... essa *bondade* que nunca encontrei na vida. Essa doçura que nunca encontrei em casa. Eu só queria ouvi-la falar. Eu queria que você me visse, que sorrisse para mim. Todo dia eu prometia a mim mesmo que conversaria com você. Eu queria conhecer você. Mas todo dia eu era covarde. E, um dia, você simplesmente desapareceu. Eu tinha ouvido os rumores, mas sabia que havia algo maior. Sabia que você jamais faria mal a alguém. – Ele olha para baixo. A terra se abre e estou caindo na fissura. Finalmente diz baixinho: – Sei que parece loucura pensar que me importava tanto sem nunca nem ter conversado com você. – Hesita. – Mas eu não conseguia parar de pensar em você. Não conseguia parar de me perguntar aonde você teria ido, o que lhe aconteceria. Tive medo de que você nunca se defendesse.

Adam fica tanto tempo em silêncio que sinto vontade de morder minha língua.

– Eu tinha de encontrá-la – sussurra. – Perguntei por todos os lugares, mas ninguém tinha respostas. O mundo continuava desmoronando. As coisas pioravam e eu não sabia o que fazer. Tinha que cuidar de James e tinha que encontrar um jeito de viver e não sabia se entrar para o exército ajudaria, mas nunca me esqueci de você. Sempre tive esperança... – Sua voz falha nesse ponto. – Tive esperança de um dia voltar a vê-la.

Estou sem palavras. Meus bolsos, cheios de cartas que não consigo combinar e me sinto tão desesperada por dizer alguma coisa que não digo nada e meu coração está prestes a explodir no peito.

– Juliette...?

– Você me encontrou. – Três palavras. Um sussurro de admiração.

– Você ficou... chateada?

Ergo o olhar e pela primeira vez percebo que Adam está nervoso. Preocupado. Incerto sobre como vou reagir a essa revelação. Não sei se rio ou choro ou beijo cada centímetro de seu corpo. Quero dormir ao som de seu coração batendo na atmosfera. Quero saber que está vivo e bem, inspirando e expirando, forte e são e saudável para sempre.

– Você foi o único que se importou comigo.

Meus olhos estão cheios de lágrimas e estou piscando e sentindo o fogo na garganta e tudo tudo tudo tudo dói. O peso do dia inteiro desaba sobre mim, ameaça quebrar meus ossos. Quero chorar de felicidade, de agonia, de alegria e de injustiça. Quero tocar o coração da única pessoa que se importou comigo em todo esse tempo.

– Eu te amo – sussurro. – Muito mais do que você possa imaginar.

Seus olhos são um momento da meia-noite repleto de memórias, as únicas janelas para o meu mundo. Seu maxilar está apertado. A boca também. Ele ergue o olhar e tenta pigarrear e sei que precisa de um momento para se recompor. Sugiro que Adam leve James para a cama. Ele concorda. Embala o irmão diante de seu peito. Levanta-se e leva James até a despensa que se tornou seu quarto.

Vejo-o se distanciar com o único membro que restou de sua família e entendo por que entrou para o exército.

Sei por que decidiu sofrer na posição de bode expiatório de Warner. Sei por que enfrentou a realidade horrível da guerra, por que estava tão desesperado por fugir, tão preparado para fugir assim que possível. Por que está tão decidido a revidar e se defender.

Adam está lutando por muito mais do que apenas si mesmo.

Trinta e três

– Posso dar uma olhada nesses cortes?

Adam está parado diante da porta de James, a mão enfiada nos bolsos. Usa uma camiseta vermelha escura que abraça seu torso. Seus braços são arduamente esculpidos, profissionalmente decorados com tatuagens que agora sei reconhecer. Ele me pega admirando-o.

– Para ser sincero, eu não tive outra escolha – afirma, agora examinando as consecutivas faixas de tinta preta gravadas em seus antebraços. – Nós precisávamos sobreviver. Foi o único trabalho que consegui.

Encontro-o do outro lado da sala, toco as gravuras em sua pele. Aceno positivamente.

– Eu entendo.

Ele quase sorri, chega perto de rir. Balança a cabeça só um milímetro para o lado.

– O que foi? – Puxo minha mão para longe dele.

– Nada. – Sorri. Passa o braço em volta da minha cintura. – Vira e mexe me dou conta de que você está mesmo aqui. Na minha casa.

O calor sobe pelo meu pescoço e é como se eu caísse diretamente em um balde de tinta vermelha. Elogios não são algo que sei processar. Mordisco o lábio.

— Onde você fez suas tatuagens?

— Essas? — Olha outra vez para o braço.

— Não. — Estendo a mão na direção de sua camisa, puxo-a de forma tão sem jeito que Adam quase perde o equilíbrio. Cambaleia contra a parede. Levanto o tecido na direção de seu pescoço. Luto para não enrubescer. Toco seu peito. Toco o pássaro. — Onde você fez *esta* tatuagem?

— Ah. — Ele está olhando para mim, mas de repente estou distraída pela beleza de seu corpo e pelas calças cargo com a cintura um pouco baixa demais para seu quadril. Percebo que deve ter tirado o cinto. Forço meu olhar para cima. Deixo meus dedos explorarem seu abdômen. Ele respira com dificuldade. — Não sei. Eu só... Eu sempre sonhava com esse pássaro branco. Sabe, os pássaros voavam antigamente.

— Você sonhava com ele?

— Sim. O tempo todo. — Sorri levemente, expira um pouco, lembrando. — Era bom. Eu me sentia bem... esperançoso. Queria eternizar essa memória porque não sabia se ela duraria. Então tornei-a permanente.

Cubro a tatuagem com a palma da minha mão e digo:

— Eu sonhava com este pássaro o tempo todo.

— Com *este* pássaro? — Suas sobrancelhas poderiam tocar o céu agora.

Confirmo com um gesto para reforçar minhas palavras:

— Exatamente este. — E então me dou conta de uma coisa: — Até o dia em que você apareceu na cela. Desde então, nunca mais sonhei com ele.

Olho para seu rosto.

— Você só pode estar brincando.

Mas ele sabe que não estou.

Solto sua camisa e apoio a testa em seu peito. Absorvo seu cheiro. Ele não perde tempo e me puxa mais para perto. Descansa o queixo na minha cabeça, as mãos em minhas costas.

E ficamos assim até eu ser velha demais para conseguir me lembrar de um mundo sem seu calor.

Adam higieniza meus cortes em um banheiro no canto do apartamento. É um cômodo em miniatura, com vaso sanitário, pia, um espelho pequeno e uma área minúscula dedicada ao chuveiro. Adoro tudo isso. Quando saio do banheiro, finalmente trocada e pronta para ir para a cama, ele me espera na penumbra. Percebo cobertores e travesseiros arrumados no chão, e a imagem é paradisíaca. Estou tão exausta que poderia dormir por alguns séculos.

Posiciono-me ao lado dele, que me segura em seus braços. A temperatura é significantemente mais baixa aqui, mas Adam é a fornalha perfeita. Enterro o rosto em seu peito e ele me abraça com força. Deslizo os dedos por suas costas nuas, sinto os músculos enrijecerem com meu toque. Descanso a mão na cintura de suas calças. Prendo meu dedo em um dos passadores de cinto. Sinto o sabor das palavras em minha língua:

— Eu estava falando sério, sabe.

Sua respiração está um segundo lenta demais. O coração só um segundo rápido demais.

— Falando sério sobre o quê?

Mas ele sabe exatamente do que eu estava falando.

De repente, sinto-me tão tímida. Tão cega, tão desnecessariamente forte. Não sei quais riscos estou correndo. Mesmo assim, sei que não quero as mãos de ninguém, só as dele, em mim. Para sempre.

Adam solta o corpo no chão e não consigo enxergar direito o contorno de seu rosto. Seus olhos estão sempre brilhando na escuridão. Quando falo, olho para seus lábios.

– Em momento algum pedi para você parar.

Meus dedos descansam no botão que fecha sua calça.

– Em momento algum.

Ele está olhando para mim, o peito subindo e descendo algumas vezes a cada segundo. Parece quase entorpecido, tamanha sua descrença.

Aproximo-me de um dos seus ouvidos.

– Toque em mim.

E ele quase se desfaz.

Meu rosto está em suas mãos e meus lábios estão em seus lábios e ele está me beijando e eu sou oxigênio e ele está morrendo para respirar. Seu corpo, quase em cima do meu; uma de suas mãos em meus cabelos, a outra deslizando por minha silhueta, encostando na parte de trás do meu joelho, puxando-me mais para perto, mais para cima, mais apertado. Dá beijos que mais parecem êxtase em minha garganta, energia elétrica que me invade, que me incendeia. Estou prestes a explodir em chamas com a emoção de cada momento. Quero me afundar nele, experimentá-lo com todos os cinco sentidos, afogar-me nas ondas de maravilhas que envolvem minha existência.

Quero sentir o sabor da paisagem de seu corpo.

Adam segura minhas mãos e as leva a seu peito, guia meus dedos enquanto eles descem pela extensão de seu torso, antes de seus lábios encontrarem os meus outra vez e outra vez e outra vez e me entorpecerem com um delírio do qual jamais quero escapar. Mas não é o bastante. Ainda não é o suficiente. Quero me derreter dentro dele, percorrer todo o seu corpo só com meus lábios. Meu coração acelera, bombeando sangue, destruindo meu autocontrole, girando tudo em um ciclone de intensidade. Adam se afasta em busca de ar e eu o puxo outra vez para perto, ardendo, desesperada, morrendo por seu toque. Suas mãos deslizam por baixo da minha blusa, por meus flancos, tocam-me como ele jamais se atreveu antes e minha blusa já foi quase arrancada quando uma porta se abre. Nós dois congelamos.

— Adam…?

Ele quase não consegue respirar. Tenta se abaixar no travesseiro ao meu lado, mas ainda consigo sentir seu calor, seu corpo, seu coração batendo em meus ouvidos. Estou engolindo um milhão de gritos. Adam ergue a cabeça, só um pouquinho. Tenta soar normal.

— James?

— Posso dormir aqui com vocês?

Adam se senta. Está arfando, mas de repente alerta.

— É claro que pode. — Uma pausa. Sua voz fica mais lenta, mais suave. — Teve pesadelos?

James não responde.

Adam já está de pé.

Ouço o soluço abafado que acompanha as lágrimas de um menino de dez anos. Contudo, quase não consigo distinguir o contorno do corpo de Adam abraçando James.

— Pensei que você tivesse dito que estava melhorando — Adam fala em um sussurro, mas suas palavras são gentis, e não acusatórias.

James responde alguma coisa que não consigo ouvir.

Adam ergue seu irmão e agora percebo como James parece pequeno ao lado dele. Eles entram no quarto e voltam com as roupas de cama. Só quando está deitado e se sentindo seguro a alguns centímetros de seu irmão mais velho, James se entrega à exaustão. Sua respiração pesada é o único barulho no cômodo.

Adam se volta para mim. Um lembrete corta meu silêncio. Choque, susto. Não tenho ideia do que James já testemunhou ainda tão jovem. Não tenho ideia do que Adam teve de enfrentar ao deixar o irmão para trás. Não tenho ideia de como as pessoas vivem hoje em dia. De como sobrevivem.

~~Não sei o que aconteceu com meus pais.~~

Adam acaricia minha bochecha. Puxa-me em seus braços. Diz sentir muito e eu o beijo, mandando suas desculpas para longe.

– Quando chegar a hora certa – digo.

Ele engole em seco. Aproxima-se do meu pescoço. Respira. Suas mãos estão debaixo da minha blusa. Em minhas costas.

Engulo um suspiro.

– Logo.

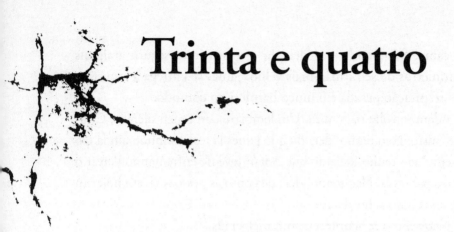

Trinta e quatro

Adam e eu nos esforçamos para ficar mais de um metro distantes durante a noite, mas, de algum modo, acordo em seus braços. Sua respiração é leve, regular, calma, um zumbido de calor no ar da manhã. Pisco, enfrentando a luz do dia, só para me deparar com os dois enormes olhos azuis de um menino de dez anos.

— Por que você pode tocar *nele*? — James está parado de pé diante de nós, braços cruzados, outra vez o garoto teimoso do qual me lembro.

Não há sinal de medo, nem de lágrimas ameaçando escorrer por seu rosto. É como se a noite de ontem não tivesse acontecido.

— E então? — insiste. Sua impaciência me assusta.

Afasto-me da parte superior descoberta do corpo de Adam com tanta rapidez que faço-o acordar assustado. Um pouco.

Ele estende a mão na minha direção.

— Juliette...?

— Você está dormindo com uma *garota*!

Adam se senta tão rapidamente que bagunça os lençóis. Então se apoia nos cotovelos.

— Pelo amor de Deus, James...

— Você estava dormindo junto com uma *garota*!

Adam abre e fecha a boca várias vezes. Olha para mim. Para seu irmão. Fecha os olhos e finalmente suspira. Passa as mãos pelos cabelos de quem acabou de acordar.

— Não sei o que você espera que eu diga.

— Pensei que tivesse dito que ela não podia tocar ninguém — James alega enquanto me olha desconfiado.

— E ela não pode.

— Exceto você?

— Exato. Exceto eu.

~~E Warner.~~

— Ela não pode tocar ninguém, além de você?

~~E Warner.~~

— Isso.

— Parece incrivelmente *conveniente*. — James estreita os olhos.

Adam dá uma risada alta.

— Onde foi que você aprendeu a falar assim?

James franze a testa.

— Benny sempre fala isso. Diz que minhas desculpas são "incrivelmente convenientes" — explica, erguendo os dedos para marcar as aspas no ar. — Isso significa que ela não acredita em mim. E, bem, eu não acredito em você.

Adam se levanta. A luz do início da manhã é filtrada pela pequena janela, caindo no ângulo perfeito, no momento perfeito. Ele está banhado em luz dourada, seus músculos rijos, as calças ainda um pouco baixas no quadril, e eu tenho que me forçar para conseguir pensar direito. Surpreendo-me com minha própria falta de autocontrole, mas não sei como conter esses sentimentos. Adam me deixa faminta por coisas que eu nunca imaginei que poderia ter.

Vejo-o passar um braço sobre os ombros do irmão antes de se agachar para olhá-lo nos olhos.

— Posso conversar com você sobre uma coisa? — ele pede. — Em particular?

— Só eu e você? — James me olha de canto de olho.

— Isso. Só eu e você.

— Tudo bem.

Vejo os dois entrando no quarto de James e me pergunto o que Adam lhe dirá. Preciso de um instante para me dar conta de que James deve realmente se sentir ameaçado pela minha aparição repentina. Ele finalmente reencontra o irmão, depois de quase seis meses, só para vê-lo chegar em casa com uma garota estranha que tem poderes mágicos loucos. Quase rio da ideia. Adoraria que fosse a mágica que me deixasse desse jeito...

Não quero que James pense que estou tomando Adam dele.

Ajeito-me debaixo das cobertas e espero. A manhã é fresca e meus pensamentos começam a vagar na direção de Warner. Preciso ter em mente que não estamos seguros. Não ainda, talvez nunca estejamos. Preciso me lembrar de nunca me sentir confortável demais. Eu me sento. Puxo meus joelhos para perto do peito e passo os braços em volta dos tornozelos.

E me pergunto se Adam tem um plano.

A porta de James range ao abrir. Os dois irmãos saem, o mais novo antes do mais velho. James parece um pouco rosado e quase não consegue me olhar nos olhos. Parece constrangido, e me pergunto se Adam o puniu.

Meu coração deixa de bater por um instante.

Adam segura os ombros de James. Aperta.

— Tudo bem com você?

— Eu sei o que é uma *namorada*...

— Eu nunca disse que você não sabia...

— Então você é a *namorada* dele? — James cruza os braços, olha para mim.

Há quatrocentas bolas de algodão presas em minha traqueia. Olho para Adam porque não sei o que fazer além disso.

— Ei, não é hora de você se arrumar para a escola? — Adam abre a geladeira e entrega a James um novo embrulho de papel alumínio.

Imagino que seja o café da manhã.

— Eu não sou *obrigado* a ir — o garotinho protesta. — Não é uma escola *de verdade*, ninguém *tem que*...

— Mas eu quero que você vá — Adam o interrompe. Vira-se outra vez para o irmão e lança um breve sorriso. — Não se preocupe. Estarei aqui quando você voltar.

James hesita.

— Promete?

— Prometo. — Mais um sorriso. Um sinal afirmativo com a cabeça. — Venha cá.

James corre até Adam e se pendura nele como se tivesse medo que o irmão fosse desaparecer. Por sua vez, Adam enfia a comida no Automat e aperta um botão. Bagunça os cabelos de James.

— Você precisa cortar esses cabelos, cara.

James torce o nariz.

— Eu gosto assim.

— Está um pouco longo demais, não acha?

James baixa a voz:

— Para mim, o cabelo *dela* é realmente longo.

James e Adam olham para mim e eu me derreto como uma geleia rosada. Toco os cabelos sem pretender, de repente constrangida. Olho para baixo. Nunca tive motivo para cortar meus cabelos. Nunca sequer tive as ferramentas para isso. Ninguém me oferece objetos pontiagudos.

Arrisco uma olhadela e percebo que Adam ainda está olhando para mim. James está olhando para o Automat.

— Eu gosto dos cabelos dela — Adam afirma, mas não sei com quem exatamente está falando.

Observo os dois enquanto Adam ajuda o irmão a se preparar para ir à escola. James é tão cheio de vida, tão cheio de energia, tão animado por ter seu irmão por perto. Isso me faz indagar como deve ser, para um garoto de dez anos, viver sozinho. Como deve ser a vida de todas as crianças que vivem nas ruas.

Estou morrendo de vontade de me levantar e me trocar, mas não sei o que exatamente deveria fazer. Não quero ocupar o banheiro, pois James pode precisar dele, ou Adam pode precisar dele. Não quero tomar mais espaço do que já estou tomando. Essa relação de Adam e James parece tão privada, tão pessoal. É o tipo de ligação que nunca tive, nunca terei. Mas estar perto de tanto amor de alguma forma derreteu minhas partes congeladas e as transformou em algo humano. Eu me *sinto* humana. Como se talvez pudesse ser parte desse mundo. Como se talvez eu não precisasse ser um monstro. Talvez eu não seja um monstro.

Talvez as coisas possam mudar.

Trinta e cinco

James está na escola; Adam, no banho. Olho para a tigela de granola que ele deixou para mim. Parece tão errado comer granola quando James tem de comer a substância amorfa na embalagem metálica. Mas Adam diz que James recebe uma certa porção para cada refeição e que, por lei, é aquilo que deve comer. Se for visto desperdiçando ou jogando fora, pode ser punido. Espera-se que todos os órfãos comam aquela coisa no embrulho metálico que fica pronta no Automat. James afirma que "o gosto não é tão ruim".

Estremeço levemente com o ar da manhã e passo as mãos nos cabelos ainda úmidos do banho. A água aqui não é quente. Não é sequer morna. É congelante. Água morna é um luxo.

Alguém bate na porta.

Estou de pé.
Girando.
Analisando.
Amedrontada.

Encontraram a gente, é a única coisa que me passa pela cabeça. Meu estômago é uma massa frágil; o coração, um pica-pau alucinado. Meu sangue é um rio de ansiedade.

Adam está no banho.

James, no colégio.

~~Eu, completamente indefesa.~~

Reviro a bolsa de Adam até encontrar o que procuro. Duas armas, uma para cada mão. Duas mãos, caso as armas falhem. Estou finalmente com o tipo de roupa confortável para o combate. Respiro fundo e imploro a meus punhos para que não tremam.

A batida na porta se torna mais forte.

Aponto as armas na direção dela.

– Juliette...?

Giro outra vez para encontrar Adam olhando em minha direção, as armas, a porta. Seus cabelos estão molhados; seus olhos, arregalados. Ele assente para a arma extra em minha mão e eu a jogo para ele sem dizer nada.

– Se fosse Warner, não estaria batendo – afirma, embora não baixe a arma.

Sei que está certo. Warner teria atirado na porta, usado explosivos, matado cem pessoas para chegar até mim. Certamente não me esperaria abrir a porta. Alguma coisa se acalma dentro de mim, mas eu não me permitiria ficar tranquila.

– Quem você acha...?

– Talvez seja Benny... Ela costuma vir para ver se James está bem...

– Mas ela não sabe que ele está na escola agora?

– Ninguém mais sabe onde é minha casa...

As pancadas se tornam mais fracas. Mais lentas. Ouço um som grave, gutural, de agonia.

Adam e eu nos entreolhamos.

Mais uma batida à porta. Uma queda. Mais um gemido. Uma pancada de um corpo contra a porta.

Eu tremo.

Adam passa a mão pelos cabelos.

— Adam! — alguém grita. Tosse. — Cara, por favor, se estiver aí...

Congelo. A voz soa familiar.

A espinha de Adam enrijece em um instante. Seus lábios se separam; seus olhos ficam impressionados. Ele digita o código e vira o trinco. Aponta a arma na direção da porta enquanto a abre lentamente.

— *Kenji*?

Um breve arquejar. Um gemido abafado.

— Porra, cara, por que demorou tanto?

— O que você está *fazendo aqui*? — *Clique*. Mal consigo espreitar pela pequena fresta da porta, mas está claro que Adam não se sente nada feliz pela visita. — Quem o mandou? Quem está com você?

Kenji pragueja baixinho algumas vezes mais.

— *Olhe para mim* — ordena, embora sua voz mais se assemelhe a um apelo. — Acha que vim até aqui para matar você?

Adam fica em silêncio. Respira. Duvida.

— Não tenho problema nenhum em enfiar uma bala nas suas costas.

— Não se preocupe, cara. Eu já tenho uma bala nas costas. Ou na perna. Ou qualquer merda do tipo. Nem sei mais.

Adam abre a porta.

— Levante-se.

— Tudo bem, não me importo se você arrastar meu rabo aí para dentro.

Adam massageia o maxilar.

— Eu não quero seu sangue no meu tapete. Não é algo que meu irmão precise ver.

Kenji cambaleia e entra no cômodo. Eu tinha ouvido sua voz uma vez antes, mas nunca vira seu rosto. Contudo, esse provavelmente não é o melhor momento para primeiras impressões. Seus olhos estão avermelhados, inchados; tem um enorme corte na lateral da testa. Seu lábio está cortado, sangrando um pouquinho; o corpo curvado e abatido. Ele estremece, mantém uma respiração rasa enquanto se mexe. Suas roupas estão em frangalhos; a parte superior do corpo, coberta apenas por uma regata; os braços bem desenvolvidos, com cortes e hematomas. Fico impressionada por ele não ter congelado e morrido. Kenji não parece notar minha presença até finalmente surpreender-se.

Ele para. Pisca. Abre um sorriso enorme, atrapalhado apenas pela mais discreta carranca provocada pela dor.

– Puta *merda*! – exclama, ainda absorvendo minha presença. – Cara, você é *louco*...

– O banheiro fica bem aqui – Adam responde, duro como uma pedra.

Kenji vai andando, mas o tempo todo olha para trás. Aponto a arma para seu rosto. Ele ri mais duramente, treme, arqueja um pouco.

– Cara, você fugiu com a menina louca! Você fugiu com a psicopata! – grita para Adam. – Pensei que tivessem inventado toda essa história. O que você tem na cabeça? O que vai fazer com essa doida? Não é de se *espantar* que Warner o queira morto... Nossa, cara, que porra é essa...?

– Ela não é louca. E ela não é surda, seu idiota.

A porta se fecha, isolando os dois, e só consigo ouvir a discussão abafada. Tenho a sensação de que Adam não quer que eu ouça o que tem a dizer a Kenji. Ou isso, ou não gostou dos gritos.

Não tenho ideia do que Adam está fazendo, mas imagino que tenha a ver com tirar a bala do corpo de Kenji e cuidar de suas outras feridas da melhor maneira possível. Adam tem um kit de primeiros socorros considerável e mãos fortes e estáveis. Eu me pergunto se desenvolveu esse talento no exército. Talvez para cuidar de si mesmo. Ou pode ser que para cuidar de seu irmão. Faria sentido.

Para nós, plano de saúde é um sonho que há muito tempo ficou para trás.

Estou segurando essa arma na mão há quase uma hora. Estou ouvindo os gritos de Kenji há quase uma hora e só sei disso porque gosto de contar os segundos conforme eles passam. Não tenho ideia de que horas são. Acho que tem um relógio no quarto de James, mas não quero entrar lá sem permissão.

Olho a arma em minha mão, o metal liso e pesado, e fico surpresa ao perceber que gosto de segurá-la. Como uma extensão do meu corpo. Não me assusta mais.

O que mais me assusta é que posso vir a usá-la.

A porta do banheiro se abre e Adam sai de lá. Segura uma pequena toalha. Levanto-me. Ele me lança um leve sorriso. Vai até a pequena geladeira em busca do congelador ainda menor. Pega alguns cubos de gelo e joga-os na toalha. Entra outra vez no banheiro.

Sento-me de novo no sofá.

Hoje está chovendo. O céu chora por nós.

Adam sai do banheiro, dessa vez de mãos vazias, ainda sozinho.

Eu me levanto.

Ele esfrega a mão na testa, na nuca. Vem até mim no sofá.

– Desculpe – diz.

Arregalo os olhos.

– Por quê?

— Por tudo. — Suspira. — Kenji era meio que um amigo meu na base. Warner mandou torturá-lo depois que saímos. Em busca de informações.

Engulo um arquejo.

— Ele disse que não contou nada — Adam continua. — Não tinha nada a dizer, mesmo, mas acabou bem detonado por isso. Não sei se suas costelas estão quebradas ou só machucadas, mas consegui tirar a bala de sua perna.

Seguro sua mão. Aperto-a.

— Ele levou um tiro enquanto fugia — Adam conta um instante depois.

E alguma coisa estapeia minha consciência. Entro em pânico.

— O sérum rastreador...

Adam assente, seus olhos pesados, angustiados.

— Acho que pode ter sido desativado, mas não tenho como ter certeza. Só tenho certeza de que, se estivesse funcionando como deveria, Warner já estaria aqui a essa altura. Mesmo assim, não podemos arriscar. Temos que ir embora e nos livrar de Kenji antes disso.

Estou balançando a cabeça, presa entre duas correntes contraditórias de descrença.

— Como foi que ele encontrou você?

O rosto de Adam enrudece.

— Ele começou a gritar antes que eu conseguisse perguntar.

— E James? — sussurro, quase com medo de perguntar.

Adam solta a cabeça nas mãos.

— Assim que ele chegar em casa, temos que sair. Podemos usar esse tempo para nos preparar. — Ele me olha nos olhos. — Não posso deixar James para trás. Este lugar não é mais seguro para ele.

Toco sua bochecha e ele relaxa em minha mão, segurando minha palma junto a seu rosto.

— *Filho de uma cabra sem mãe...*

Adam e eu nos afastamos. Estou vermelha até no couro cabeludo. Ele parece irritado. Kenji encontra-se apoiado em uma parede do banheiro, segurando o saco de gelo improvisado junto ao rosto. Encarando-nos.

— Você pode tocá-la? Quer dizer... puta merda! Acabei de vê-lo tocar, mas isso nem é...

— Você precisa ir embora — Adam o comunica. — Já deixou um rastro químico no caminho até minha casa. Nós também temos que ir, e você não pode nos acompanhar.

— Ah, ei... Nossa, espere aí! — Kenji vai cambaleando até a sala, tremendo ao colocar pressão na perna. — Eu não estou querendo atrapalhar, cara. Conheço um lugar. Um lugar seguro. Tipo, um lugar seguro mesmo, de verdade. Posso levar vocês. Posso ensiná-los a chegar lá. Conheço um cara...

— Deixe de bobagem! — Adam continua, furioso. — Como foi que você me encontrou? Como conseguiu aparecer na porta da minha casa, Kenji? Eu não confio em você.

— Não sei, cara. Eu juro que não lembro o que aconteceu. Não sei em que direção eu estava correndo depois de certo momento. Eu estava pulando cercas. Encontrei um campo enorme com um galpão velho. Dormi lá algum tempo. Acho que apaguei depois de algum tempo, por causa da dor ou do frio... Está um frio congelante lá fora... E então, a próxima coisa que vi foi um cara me carregando. Ele me deixou na sua porta e me falou para ficar quieto porque Adam morava bem aqui. — Kenji sorri. Tenta piscar com um olho. — Acho que eu estava sonhando com você enquanto dormia.

— Espere… Como é que é? — Adam inclina o corpo para a frente. — Que história é essa de um cara trazê-lo até aqui? Que cara é esse? Qual é o nome dele? Como ele sabia o meu nome?

— Não tenho ideia. Ele não me contou e eu não tive coragem de perguntar. Mas o cara era enorme. Quero dizer, devia ser para conseguir carregar meu rabo por aí.

— Você não quer que eu acredite nessa história, quer?

— Você não tem escolha. — Kenji dá de ombros.

— É claro que tenho escolha. — Adam já está de pé. — Não tenho nenhum motivo para confiar em você. Nenhum motivo para acreditar em uma palavra que sai da sua boca.

— Por que, então, estou aqui com uma bala na perna? Por que Warner ainda não o encontrou? Por que estou desarmado…?

— Isso pode ser parte do seu plano!

— E você me ajudou mesmo assim! — Kenji se atreve a levantar a voz. — Por que simplesmente não me deixou morrer? Por que não atirou para me matar? Por que me ajudou?

— Eu… Eu não sei – Adam gagueja.

— Sabe, sim. Você sabe que não estou aqui para atrapalhar seus planos. Porra, cara, eu tomei uma surra por você!

— Não estava protegendo nenhuma informação minha.

— Ah, que merda, cara, o que você quer que eu diga? Eles iam me matar. Tive que fugir. Não foi culpa minha que um cara desconhecido me fez vir parar na sua porta…

— O que está em jogo aqui não sou só eu, será que você não entende? Eu trabalhei muito para encontrar um lugar seguro para o meu irmão e em uma manhã você arruinou anos de planejamento. Que diabos quer que eu faça agora? Tenho que fugir até encontrar um jeito de mantê-lo seguro. Ele é novo demais para ter que lidar com isso…

– Todos nós somos novos demais para ter que lidar com isso. – Kenji está arfando. – Não se iluda, irmão. Ninguém deveria ver o que nós vimos. Ninguém deveria ter que acordar de manhã e encontrar corpos mortos em sua sala de jantar, mas merdas acontecem. A gente enfrenta e encontra um jeito de sobreviver. Você não é o único que tem problemas.

Adam solta o corpo no sofá. Quarenta quilos de culpa pesam em seus ombros. Com a cabeça apoiada nas mãos, solta o corpo para a frente.

Kenji me encara. Eu o encaro de volta.

Ele sorri e manca para a frente.

– Sabe, você até que é bem sensual para uma menina louca.

Clique.

Kenji está se afastando com as mãos erguidas. Adam pressiona a arma na testa dele.

– Tenha respeito ou vou afundar uma bala no seu crânio.

– Foi só uma brincadeira...

– Até parece...

– Porra, Adam, acalme-se...

– Onde é esse tal "lugar superseguro" ao qual você pode nos levar? – pergunto, já de pé, ainda com a arma nas mãos. Coloco-me em posição de atirar ao lado de Adam. – Ou está inventando essa história?

Kenji se alegra.

– Não, é sério. Sério, mesmo. Aliás, talvez eu tenha falado algo a seu respeito. E o cara que cuida do lugar pode ou não pode estar terrivelmente interessado em conhecê-la.

– Está pensando que eu sou algum tipo de aberração que você pode sair mostrando para os seus amigos?

Mão no gatilho. Arma carregada.

Kenji pigarreia.

— Uma aberração, não. Só... interessante.

Aponto minha arma para o nariz dele.

— Sou tão interessante que posso matá-lo usando apenas as mãos.

Um golpe de medo quase imperceptível brilha em seus olhos. Ele engole alguns litros de humilhação. Tenta sorrir.

— Tem certeza de que não é louca?

— Não. — Inclino a cabeça. — Não tenho certeza.

Kenji sorri. Olha-me de cima a baixo.

— Ah, droga. Mas você faz a loucura parecer tão boa.

— Estou a cinco centímetros de quebrar a sua cara — Adam o adverte, voz dura como aço, corpo rígido de raiva, olhos estreitados, inabaláveis. Não há nenhum traço de humor em seu semblante. — Não preciso de mais nenhum motivo.

— O que foi? — Kenji ri, inabalado. — Eu não fico tão perto assim de uma garota há muito, muito tempo, cara. E louca ou não...

— Não tenho interesse.

Kenji se vira para me encarar.

— Bem, não sei se eu a culpo. Minha aparência está horrível agora. Mas eu posso melhorar, está bem? — Tenta sorrir. — Mais alguns dias e pode ser que você mude de ideia.

Adam lhe dá uma cotovelada no rosto e não pede desculpa.

Trinta e seis

Kenji está praguejando, sangrando, usando todos os xingamentos que conhece e tropeçando a caminho do banheiro, segurando o nariz.

Adam me leva ao quarto de James.

– Diga alguma coisa – pede. Olha para o teto, respira duramente. – Diga qualquer coisa...

Tento olhá-lo nos olhos, segurar suas mãos de leve, de leve, de leve. Espero que ele olhe para mim.

– Não vai acontecer nada com James. Vamos mantê-lo seguro. Eu juro.

Seus olhos estão cheios de dor, como jamais os vi antes. Ele abre os lábios. Fecha-os outra vez. Muda de ideia um milhão de vezes até suas palavras caírem no ar entre nós.

– Ele nem sabe sobre nosso pai. – É a primeira vez que verbaliza essa questão. É a primeira vez que dá a entender que sei algo a respeito do assunto. – Eu nunca quis que James soubesse. Inventei histórias para ele. Queria que tivesse uma chance de ser *normal*. – Seus olhos estão soletrando segredos e meus ouvidos estão derramando tinta, manchando minha pele com suas histórias. – Não quero que ninguém toque nele. Não quero estragar a vida do meu irmão. Eu não posso... Meu Deus, não pode deixar isso acontecer – diz para mim. Sussurrado. Baixinho.

Busco no mundo inteiro todas as palavras certas e minha boca volta cheia de nada.

– Nunca é suficiente – sussurra. – Eu nunca consigo fazer o bastante. Ele ainda acorda gritando. Ainda chora antes de dormir. Vê coisas que é incapaz de controlar... – Adam pisca um milhão de vezes. – Tantas pessoas, Juliette.

Seguro a respiração. Ele continua:

– Mortas.

Toco a palavra em seus lábios e ele beija meus dedos. Seus olhos são duas piscinas de perfeição, sinceridade, franqueza, humildade.

– Não sei o que fazer – afirma, e é como uma confissão que lhe custa muito mais do que eu seria capaz de entender. Seu controle escorre entre os dedos e Adam se sente desesperado por conseguir segurá-lo. – *Diga o que devo fazer*.

Posso ouvir nossos corações batendo no silêncio entre nós. Estudo o desenho de seus lábios, os contornos fortes de seu rosto, os cílios pelos quais qualquer garota mataria, o azul escuro dos olhos nos quais aprendi a nadar. Ofereço-lhe a única possibilidade que me resta.

– Talvez valha a pena pensar no plano de Kenji.

– Você confia nele? – Surpreso, Adam se afasta.

– Não acho que esteja mentindo quando diz que conhece um lugar aonde podemos ir.

– Não sei se é uma boa ideia.

– Por que não?

Algo que talvez não seja uma risada lhe escapa.

– Pode ser que eu o mate antes mesmo de chegarmos lá.

Meus lábios se repuxam em um sorriso triste.

— Não tem nenhum outro lugar onde possamos nos esconder, tem?

O sol está girando em volta da lua quando ele responde. Nega com a cabeça. Uma vez. Rapidamente. Duramente.

Aperto sua mão.

— Então temos que tentar.

— Que merda vocês estão fazendo aí? — Kenji grita da porta. Bate algumas vezes. — Quer dizer, porra, cara, não acho que haja um momento ruim para tirar as roupas, mas talvez agora não seja a hora mais adequada. Então, a não ser que queira acabar morto, sugiro que venha aqui fora o quanto antes. Precisamos nos preparar para sair.

— Eu poderia matá-lo agora mesmo — Adam muda de ideia.

Seguro seu rosto entre minhas mãos, fico na ponta dos pés e o beijo. Seus lábios são duas almofadas tão suaves, tão doces.

— Eu te amo.

Ele está me olhando nos olhos e olhando minha boca e sua voz é um sussurro rouco.

— É?

— Com toda a certeza.

Nós três estamos prontos para partir antes de James voltar da escola. Adam e eu separamos os itens mais básicos: comida, roupa e o dinheiro que ele economizou. Adam fica olhando para o cômodo minúsculo como se não conseguisse acreditar que o perdeu tão facilmente. Só consigo imaginar quanto trabalho dedicou a arrumá-lo, o quanto tentou fazer seu irmãozinho ter um lugar para morar. Meu coração está em pedaços por ele.

Seu colega, por outro lado, é um assunto completamente diferente.

Kenji está cuidando de seus ferimentos, mas parece bem-humorado, animado por motivos que não consigo imaginar. Mostra-se estranhamente resiliente e alegre. Parece impossível desencorajá-lo e só consigo admirar sua determinação. Entretanto, ele não para de me encarar.

– Então me diga, por que você pode tocar Adam? – pergunta, depois de um momento.

– Não sei.

Kenji bufa.

– Mentirosa.

Dou de ombros. Não sinto nenhuma necessidade de convencê-lo de que não tenho a menor ideia de por que tive tanta sorte.

– Como foi que você descobriu que podia tocá-lo? Algum tipo de experimento bizarro?

Espero não estar ruborizada.

– Onde fica este lugar ao qual vai nos levar?

– Por que quer mudar de assunto? – Kenji está sorrindo. Tenho certeza de que está sorrindo. Recuso-me a olhar para ele, mesmo assim. – Talvez você também possa me tocar. Por que não tenta?

– Você não quer que eu tente.

– Talvez eu queira.

Definitivamente está sorrindo.

– Talvez você devesse deixá-la em paz antes que eu enfie aquela bala na sua perna outra vez – Adam retruca.

– Desculpe... Um homem solteiro não deve ter o direito de tentar, Kent? Talvez eu realmente esteja interessado. Talvez você devesse se afastar e deixá-la responder por si própria.

Adam passa a mão pelos cabelos. Sempre a mesma mão. Sempre pelos cabelos. Está aturdido. Frustrado. Talvez até mesmo constrangido.

— Continuo desinteressada — lembro-o, com irritação na voz.

— Sim, mas não esqueçamos de que *isto* — aponta para seu rosto judiado —, não é permanente.

— Mesmo assim, estou permanentemente desinteressada.

Quero tanto dizer que não estou disponível. Quero deixar claro que estou em um relacionamento sério. Quero contar que Adam me fez promessas.

Mas não posso.

Não tenho ideia do que significa estar em um relacionamento. Não sei se dizer "eu te amo" é um código para "exclusividade mútua" e não sei se Adam estava falando sério quando disse a James que eu era sua namorada. Talvez tenha sido uma desculpa, um disfarce, uma resposta fácil para uma pergunta um tanto complicada. Queria poder dizer alguma coisa para Kenji… Queria que Adam lhe comunicasse que estamos juntos oficialmente, exclusivamente.

Mas ele não diz nada.

E não sei por quê.

— Acho que não devia decidir até o inchaço sumir — Kenji prossegue como se estivesse simplesmente declarando um fato. — É o justo. Eu tenho um rosto um bocado espetacular.

Adam engasga com uma tosse que me parece ser uma risada.

— Sabe, eu jurava que a gente se dava bem — Kenji diz, olhando para Adam.

— Não lembro por quê.

Kenji parece se irritar.

— Quer me dizer alguma coisa?

— Eu não confio em você.

— Por que, então, eu ainda estou aqui?

— Porque eu confio *nela*.

Kenji vira-se para olhar para mim. Consegue abrir um sorriso desajeitado.

– Ah, que fofura! Então você confia em mim?

– Contanto que eu tenha boas chances de acertar. – Seguro a arma com mais força.

Seu sorriso é torto.

– Não sei por quê, mas eu meio que gosto de quando você me faz ameaças.

– Porque é um idiota.

– Não. – Nega com a cabeça. – Você tem uma voz sensual. Faz qualquer coisa soar sacana.

Adam se levanta tão subitamente que quase derruba a mesa de centro.

Kenji explode em risos, arquejando ao sentir a dor de seus ferimentos.

– Acalme-se, Kent, mas que *droga!* Eu só estou brincando com vocês. Gosto de ver louca ficar toda intensa. – Ele olha para mim, baixa a voz. – E estou dizendo isso como um elogio, porque, sabe... – ele acena com uma mão desajeitada na minha direção – a loucura combina um pouco com você.

– Cara, sério, qual é o seu problema? – Adam pergunta, virando-se para ele.

– Não, sério, qual é o *seu* problema? – Irritado, Kenji cruza os braços. – Todo mundo é tão nervoso por aqui.

Adam aperta a arma em sua mão. Vai até a porta. Volta. Está andando de um lado para o outro.

– E não se preocupe com seu irmão – Kenji continua. – Tenho certeza de que logo ele vai chegar.

Adam não ri. Não para de andar de um lado para o outro. Seu maxilar está cerrado.

– Não estou preocupado com meu irmão. Estou tentando decidir se devo atirar em você agora ou mais tarde.

– Mais tarde – Kenji retruca, soltando o corpo no sofá. – Por enquanto, você ainda precisa de mim.

Adam tenta falar, mas não tem tempo.

A porta estala, emite um *bipe*, abre.

James chegou.

Trinta e sete

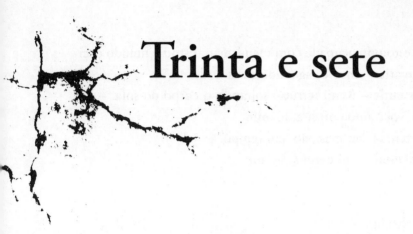

— Fico realmente feliz por você aceitar tão bem, estou mesmo. Mas, James, não é algo com que se animar. Estamos fugindo para salvar nossas vidas.

— Mas estamos fugindo *juntos* — James fala pela quinta vez, sempre com um sorriso estampado no rosto. Passou a gostar de Kenji quase rápido demais, e agora os dois estão conspirando para transformar nosso problema em uma espécie de missão elaborada. — E eu posso *ajudar*!

— Não, não é...

— É claro que pode...

Adam e Kenji falam ao mesmo tempo. Kenji consegue se expressar primeiro.

— Por que ele não pode ajudar? Dez anos é idade suficiente para ajudar.

— Isso não é problema seu — Adam retruca, tomando o cuidado de controlar a voz. Sei que está se mantendo calmo para não assustar o irmão mais novo. — Não é da sua conta.

— Eu finalmente vou poder acompanhar você — James insiste, sem conseguir se conter. — E quero ajudar.

O garotinho aceitou a notícia com naturalidade. Sequer tremeu quando Adam explicou o verdadeiro motivo pelo qual estava em casa e por que estávamos juntos ali. Achei que ver o rosto ferido e abatido de Kenji o assustaria, talvez o deixasse nervoso ou gerasse uma sensação de medo em seu coração, mas ele permaneceu surpreendentemente inalterado.

Então me ocorreu que talvez esse garotinho já tenha visto coisa pior.

Adam respira algumas vezes antes de se virar para Kenji.

– Quão longe fica?

– A pé? – Kenji parece incerto pela primeira vez. – Pelo menos algumas horas. Se não fizermos nenhuma burrada, talvez cheguemos ao anoitecer.

– E se formos de carro?

Kenji pisca. Sua surpresa se dissolve em um sorriso enorme.

– Porra, Kent, por que você não falou antes?

– Cuidado com os palavrões perto do meu irmão.

James revira os olhos.

– Ouço coisas muito piores do que isso *todos os dias*. Até Benny fala palavrões.

– *Benny*? – Adam repete com as sobrancelhas arqueadas.

– Sim.

– O que ela...? – Ele para. Muda de ideia. – Isso não significa que você possa continuar ouvindo – Adam avisa ao irmão.

– Eu já tenho quase onze anos!

– Ei, rapazinho – Kenji o interrompe. – Está tudo bem. Foi uma falha minha. Tenho mesmo que ser mais cuidadoso. Além do mais, há mulheres por perto. – E pisca com um olho para mim.

Desvio o rosto. Olho em volta.

Se é difícil *para mim* deixar essa casa humilde para trás, só posso imaginar o que Adam deve estar sentindo agora. Acredito que James esteja animado demais com o perigoso caminho que nos aguarda para realmente se dar conta do que está acontecendo. Para realmente entender por que nunca mais vai voltar a esse lugar.

Somos todos fugitivos tentando salvar nossas vidas.

– Então, que história é essa? Você roubou um carro? – Kenji quer saber.

– Um tanque.

Kenji solta uma forte risada.

– Animal!

– Mas é um pouco conspícuo para usar durante o dia.

– O que quer dizer conspícuo? – James quer saber.

– É um pouco... indiscreto – Adam estremece.

– Puta merda! – Kenji tropeça nos próprios pés.

– Eu falei para tomar cuidado com o linguajar...

– Você ouviu isso?

– Ouviu o quê?

Os olhos de Kenji apontam em todas as direções.

– Há outro jeito de sair daqui?

Adam está de pé.

– James...

James corre para o lado de seu irmão. Adam verifica sua arma. Eu penduro as bolsas em minhas costas, Adam faz a mesma coisa, sua atenção desviada na direção da porta.

– Corram...

– Quão perto...?

– Não temos tempo...

– O que você...

– Kent, corra...

E então saímos correndo, seguindo Adam para dentro do quarto de James. Adam arranca uma cortina de uma das paredes e revela uma porta escondida a apenas 2 segundos da sala de estar.

Atira na tranca de saída de emergência.

Alguma coisa explode menos de 5 metros atrás de nós. O barulho estilhaça meus ouvidos, vibra em meu corpo. Quase sofro um colapso com o impacto. Tiros de metralhadoras atingem todos os cantos. Passos ecoam pela casa, mas já estamos correndo pela saída. Adam ergue James nos braços e disparamos em meio à explosão repentina de luzes cegando nosso caminho pelas ruas. A chuva cessou. As estradas estão escorregadias e enlameadas. Há crianças em todo lugar, cores vivas dos corpos pequenos de repente gritando com nossa aproximação. É inútil tentar ser discreto agora.

Eles já nos encontraram.

Kenji tenta correr atrás de nós, cambaleando com seu último pico de adrenalina. Viramos em uma ruela estreita e ele solta o corpo contra um muro.

— Desculpe – ele ofega. – Eu não consigo... podem me deixar...

— Não podemos deixar você... – Adam grita, olhando em todas as direções, analisando tudo à nossa volta.

— Que doce da sua parte, irmão, mas tudo bem...

— Você precisa mostrar aonde temos que ir!

— Ah, puta merda!

— Você disse que nos ajudaria!

— Pensei que tivesse dito que tinha um tanque!

— Não sei se você notou, mas tivemos que mudar os planos de forma inesperada...

— Eu não consigo acompanhar, Kent. Eu quase nem consigo andar!

— Você precisa tentar...

— *Há rebeldes à solta. Estão armados e preparados para atirar. O toque de recolher agora está funcionando. Todos devem retornar imediatamente às suas casas. Há rebeldes à solta. Estão armados e preparados para atirar...*

Os alto-falantes espalham o aviso por toda a rua, atraindo a atenção para nossos corpos abraçados na ruela estreita. Algumas pessoas nos veem e gritam. O som dos coturnos se torna mais alto. Os tiros se tornam mais ferozes.

Preciso de um momento para analisar os prédios à nossa volta e me dar conta de que não estamos em um complexo. A rua em que James mora é um território não regulamentado: uma série de prédios comerciais abandonados amontoados, restos de nossas antigas vidas. Não entendo por que sua casa não fica em um dos complexos, como o resto da população. Não tenho tempo para descobrir por que só vejo duas faixas etárias representadas, por que idosos e órfãos são os únicos residentes, por que foram abandonados em uma terra ilegal, com soldados que não deveriam estar aqui. Sinto medo de pensar nas respostas para minhas próprias perguntas e, em um momento de pânico, temo pela vida de James. Dou meia-volta enquanto corremos, vislumbrando seu corpinho apertado nos braços de Adam.

Seus olhos estão fechados com tanta força que tenho certeza de que chegam a doer.

Adam xinga em voz baixa. Chuta a primeira porta que conseguimos encontrar em um prédio abandonado e grita para que entremos com ele.

— Preciso que fique aqui — diz a Kenji. — E eu devo estar louco, mas tenho que deixar James com você. Preciso que cuide do meu irmão, entendeu? Eles estão atrás de Juliette, e estão atrás de mim. Nem imaginam que podem encontrar vocês dois.

– O que você vai fazer? – Kenji quer saber.

– Preciso roubar um carro. Aí volto para buscá-los. – James nem protesta quando Adam o coloca no chão. Seus lábios estão brancos; seus olhos, arregalados. As mãos tremem. – Eu venho buscar você, James – Adam reforça. – Prometo.

O garoto assente repetidas e repetidas e repetidas vezes. Adam beija a cabeça do irmão uma vez, rápido, forte. Solta nossas bolsas no chão. Vira-se para Kenji.

– Se deixar qualquer coisa acontecer com ele, eu mato você.

Kenji não ri. Não franze a testa. Respira fundo.

– Vou cuidar dele.

– Juliette?

Adam segura minha mão e voltamos às ruas.

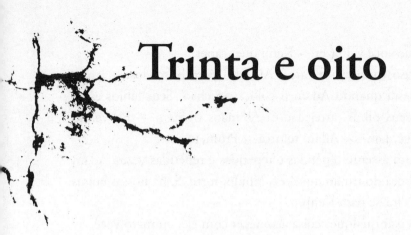

Trinta e oito

As ruas estão repletas de pedestres tentando escapar. Adam e eu escondemos nossas armas no elástico de nossas calças, mas nossos olhares selvagens e movimentos violentos parecem nos entregar. Todo mundo permanece distante, avançando em direções opostas, alguns gemem, gritam, choram, soltam o que levam nas mãos. Mas, apesar de deparar com todas essas pessoas, não consigo avistar um único carro. Deve ser difícil algum aparecer, especialmente nessa área.

Adam me empurra para o chão justamente quando uma bala voa na direção da minha cabeça. Derruba outra porta e corremos pelas ruínas em direção a outra saída, presos em um labirinto do que no passado fora uma loja de roupas. Tiros e passos vêm logo atrás. Deve haver pelo menos uma centena de soldados nos seguindo por essas ruas, reunidos em grupos diferentes, espalhados por áreas diferentes da cidade, prontos para capturar e matar.

Mas sei que não vão me matar.

É com Adam que me preocupo.

Tento permanecer o mais perto possível de seu corpo porque tenho certeza de que Warner deu ordens a seus homens para me levar de volta com vida. Contudo, meus esforços são, na melhor das hipóteses, fracos. Adam tem altura e músculos suficientes para me fazer parecer uma anã. Qualquer um com uma mira excelente seria capaz de alvejá-lo. Poderiam acertá-lo bem na cabeça.

Bem na minha frente.

Ele se vira para atirar duas vezes. A primeira falha. A segunda provoca um grito estrangulado. Continuamos correndo.

Ele não diz nada. Não me diz para ser corajosa. Não me pergunta se estou bem, se estou com medo. Não me oferece encorajamento nem me assegura de que vamos sair bem dessa. Não me diz para deixá-lo para trás e salvar a mim mesma. Não me pede para cuidar de seu irmão caso ele morra.

Não precisa fazer nada disso.

Nós dois entendemos a gravidade da situação. Adam pode levar um tiro agora mesmo. Eu posso ser capturada a qualquer momento. Esse prédio inteiro pode explodir a qualquer momento. Alguém pode encontrar Kenji e James. Todos podemos morrer ainda hoje. Os fatos são óbvios.

Mas sabemos que, mesmo assim, precisamos arriscar.

Porque seguir em frente é a única maneira de sobreviver.

A arma começa a escorregar da minha mão, mas mesmo assim a seguro. Minhas pernas gritam em reação à dor, mas eu as forço a seguirem em frente mesmo assim. Meus pulmões serram a caixa torácica na metade, mas forço-os a continuar processando oxigênio. Tenho que continuar em movimento. Não temos tempo para limitações humanas.

É quase impossível encontrar a saída de incêndio desse prédio. Nossos pés batem no chão, nossas mãos buscam na luz fraca algum tipo de saída, algum tipo de acesso às ruas. A construção é maior do que esperávamos, enorme, com centenas de direções possíveis para seguir. Percebo que deve ter sido um depósito, e não só uma loja.

Adam se abaixa atrás de uma mesa abandonada e me puxa para seu lado.

— Não seja burro, Kent... Você só pode correr até um certo ponto! — alguém grita.

Uma voz que está a menos de três metros.

Adam engole em seco. Cerra o maxilar. As pessoas que agora tentam matá-lo são as mesmas com quem ele costumava almoçar. Treinar. Viver. Ele *conhece* esses homens. O que me leva a indagar se saber disso piora ainda mais a situação.

— Entregue a garota para nós, só isso — uma nova voz acrescenta. — Basta entregar a garota e então não atiramos em você. Vamos fingir que você escapou. E o deixaremos escapar. Warner só quer a garota.

Adam está ofegante. Segura a arma, ergue a cabeça por um instante e atira. Alguém cai no chão, gritando.

— Kent, seu filho de uma...

Adam aproveita o momento para correr. Saltamos de trás da mesa e voamos na direção das escadas. Tiros não nos acertam por milímetros. Eu me pergunto se esses dois homens foram os únicos que nos seguiram aqui para dentro.

A escada em espiral leva a um piso mais baixo, uma espécie de porão. Alguém está tentando atirar em Adam, mas nossos movimentos erráticos tornam essa uma missão quase impossível. As chances de me acertarem em vez de acertá-lo são altas demais. O homem solta um monte de palavrões.

Adam derruba as coisas enquanto andamos, tentando criar algum tipo de distração, algum tipo de barreira capaz de fazer o soldado atrás de nós perder velocidade. Avisto duas portas de acesso ao porão e me dou conta de que essa área deve ter sido atingida por tornados. O clima é turbulento; desastres naturais são comuns. Ciclones devem ter acabado com essa cidade.

– Adam...

Puxo seu braço. Escondemo-nos atrás de uma parede baixa. Aponto para a única rota de fuga possível.

Ele aperta minha mão.

– Muito bom.

Mas não nos movimentamos até o ar à nossa volta silenciar. Um passo em falso. Um grito abafado. É quase ofuscantemente escuro aqui embaixo. Claro que a eletricidade foi desligada há muito tempo. O soldado tropeçou em um dos obstáculos deixados para trás.

Adam segura a arma na altura do peito. Respira fundo. Vira-se para dar um tiro rápido.

Sua mira é excelente.

Uma explosão descontrolada de palavrões confirma minha afirmação.

Adam respira com dificuldade.

– Só estou atirando para debilitar – explica. – Não para matar.

– Eu sei – afirmo.

Embora não soubesse.

Corremos na direção das portas e ele faz força para abrir o trinco enferrujado. Estamos nos desesperando. Não sei quanto tempo temos até sermos descobertos por outro grupo de soldados. Estou prestes a sugerir que atiremos para abrir a porta quando Adam finalmente consegue arrombá-la.

E então cambaleamos pela rua. Temos três carros para escolher.

Fico tão feliz que poderia chorar.

– Já não era sem tempo – fala.

Mas não é Adam quem está falando.

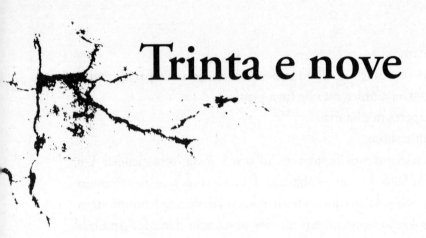

Trinta e nove

Há sangue por todo lado.

Adam está no chão, abraçando o próprio corpo, mas não sei onde o tiro acertou. Vejo soldados se reunindo à sua volta e estou arranhando os braços que tentam me conter, chutando o ar, gritando no vazio. Alguém me puxa para longe e não consigo ver o que fizeram com Adam. A dor se espalha por meus membros, cãibra em minhas articulações, rompendo cada osso do meu corpo. Quero gritar aos céus, quero cair de joelhos e derramar lágrimas na terra. Não entendo por que a agonia não encontra um escape em meus gritos. Por que minha boca está coberta com a mão de outra pessoa.

— Se eu soltá-la, terá que prometer que não vai gritar — diz para mim.

Ele está tocando meu rosto com a pele de sua mão exposta e não sei onde deixei minha arma cair.

Warner me arrasta até um prédio que ainda funciona e abre a porta com um chute. Espalma a mão em um interruptor. Luzes fluorescentes se acendem, emitindo um zumbido sem vida. Há pinturas presas às paredes, alfabetos com as cores do arco-íris em murais de cortiça. Pequenas carteiras espalhadas. Estamos em uma sala de aula.

E então me pergunto se essa seria a escola de James.

Ele abaixa a mão. Seus olhos azuis vidrados estão tão elétricos que me deixam petrificada.

– Meu Deus, como senti saudade de você – ele me diz. – Não pensou que eu a deixaria escapar tão fácil assim, pensou?

– Você atirou em Adam.

Essas são as únicas palavras em que consigo pensar. Minha mente está confusa, descrente. Continuo vendo seu lindo corpo caído no chão, vermelho, vermelho, vermelho. Preciso saber se está vivo. Tem que estar vivo.

Os olhos de Warner piscam.

– Kent está morto.

– *Não...*

Warner me encurrala em um canto e então me dou conta de que nunca na vida estive tão indefesa. Nunca tão vulnerável. Passei dezessete anos tentando me livrar da minha maldição, porém, nesse momento estou mais desesperada do que nunca por tê-la de volta. Os olhos de Warner fervem inesperadamente. Suas alterações constantes de humor tornam difícil prever suas emoções. Difícil rebatê-las.

– Juliette – chama. Toca minha mão com tanta gentileza que chega a me assustar. – Você notou? Parece que sou imune ao seu dom. – Ele me olha nos olhos. – Não é incrível? Você tinha percebido? Quando tentou escapar... você sentiu?

Warner, que não deixa nada passar despercebido. Warner, que absorve cada detalhe.

É claro que ele sabe.

Mas o que me deixa em choque é a doçura em sua voz. A sinceridade com a qual pede para saber. É como um cão feroz, insano e selvagem, sedento por caos, simultaneamente ardendo por reconhecimento e aceitação.

Por amor.

– Nós podemos realmente ficar juntos – diz, inabalado por meu silêncio.

Ele me puxa para perto, para perto demais. Fico congelada em quinhentas camadas de medo. Atordoada com sofrimento, com descrença.

Suas mãos tentam alcançar meu rosto; seus lábios, os meus. Meu cérebro está em chamas, pronto para explodir com a impossibilidade desse momento. Sinto como se estivesse assistindo a tudo acontecer, separada do meu próprio corpo, incapaz de intervir. Mais do que qualquer outra coisa, fico em choque com suas mãos suaves, seus olhos sinceros.

– Quero que você me escolha – afirma. – Quero que escolha ficar comigo. Quero que *queira* ficar comigo...

– Você é louco – ofego. – É um psicopata...

– Você só tem medo daquilo que é capaz. – Sua voz é leve. Calma. Lenta. Enganosamente persuasiva. Nunca antes notei o quão atraente sua voz é. – Admita. Somos perfeitos um para o outro. Você quer poder. Adora sentir uma arma na mão. Você está... atraída por mim.

Tento liberar o punho, mas ele segura meus braços. Prende-os às laterais do meu corpo. E me pressiona contra a parede. É muito mais forte do que parece.

– Não minta para si mesma, Juliette. Você vai voltar comigo, goste ou não. Mas pode escolher querer. Pode escolher aproveitar...

— *Nunca* — arquejo, abatida. — Você é doente... É um doente, um monstro perturbado...

— Essa não é a resposta certa — declara, parecendo sinceramente desapontado.

— É a única resposta que vai ter de mim.

Seus lábios chegam perto demais.

— Mas eu te amo.

— Não, não ama.

Ele fecha os olhos. Encosta sua testa à minha.

— Você não tem ideia do que faz comigo.

— Eu te odeio.

Ele nega muito lentamente com a cabeça. Abaixa-se. Seu nariz toca minha nuca e eu disfarço um tremor horrível. Seus lábios tocam minha pele e eu chego a gemer.

— Nossa, eu adoraria morder você.

Percebo o brilho prateado no bolso interno de sua jaqueta.

Sinto uma pontada de esperança. Uma pontada de terror. Preparo-me para o que tenho de fazer. Passo um instante de luto pela perda da minha dignidade.

E então relaxo.

Ele sente a tensão abandonar meus membros e responde a ela. Sorri, solta a pegada em meu ombro. Desliza o braço em volta da minha cintura. Engulo a náusea que ameaça me denunciar.

Sua jaqueta militar tem um milhão de botões e me pergunto quantos terei de abrir antes de conseguir colocar as mãos naquele revólver. Suas mãos exploram meu corpo, deslizando por minhas costas para sentir a forma do meu físico, e tudo o que posso fazer é tomar cuidado. Não tenho prática e habilidade suficientes para dominá-lo, tampouco tenho ideia de por que é capaz de me tocar. Não tenho a menor ideia de por que fui capaz de estilhaçar uma parede de concreto ontem. Não tenho noção de onde veio aquela ideia.

Hoje, ele tem todas as vantagens e não é o momento de eu me entregar.

Ainda não.

Coloco as mãos em seu peito. Ele me pressiona contra seu corpo curvado. Ergue meu queixo para que eu o olhe nos olhos.

— Eu serei bom para você — sussurra. — Vou ser tão bom para você, Juliette. Prometo.

Espero não estar visivelmente tremendo.

E ele me beija. Faminto. Desesperado. Ansioso por me abrir e me provar. Sinto-me tão espantada, tão horrorizada, tão encasulada na insanidade que me esqueço de mim mesma. Fico ali parada, congelada, nauseada. Minhas mãos deslizam para longe do peito de Warner. Só consigo pensar em Adam e sangue e Adam e o som de tiros e Adam deitado em uma piscina de sangue e quase o empurro para longe de mim. Mas Warner se recusa a ser desencorajado.

Ele termina o beijo. Sussurra em meu ouvido algo que aparentemente não faz o menor sentido. Segura meu rosto entre as mãos e dessa vez lembro-me de fingir. Puxo-o para perto, tentando abrir o primeiro botão. Warner segura meu quadril e deixa as mãos dominarem meu corpo. Ele tem gosto de menta, cheiro de gardênia. Seus braços são fortes em volta do meu corpo, os lábios são macios, quase doces ao tocarem minha pele. Há uma carga elétrica entre nós, e isso eu realmente não esperava.

Minha cabeça está girando.

Seus lábios tocam meu pescoço, saboreando-me, devorando-me, e eu me forço a pensar direito. E me forço a entender a perversão da situação. Não sei o que fazer para conciliar a confusão em minha mente, minha repulsa hesitante, minha reação química inexplicável a seus lábios. Preciso me livrar disso. Agora mesmo.

Tento segurar o botão.

E ele parece desnecessariamente encorajado.

Warner me ergue pela cintura, prende-me encostada à parede, suas mãos agarrando minhas nádegas, forçando minhas pernas a envolvê-lo. O que não percebe é que, ao fazer isso, está me colocando no ângulo perfeito para enfiar a mão em sua jaqueta.

Seus lábios encontram os meus; as mãos deslizam por baixo da minha blusa e ele está ofegando, apertando meu corpo, e eu praticamente rasgo sua jaqueta com violência, tamanho meu desespero. Não posso deixar isso continuar por muito tempo mais. Não tenho ideia de quão longe Warner quer chegar com isso, mas não posso continuar encorajando sua insanidade.

Preciso que se aproxime só mais um centímetro... E enfim minha mão segura a arma.

Sinto-o congelar. Afastar-se. Vejo seu rosto passar por milésimos de confusão/medo/angústia/horror/raiva. Ele me joga no chão assim que meus dedos apertam o gatilho pela primeiríssima vez.

O poder e a força da arma são impressionantes, o barulho é muito mais alto do que eu esperava. As reverberações vibram em meus ouvidos, em cada pulso do meu corpo.

É como uma música doce.

Como uma pequena vitória.

Porque, dessa vez, o sangue não é de Adam.

Quarenta

Warner está caído.

Eu, de pé e fugindo com sua arma.

Preciso encontrar Adam. Preciso roubar um carro. Preciso encontrar James e Kenji. Preciso aprender a dirigir. Preciso nos levar a um lugar seguro. Preciso fazer tudo exatamente nessa ordem.

Adam não pode estar morto.

Adam não está morto.

Adam não vai estar morto.

Meus pés batem na calçada em um ritmo constante, minha blusa e meu rosto sujos de sangue, as mãos ainda tremendo levemente sob o pôr do sol. Uma leve brisa me chicoteia, lançando-me para fora da realidade insana na qual pareço estar nadando. Respiro fundo, aperto os olhos em direção ao céu e me dou conta de que não tenho muito tempo antes de a luz do dia chegar ao fim. Pelo menos as ruas foram evacuadas há muito tempo. Mesmo assim, não tenho a menor ideia de onde os homens de Warner podem estar.

Imagino se Warner também tem o sérum rastreador. Imagino se seus homens saberão se ele estiver morto.

Escondo-me nos cantos escuros, tento ler as ruas em busca de pistas, esforço-me para lembrar onde Adam caiu, mas minha memória é fraca demais, distraída demais; meu cérebro, instável demais para processar esse tipo de detalhe. Aquele instante horrível é um emaranhado de loucura em minha mente. Não consigo processá-lo e Adam pode estar em qualquer lugar agora. Podem ter feito qualquer coisa com ele.

Nem sei o que estou procurando.

Talvez esteja perdendo tempo.

Ouço um movimento repentino e entro em uma das ruas. Agora que atirei pela primeira vez, sinto-me mais confiante com relação a minhas mãos, mais atenta ao que esperar, de como funciona. Porém, não sei se devo me sentir feliz ou horrorizada por ter ficado tão à vontade tão rapidamente com algo tão letal.

Passos.

Encosto-me a uma parede, meus braços e pernas colados à superfície áspera. Espero estar totalmente enterrada na escuridão. E tenho curiosidade de saber se alguém já encontrou Warner.

Observo um soldado passar por mim. Ele tem rifles pendurados sobre o peito, uma arma automática menor em sua mão. Lanço um olhar para a arma em minha própria mão e percebo que não faço ideia de quantos tipos existem. Sei apenas que algumas são maiores do que outras. Algumas precisam ser recarregadas a todo momento. Outras, como a que seguro, não. Talvez Adam possa me ensinar as diferenças.

Adam.

Inspiro profundamente e me movimento do modo mais furtivo que consigo pelas ruas. Avisto um canto particularmente escuro em uma extensão da calçada à minha frente e faço um esforço para evitá-lo. Mas, conforme me aproximo, percebo não se tratar de uma sombra. É uma mancha.

O sangue de Adam.

Aperto o maxilar com força até a dor afastar os gritos. Respiro de forma agitada, breve e rápida demais. Preciso me concentrar. Preciso usar essa informação. Preciso prestar atenção.

Preciso seguir o rastro de sangue.

Quem quer que tenha arrastado Adam ainda não voltou para limpar a sujeira. Há um caminho de gotas de sangue que leva da rua principal a uma pouco iluminada. Aliás, é tão escura que tenho de me abaixar para procurar as manchas no chão. Estou perdendo o rastro para onde levam. Aqui há menos respingos. Acho que desapareceram completamente. Não sei se as manchas escuras com as quais estou me deparando são sangue ou chiclete velho jogado no chão ou gotas de vida extraídas da carne de outra pessoa. O rastro de Adam desapareceu.

Recuo alguns passos e recapitulo meu caminho.

Tenho de fazer isso três vezes antes de perceber que devem tê-lo levado para dentro de algum dos prédios. Avisto uma velha estrutura de aço com uma porta ainda mais velha e enferrujada que parece jamais ter sido aberta. Parece não ser usada há anos. Não vejo nenhuma outra opção.

Mexo na fechadura. Está trancada.

Uso todo o peso do meu corpo para arrombá-la, para abri-la, mas só consigo me ferir. Poderia ter atirado como já vi Adam fazer, mas não sei se minha pontaria ou habilidade com esse revólver seriam suficientes, tampouco sei se posso me dar ao luxo de fazer barulho. Não posso permitir que ninguém perceba minha presença.

Esse prédio deve ter outra entrada.

Esse prédio não tem outra entrada.

Minha frustração só faz crescer. Meu desespero é debilitante.

Minha histeria ameaça me arrebentar e quero gritar até meus pulmões falharem. Adam está nesse prédio. Só pode estar nesse prédio.

Estou parada bem em frente ao prédio e não consigo entrar. Isso não pode estar acontecendo.

Aperto os punhos, tento afastar a loucura fútil me envolvendo, mas me sinto insana. Selvagem. Descontrolada. A adrenalina está baixando, meu foco está sumindo, o sol está se pondo no horizonte e eu me lembro de James e Kenji e Adam Adam Adam ~~e as mãos de Warner em meu corpo e seus lábios em minha boca e sua língua provando meu pescoço~~ e todo o sangue

por todos os lados

por todos os lados

por todos os lados

e faço uma burrice.

Soco a porta.

Em um instante, minha mente acompanha meus músculos e me preparo para o impacto de aço na pele, pronta para sentir a agonia do estilhaçar de cada osso do meu braço direito. Mas meu punho atravessa 30 centímetros de aço como se fossem 30 centímetros de manteiga. Fico impressionada. Reúno a mesma energia volátil e chuto a porta. Uso as mãos para estilhaçar o metal, arranhando-o como um animal faria.

É incrível. Extasiante. Completamente feroz.

Deve ter sido assim que arrebentei o concreto da câmara de tortura de Warner. O que significa que ainda não tenho a menor ideia de como arrebentei o concreto na câmara de tortura de Warner.

Passo pelo buraco que criei e sigo andando na escuridão. Não é difícil. Tudo aqui está banhado pela penumbra. Não há luzes, nem barulho de máquinas ou eletricidade. É só mais um depósito abandonado ao sabor das intempéries.

Analiso o chão, mas não enxergo nenhum sinal de sangue. Meu coração voa e afunda ao mesmo tempo. Preciso que ele fique bem. Preciso que esteja vivo. Adam não está morto. Não pode estar.

Ele prometeu a James que voltaria para buscá-lo.

Jamais quebraria essa promessa.

Eu me movimento primeiro devagar, com cuidado, com medo de haver algum soldado por perto, mas não demoro a perceber que não há nenhum ruído de vida nesse prédio. Decido correr.

Guardo a prudência no bolso e espero poder pegá-la quando precisar. Estou voando pelas portas, girando e girando e absorvendo cada detalhe. Esse prédio não era só um depósito. Era uma fábrica.

Máquinas velhas cobrem as paredes, esteiras aéreas encontram-se totalmente estáticas; milhares de caixas de inventários, precariamente empilhadas em montes altos. Ouço uma respiração discreta, uma tosse abafada.

Estou correndo e passando por portas duplas, em busca do barulho discreto, lutando para me concentrar até no menor dos detalhes. Aguço a audição e tento outra vez.

Uma respiração pesada, dificultosa.

Quanto mais perto chego, mais claramente consigo ouvi-lo. Só pode ser ele. Minha arma está erguida e pronta para atirar, agora meus olhos se mantêm ainda mais cuidadosos, à espera de agressores. Minhas pernas se movimentam rapidamente, tranquilamente, silenciosamente. Quase atiro em uma sombra que as caixas lançam no chão. Respiro para me recompor. Dobro mais uma esquina.

E quase entro em colapso.

Adam está pendurado pelos punhos, sem camisa, ensanguentado e com ferimentos por todo o corpo. A cabeça, inclinada; o pescoço, sem força; as pernas ensopadas de sangue, apesar do torniquete na coxa. Não sei há quanto tempo seus punhos estão aguentando o peso de todo o corpo. Fico surpresa por ele não ter deslocado um ombro. Ainda deve estar lutando para se manter vivo.

A corda em volta de seus punhos está presa a uma espécie de bastão de metal que atravessa todo o teto. Olho mais de perto e percebo que o bastão é parte de uma esteira transportadora. Adam está em uma esteira transportadora.

Esse lugar não é só uma fábrica.

É um matadouro.

Não posso me dar ao luxo de ter um ataque de histeria agora.

Preciso encontrar um jeito de tirá-lo dali, mas tenho medo de me aproximar. Meus olhos analisam o recinto, certos de que há guardas em algum lugar por aqui, soldados prontos para agir nesse tipo de emboscada. Porém, logo me dou conta de que talvez eu nunca tenha realmente sido considerada uma ameaça. Não se Warner conseguisse me arrastar com ele.

Seus homens não esperariam me encontrar aqui.

Subo na altura da esteira e Adam tenta erguer a cabeça. Preciso tomar o cuidado de não olhar suas feridas muito de perto, de não deixar minha imaginação me paralisar. Não aqui. Não agora.

– Adam...?

Ele ergue a cabeça com um golpe repentino de energia. Seus olhos me encontram; seu rosto está quase ileso; há apenas cortes e ferimentos menores. Concentrar-me no que é familiar me traz uma calma módica.

– Juliette...

– Preciso cortar isso para você descer.

– Ai, meu Deus, Juliette... Como você me encontrou? – Ele tosse. Chia. Arqueja.

– Depois explico. – Estendo a mão para tocar seu rosto. – Depois conto tudo para você. Mas primeiro tenho que achar uma faca.

– Minha calça...
– O quê?
– Dentro... – Ele engole em seco. – Dentro da minha calça.

Estendo a mão para dentro de seu bolso e ele nega com a cabeça. Ergo o olhar.

– Onde?

– Tem um bolso interno, um bolso *dentro* da calça.

Praticamente rasgo suas roupas. Encontro um pequeno bolso costurado no forro de suas calças cargo. Deslizo a mão para dentro e puxo o pequeno canivete. Um canivete *butterfly*. Já vi um assim antes.

São ilegais.

Começo a empilhar caixas perto da esteira. Subo e peço a Deus que eu esteja fazendo a coisa certa. O canivete é extremamente afiado e faz seu trabalho com rapidez. Percebo um pouco tardiamente que a corda segurando-o é a mesma que usamos para escapar.

Adam está livre. Vou descendo, fechando o canivete e enfiando-o no bolso. Não sei como tirar Adam desse lugar. Seus punhos estão em carne viva, sangrando, o corpo todo dolorido, a perna ensanguentada e baleada.

Seu corpo quase desaba no chão.

Tento segurá-lo com todo o cuidado que consigo, tento segurá-lo da melhor maneira possível para não feri-lo ainda mais. Ele não se queixa da dor, tenta com afinco esconder o fato de que está enfrentando dificuldades para respirar. Vejo-o tremendo com toda essa tortura, mas em momento algum sussurra qualquer queixa.

– Não consigo acreditar que você me encontrou – é tudo o que diz.

E sei que não devia. Sei que agora não é hora. Sei que não é o mais indicado no momento. Mas mesmo assim o beijo.

– Você não vai morrer – afirmo. – Vamos tirá-lo daqui. Vamos roubar um carro. Vamos encontrar James e Kenji. E aí vamos para algum lugar seguro.

Ele me encara.

– Beije-me outra vez – pede.

E eu o beijo.

Levamos toda uma vida para voltar à porta. Adam esteve esse tempo todo enterrado nas profundezas do prédio, e encontrar o caminho até a saída é mais difícil do que eu esperava. Ele está fazendo seu melhor, movimentando-se o mais rápido que consegue, mas não é, de forma alguma, ágil.

– Eles disseram que Warner queria me matar com as próprias mãos – explica. – Que atiraram em minha perna de propósito, só para me deixarem incapacitado. Isso daria a Warner a chance de levá-la para longe daqui e voltar para acabar comigo depois. Parece que o plano era me torturar até a morte. – Ele treme. – Disse que queria aproveitar cada momento. Que não queria se apressar com a minha morte.

Uma risada dura. Uma tosse rápida.

~~Suas mãos em meu corpo suas mãos em meu corpo suas mãos em meu corpo.~~

– Então eles o amarraram e o abandonaram aqui?

– Disseram que ninguém nunca me encontraria. Que essa construção é toda feita com concreto e aço reforçado e ninguém consegue arrombar. Warner voltaria para acabar comigo quando estivesse pronto. – Adam fica em silêncio. Olha para mim. – Meu Deus, fico tão feliz de saber que você está bem.

Ofereço-lhe um sorriso. Tento evitar que meus órgãos entrem em colapso. Espero que os buracos em minha cabeça não sejam aparentes.

Ele para ao chegar à porta. O metal agora não passa de uma bagunça enorme. Parece que um animal selvagem o atacou.

– Como foi que você...?

– Não sei – admito. Tento dar de ombros, parecer indiferente. – Eu só dei um soco.

– Você só deu um soco...

– E alguns chutes.

Ele está sorrindo e quero me afundar em lágrimas em seus braços. Tenho que me concentrar em seu rosto. Não posso deixar meus olhos digerirem o que aconteceu com seu corpo.

– Vamos – chamo-o. – Vamos fazer alguma coisa ilegal.

Mantenho Adam escondido na penumbra e corro até o limite da rua principal em busca de veículos abandonados. Precisamos percorrer três ruas laterais diferentes até finalmente encontrarmos um carro.

– Como você está? – pergunto, mas com medo de ouvir a resposta.

Seus lábios se apertam. Ele faz um gesto que parece uma afirmação com a cabeça.

– Bem.

Isso não é nada bom.

– Espere aqui.

Está tudo escuro, não há uma única lâmpada até onde a vista alcança. O que é bom. E também ruim. Isso me dá uma vantagem extra, mas também me torna extravulnerável a ataques. Preciso tomar cuidado. Vou na ponta dos pés até o carro.

Estou totalmente preparada para arrebentar um vidro, mas primeiro verifico a maçaneta. Só para ter certeza.

Está destrancada.

A chave, na ignição.

Há um saco de compras de mercado no banco traseiro.

Alguém deve ter entrado em pânico ao ouvir o alarme e o toque de recolher inesperado. Deve ter deixado tudo para trás e corrido em busca de abrigo. Inacreditável. Seria perfeito se eu tivesse alguma noção de como se faz para dirigir.

Volto em busca de Adam e ajudo-o a subir no banco do passageiro. Assim que se senta, percebo o nível de sua dor. Inclina o corpo do jeito que consegue. Sente pressão nas costelas, músculos contraindo.

– Está tudo bem – mente para mim. – Não consigo suportar mais muito tempo em pé.

Estendo a mão para o banco de trás e tento alcançar o saco de compras. Há comida de verdade ali dentro. Não aqueles cubos estranhos criados para serem colocados no Automat, mas frutas e legumes. Inclusive bananas, fruta que Warner não nos deu em momento algum.

Passo uma delas para Adam.

– Coma isso.

– Não acho que consiga comer. – Ele para, olha para a fruta em sua mão. – Isso é o que acho que é?

– Acredito que sim.

Não temos tempo para processar a impossibilidade. Descasco a banana para ele. Encorajo-o a dar uma mordida pequena. Espero que a fruta lhe faça bem. Ouvi dizer que bananas têm potássio. Espero que o ajude a se acalmar.

Tento me concentrar nos pedais sob meu pé.

– Quanto tempo acha que temos antes de Warner nos encontrar? – Adam pergunta.

Inspiro algumas lufadas de oxigênio.

– Não sei.

Silêncio.

– Como você se livrou dele?

Estou olhando na direção do para-brisa quando respondo:

– Eu atirei nele.

– Não.

Surpresa. Temor. Admiração.

Mostro a arma de Warner. Tem uma imagem gravada no punho. Adam fica impressionado.

– Então ele... morreu?

– Não sei – finalmente admito envergonhada. Baixo o olhar, estudo as ranhuras no volante. – Não posso garantir.

Demorei demais para apertar o gatilho. Era mais duro do que eu pensava. Segurar a arma era mais difícil do que eu imaginava. Warner já estava me soltando quando a bala voou na direção de seu corpo. Eu mirei no coração.

Peço a Deus que não tenha errado o alvo.

Nós dois ficamos em silêncio.

– Adam?

– Sim?

– Eu não sei dirigir.

Quarenta e um

– Você tem sorte de esse não ser manual – ele fala, tentando rir.
– Manual?
– Câmbio manual.
– O que é isso?
– Um pouco mais complicado.
Mordisco o lábio.
– Você lembra onde deixamos James e Kenji? – Não quero nem considerar a possibilidade de os dois não estarem mais lá. De terem sido descobertos ou algo assim. Não consigo suportar a ideia.
– Lembro.
Sei que está pensando exatamente a mesma coisa que eu.
– Como eu chego lá?
Adam me explica que o pedal direito é para acelerar. O esquerdo, para frear. Tenho que colocar o câmbio na posição D, de "dirigir". Uso o volante para virar. Há espelhos para ajudar a ver o que tem atrás. Não consigo acender os faróis e terei de contar com a ajuda da lua para iluminar meu caminho.

Ligo a ignição, piso no freio, puxo o câmbio. A voz de Adam é o único sistema de GPS de que preciso. Solto o freio. Piso no acelerador. Quase colido com uma parede.

É assim que finalmente voltamos ao prédio abandonado.

Acelerador. Freio. Acelerador. Freio. Acelerador demais. Freio demais. Adam não reclama, o que quase torna a situação pior. Só consigo imaginar o que meu jeito de dirigir está causando a seus ferimentos. Fico grata por pelo menos não termos morrido, ainda não.

Não sei como ninguém nos avistou até agora. E fico curiosa por saber se Warner está mesmo morto. E se tudo se transformou realmente em caos. E me pergunto se é por isso que não há soldados na cidade. Todos desapareceram.

Acho.

Quase esqueço de deixar o carro em ponto morto quando chegamos ao edifício abandonado e familiar. Adam tem que estender a mão e fazer isso por mim. Ajudo-o a se ajeitar no banco traseiro e ele me pergunta por quê.

— Porque vou colocar Kenji para dirigir e não quero que seu irmão o veja assim. Está escuro o suficiente para James não ver seu corpo. Não acho que precise vê-lo assim, com dor.

Ele assente depois de um momento infinito de silêncio.

— Obrigado.

Saio correndo na direção do prédio. Abro a porta. Mal consigo enxergar os dois na escuridão. Pisco os olhos para focar. James está dormindo com a cabeça no colo de Kenji. As bolsas estão abertas, há latas de comida jogadas no chão. Os dois estão bem.

Graças a Deus, estão bem.

Eu poderia morrer de alívio nesse momento.

Kenji segura James em seus braços, esforçando-se um pouco para suportar o peso. Seu rosto é sério, inabalado. Ele não sorri. Não diz nenhuma idiotice. Estuda meus olhos como se já soubesse, como se já entendesse por que demoramos tanto para voltar, como se houvesse só um motivo para eu estar com essa aparência infernal agora, com sangue por toda a blusa. Provavelmente também no rosto. E nas mãos.

— Como ele está?

Quase perco o controle nesse momento.

— Preciso que você dirija.

Ele respira fundo. Assente várias vezes.

— Minha perna direita ainda está boa — diz para mim, mas acho que não me importaria se não estivesse.

Precisamos chegar ao esconderijo seguro e minhas noções ao volante não vão nos levar a lugar nenhum.

Kenji ajeita James, que continua dormindo, no banco do passageiro e fico muito feliz por o menino não estar acordado agora.

Pego as bolsas e levo-as para o banco de trás. Kenji se senta no banco do motorista. Olha pelo retrovisor.

— É bom encontrá-lo vivo, Kent.

Adam quase sorri. Balança a cabeça.

— Obrigado por cuidar de James.

— Agora você confia em mim?

Um leve suspiro.

— Talvez.

— Vou aceitar esse seu talvez como resposta. — Kenji sorri. Liga o carro. — Vamos dar o fora deste inferno.

Adam está tremendo.

Seu corpo exposto agora sofre as consequências do tempo frio, das horas de tortura, do esforço para suportar tanto tempo de sofrimento. Enfio a mão nas bolsas, busco um casaco, mas só consigo encontrar camisetas e malhas. Não sei como vestir esse corpo sem causar dor.

Decido cortar as peças. Empurro o canivete *butterfly* contra algumas blusas de malha, abrindo-as, e então ajeito-as sobre o corpo de Adam como se formassem um cobertor. Ergo o olhar.

– Kenji, esse carro tem aquecedor?
– Está ligado, mas é bem ruim. Não está funcionando direito.
– Quanto tempo para chegarmos ao destino?
– Não muito.
– Já viu alguém que possa estar nos seguindo?
– Não. – Ele fica em silêncio por um instante. – É estranho. Não entendo como ninguém notou um carro praticamente voando pelas ruas depois do toque de recolher. Há algo de errado no ar.
– Eu sei.
– Não sei o motivo, mas claramente meu sérum rastreador não está funcionando. Ou eles não se importam mais, ou o sérum não está mesmo funcionando. E eu não sei por quê.

Um pequeno detalhe se acende em um canto da minha mente consciente. Examino-o.

– Você comentou que dormiu em um galpão? Na noite em que fugiu?
– Sim, por quê?
– Onde ficava esse tal galpão?

Kenji dá de ombros.

– Não sei. Em um campo enorme. Era esquisito. Tinha umas plantas bizarras ali perto. Quase comi uma coisa que parece uma fruta, mas aí percebi que tinha cheiro de bunda.

Prendo a respiração.

– Era um campo vazio? Estéril? Totalmente abandonado?
– Era.
– O campo nuclear – Adam confirma ao também se dar conta.
– Que história é essa de campo nuclear? – Kenji fica curioso.

Reservo um momento para explicar.

– Puta merda! – Kenji agarra com força o volante. – Então eu poderia ter morrido? E não morri?

Ignoro-o.

– Mas então, como foi que eles nos encontraram? Como descobriram onde era a sua casa?

– Não sei. – Adam suspira. Fecha os olhos. – Talvez Kenji esteja mentindo para nós.

– Qual é, cara? Pare com essa história...

– Ou... – Adam o interrompe – talvez tenham comprado Benny.

– Não – solto.

– É uma possibilidade.

Ficamos em silêncio por um bom tempo. Tento olhar pela janela, mas é quase inútil. O céu noturno é um barril de piche sufocando o mundo à nossa volta.

Viro-me para Adam e o encontro com a cabeça inclinada para trás, punhos cerrados, lábios quase brancos na escuridão. Aperto as blusas um pouco mais em volta de seu corpo. Ele sufoca um tremor.

– Adam... – Afasto uma mecha de cabelos de sua testa.

Seus cabelos cresceram muito, e agora percebo que nunca dei muita atenção a eles. Estavam bem curtinhos quando ele entrou na minha cela. Eu jamais teria pensado que seus cabelos escuros seriam tão macios. Como chocolate derretido. E me pergunto quando ele parou de cortá-los.

Adam relaxa o maxilar. Abre os lábios. Mente repetidas e repetidas vezes para mim.

– Eu estou bem.

– Kenji...

– Cinco minutos, prometo... Estou tentando acelerar essa coisa...

Toco o punho de Adam, deslizo a ponta dos dedos por sua pele macia. Os ferimentos ensanguentados. Beijo a palma de sua mão. Ele arqueja.

— Você vai ficar bem — reconforto-o.

Seus olhos continuam fechados. Ele tenta assentir.

— Por que vocês não me contaram que estavam juntos? — Kenji pergunta, de forma totalmente inesperada. Sua voz é tranquila, neutra.

— O quê?

Agora não é hora de enrubescer.

Kenji suspira. Vejo rapidamente seus olhos no retrovisor. O inchaço já quase desapareceu. Seu rosto está se curando.

— Eu devia estar cego para não perceber algo assim. Quer dizer, caramba, o jeito que ele olha para você... É como se esse cara nunca tivesse visto uma mulher na vida. É como se colocassem comida na frente de alguém faminto e dissessem que ele não pode comer.

Os olhos de Adam se abrem violentamente. Tento ler sua expressão, mas ele se recusa a olhar para mim.

— Não tivemos a oportunidade de conversar sobre o assunto — Adam responde. Sua voz é menos do que um sussurro. Seus níveis de energia estão caindo rápido demais. Não quero que ele fale nada. Precisa conservar sua força.

— Espere... você está falando com ela ou comigo? — Kenji olha outra vez para nós.

— Podemos conversar sobre isso mais tarde... — tento pedir, mas Adam nega com a cabeça.

— Eu contei a James sem falar com você. Eu fiz uma... suposição. — Fica em silêncio por um instante. — Não devia ter feito isso. Você deveria ter tido uma escolha. Sempre deveria poder escolher. E é sua escolha querer ou não ficar comigo.

— Ei, então, vou fingir que não consigo mais ouvir vocês dois, está bem? — Kenji faz um movimento aleatório com a mão. — Continuem nesse momento que é só de vocês.

Contudo, estou ocupada demais estudando os olhos de Adam, seus lábios macios, tão macios. A testa franzida.

Aproximo-me de seu ouvido, baixo a voz. Sussurro as palavras para que só ele possa me ouvir.

— Você vai melhorar — garanto. — E, quando estiver melhor, vou mostrar a você exatamente qual escolha eu fiz. Vou memorizar cada centímetro do seu corpo com meus lábios.

Ele suspira subitamente, tremulamente, irregularmente. Engole com dificuldade.

Seu olhar faz minha pele arder. Adam parece quase febril e eu me pergunto se estou piorando a situação.

Tento me afastar, mas ele me impede. Descansa a mão em minha coxa.

— Não fique longe de mim — pede. — Seu toque é a única coisa que me impede de perder a sanidade.

Quarenta e dois

— Chegamos, e já é noite. Então, de acordo com meus cálculos, é possível que não tenhamos cometido nenhuma burrada.

Kenji estaciona o carro. Estamos outra vez no subsolo, em uma espécie de garagem bem planejada. Em um minuto, estamos acima do solo; no próximo, já descemos outra vez. É quase impossível enxergar qualquer coisa na escuridão. Kenji estava falando a verdade sobre esse esconderijo.

Passei os últimos minutos ocupada tentando manter Adam acordado. Seu corpo luta contra a exaustão, a perda de sangue, a fome, um milhão de tipos diferentes de dor. Sinto-me tão inútil.

— Adam tem que ir direto para a ala médica — Kenji anuncia.

— Tem uma ala médica aqui? — Meu coração salta de parapente em um dia de primavera.

Kenji sorri.

— Tem de tudo aqui. Você vai surtar quando descobrir! — Ele toca um interruptor no teto. Uma luz fraca ilumina nosso velho sedã. Kenji passa pela porta. — Espere aqui... Vou pedir para alguém trazer uma maca.

— E James?

— Ah... — Os lábios de Kenji dobram em um sorriso. — Ele, é... Ele vai dormir um pouco mais.

— O que você quer dizer com isso?

Ele pigarreia. Uma vez. Duas vezes. Passa a mão na blusa para tentar desamarrotá-la.

— Eu, é... posso ou não ter dado uma coisinha para ele... para diminuir as dores dessa jornada.

— Você deu *sonífero* para um menino de dez anos?

Sinto medo de perder o controle e quebrar o pescoço dessa criatura.

— Você preferiria que ele estivesse acordado para enfrentar tudo o que passamos?

— Adam vai matar você.

Kenji olha para as pálpebras caídas de Adam.

— É, bem... Acho que tenho sorte por ele não ser capaz de me matar esta noite. — Hesita. Abaixa-se no carro para passar os dedos nos cabelos de James. Abre um pequeno sorriso. — Esse menino é um santo. Vai estar perfeito quando amanhecer.

— Não consigo *acreditar* em você...

— Ei, ei! — Kenji ergue as mãos. — Confie em mim. Ele vai ficar superbem. Eu só não quis que ele ficasse mais traumatizado do que o necessário. — Encolhe os ombros. — Porra, talvez Adam até concorde comigo.

— Eu vou matar você. — A voz de Adam é um sussurro leve.

Kenji dá risada.

— Fique calmo, irmão, ou vou pensar que você está falando sério.

Kenji sai andando.

Eu cuido de Adam, encorajo-o a se manter acordado. Digo que está quase seguro. Toco meus lábios em sua testa. Estudo cada sombra, cada contorno, cada corte e ferimento em seu rosto. Seus músculos relaxam, seus traços se livram da tensão. Ele respira com um pouco mais de facilidade. Beijo seu lábio superior. Beijo o lábio inferior. Beijo a bochecha. O nariz. O queixo.

Depois disso, tudo acontece muito rápido.

Quatro pessoas correm na direção do carro. Duas mais velhas do que eu, duas mais velhas do que eles. Dois homens. Duas mulheres.

– Onde ele está? – a mulher mais velha pergunta.

Todos olham em volta, ansiosos. Será que conseguem me ver encarando-os?

Kenji abre a porta de Adam. Kenji não está mais sorrindo. Aliás, ele parece… diferente. Mais forte. Mais rápido. Até mais alto. Está no controle. Uma figura de autoridade. Esse pessoal o *conhece*.

Adam é colocado na maca e imediatamente avaliado. Todos falam ao mesmo tempo. Alguma coisa sobre fratura nas costelas. Alguma coisa sobre hemorragia. Alguma coisa sobre as vias aéreas e capacidade pulmonar *e que merda aconteceu com os pulsos dele?* Alguma coisa sobre verificar os batimentos *e há quanto tempo ele está sangrando?* O homem e a mulher mais novos olham na minha direção. Estão todos usando roupas estranhas.

Ternos estranhos. Brancos, com listras cinza nas laterais. Seria isso um uniforme médico?

Estão levando Adam.

– Esperem… – Saio tropeçando do carro. – Esperem, eu quero ir com ele.

– Agora não. – Kenji me faz parar. Tenta me acalmar. – Você não pode estar com ele enquanto eles fazem o que tem de ser feito. Agora não.

– O que você quer dizer com isso? O que vão fazer com ele?

O mundo entra e sai de foco, tons de cinza acendendo como frames empolados, movimentos partidos. De repente, nada faz sentido. De repente, tudo me confunde. De repente, minha cabeça é um pedaço de calçada sendo pisoteado até a morte. Não sei onde estamos. Não sei quem Kenji é. Kenji era amigo de Adam. Adam o conhece. Adam. Meu Adam. Adam, que está sendo levado para longe de mim e não posso acompanhá-lo e quero acompanhá-lo mas eles não me deixam acompanhá-lo e eu não sei o motivo disso...

— Eles vão ajudá-lo... *Juliette*... preciso que mantenha o foco. Você não pode se entregar agora. Sei que foi um dia insano... mas preciso que fique calma. — Sua voz. Tão estável. Tão subitamente articulada.

— Quem é *você*...? — Começo a entrar em pânico. Quero pegar James e correr, mas não posso. Ele fez alguma coisa com James e, mesmo se eu soubesse como acordá-lo, não posso tocá-lo. Quero arrancar minhas unhas. — *Quem é você...*

Kenji suspira.

— Você está com fome, está exausta. Está processando o choque e um milhão de outras emoções agora. Seja lógica. Eu não vou fazer mal nenhum a vocês. Estão em um lugar seguro agora. Adam está em um lugar seguro. James também.

— Eu quero ficar com ele... Quero ver o que vão fazer com ele...

— Não posso deixar.

— Por que está fazendo isso comigo? Por que me trouxe aqui...? — Meus olhos estão arregalados, apontando em todas as direções. Estou girando, presa no meio do oceano da minha própria imaginação, e não sei nadar. — O que você quer de mim?

Kenji olha para baixo. Passa a mão pela testa. Leva a mão ao bolso.

— Francamente, pensei que eu não fosse precisar fazer isso.

Acho que estou gritando.

Quarenta e três

Quando acordo, sou uma escada velha, rangendo.

Alguém me deu banho. Minha pele parece cetim. Meus cílios são leves; os cabelos estão penteados, sem nós, brilham na luz artificial, um rio chocolate curvando-se na encosta clara de minha pele, ondas leves formando cascatas na clavícula. Minhas articulações doem; meus olhos queimam com a exaustão insaciável. Meu corpo está nu, protegido por um pesado lençol. Nunca me senti mais imaculada.

Mesmo assim, estou cansada demais para me importar com isso.

Meus olhos sonolentos fazem um inventário do espaço no qual me encontro, mas não há muito em que pensar. Estou deitada na cama. Há quatro paredes. Uma porta. Uma mesinha ao meu lado. Um copo de água sobre a mesa. Lâmpadas fluorescentes zumbindo no teto. Tudo é branco.

Tudo aquilo que já conheci na vida está mudando.

Estendo a mão para pegar o copo de água e a porta se abre. Puxo o lençol o mais alto que ele consegue chegar.

– Como está se sentindo?

É um homem alto, de óculos de plástico. Armação preta. Usa uma malha simples. Calças bem passadas. Seus cabelos loiro-escuros caem sobre os óculos.

Está segurando uma prancheta.

– Quem é você?

Ele segura uma cadeira que não notei existir em um canto. Empurra-a para a frente. Senta-se ao lado da minha cama.

– Está sentindo alguma vertigem? Desorientada?

– Onde está Adam?

Ele segura uma caneta encostada a uma folha de papel. Está anotando alguma coisa.

– Seu sobrenome é com dois *Rs*? Ou só um?

– O que você fez com James? Onde está Kenji?

Ele para. Ergue o olhar. Não deve ter mais de trinta anos. Um nariz adunco. Um dia sem fazer a barba.

– Posso pelo menos ter certeza de que você está bem? Depois respondo às suas perguntas. Prometo. Deixe-me só realizar o protocolo básico.

Pisco.

Como me sinto. Não sei.

Se tive algum sonho. Acho que não.

Se sei onde estou. Não.

Se acho que estou em um lugar seguro. Não sei.

Se lembro o que aconteceu. Sim.

Qual é a minha idade. Dezessete.

A cor dos meus olhos. Não sei.

– Não sabe? – Baixa a caneta. Tira os óculos. – Você consegue lembrar exatamente o que aconteceu ontem, mas não sabe qual é a cor dos seus próprios olhos?

– Acho que são verdes. Ou azuis. Não tenho certeza. Que importância tem isso?

– Quero ter certeza de que você é capaz de se reconhecer. De que não perdeu de vista quem realmente é.

– Mas eu nunca soube a cor real dos meus olhos. Só me olhei no espelho uma vez nos últimos três anos.

O desconhecido me encara, seus olhos em um espasmo de preocupação. Finalmente tenho de desviar o rosto.

– Como você tocou em mim? – pergunto.

– Perdão?

– Meu corpo. Minha pele. Estou tão... limpa.

– Ah. – Ele mordisca o polegar. Anota alguma coisa no papel. – Certo. Bem, você estava coberta de sangue e feridas quando chegou e tinha também alguns hematomas e cortes. Não queríamos correr o risco de uma infecção. Desculpe pela intrusão, mas não podemos deixar ninguém trazer o tipo de bactéria que existe lá fora aqui para dentro. Tivemos de fazer uma desintoxicação superficial.

– Até aí, tudo bem, eu entendo – apresso-me em dizer. – Mas *como*?

– O que quer dizer?

– Como você conseguiu me tocar?

Ele certamente sabe. Como não saberia? Ai, meu Deus, espero que saiba.

– Ah... – Assente, distraído pelas palavras que anota na prancheta. Aperta os olhos para ler o que está escrito na folha de papel. – Látex.

– O quê?

– Látex. – Ergue o olhar por um instante, percebe minha confusão. – Luvas.

– Entendi. – Claro. Luvas. Até Warner usava luvas antes de descobrir.

~~Antes de descobrir. Antes de descobrir. Antes de descobrir.~~

Revivo aquele momento várias e várias vezes na minha mente. A fração de segundo em excesso que demorei para pular da janela. O momento de hesitação que mudou tudo. O instante em que perdi todo e qualquer controle. Todo e qualquer poder. Todo e qualquer ponto de dominação. Warner nunca vai parar até me encontrar, e tudo isso é culpa minha.

Preciso saber se ele morreu.

Tenho de me forçar a ficar parada. Tenho de me forçar a não tremer, ter arrepios ou vomitar. Preciso mudar de assunto.

– Onde estão minhas roupas?

Tateio o lençol de cetim branco e perfeito que esconde meus ossos.

– Foram destruídas pelo mesmo motivo que a levou a ser higienizada. – Ele baixa outra vez os óculos sobre os olhos. – Temos uma roupa especial para você. E acho que vai facilitar muito sua vida.

– Uma roupa especial?

Ergo o olhar. Fico boquiaberta, surpresa.

– Sim. Falaremos sobre isso mais tarde. – Ele fica em silêncio. Sorri. Percebo uma covinha em seu queixo. – Você não vai me atacar como atacou Kenji, vai?

– Eu ataquei Kenji? – pergunto constrangida.

– Só um pouquinho. – Ele dá de ombros. – Pelo menos agora sabemos que Kenji não é imune ao seu toque.

– Eu *toquei* nele? – Sento-me totalmente ereta e quase me esqueço de puxar o lençol comigo. Estou queimando da cabeça aos pés, enrubescendo até o pescoço, agarrando o lençol como se fosse uma boia salva-vidas. – Desculpe, de verdade...

— Tenho certeza de que ele vai aceitar seu pedido de desculpas. — Loiro estuda suas notas religiosamente, de repente fascinado por sua própria caligrafia. — Mas ele está bem. Temos visto alguns casos de tendências destrutivas. Você passou por uma semana terrível.

— Você é psicólogo?

— Mais ou menos — responde, afastando os cabelos da testa.

— Mais ou menos?

Ele ri. Fica em silêncio, brinca com a caneta entre os dedos.

— Sim, para todos os fins, sou psicólogo. Às vezes.

— O que quer dizer com isso?

Ele abre a boca. Fecha-a. Parece considerar a ideia de me responder, mas, em vez disso, me examina. Ele me encara por tanto tempo que sinto meu rosto esquentar. Começa a escrever furiosamente.

— O que eu estou fazendo aqui? — questiono.

— Está se recuperando.

— Há quanto tempo estou aqui?

— Passou quase catorze horas dormindo depois que demos um sedativo bem forte a você. — Olha o relógio. — Parece estar se saindo muito bem. — Hesita. — Você está com uma aparência ótima, na verdade. Impressionante.

Tenho um punhado de palavras emaranhadas em minha boca. Um rubor iluminando o rosto.

— Onde está Adam?

Ele respira fundo. Sublinha alguma coisa em seus papéis. Seus lábios formam um sorriso.

— Onde está? — insisto.

— Está se recuperando — afirma, enfim erguendo o olhar.

— Ele está bem?

Faz que sim com a cabeça.

— Ele está bem.

Encaro-o.

– O que você quer dizer com isso?

Duas batidas na porta.

O homem loiro de óculos não se mexe. Lê mais uma vez suas notas.

– Entre – chama.

Kenji entra no quarto, hesitante num primeiro momento. Analisa-me com olhos cuidadosos. Nunca pensei que ficaria tão feliz em encontrá-lo. Porém, embora seja um alívio ver um rosto conhecido, meu estômago imediatamente se contorce em um nó de culpa, agredindo-me de dentro para fora. Tento lembrar o quanto o feri. Ele dá um passo à frente.

Minha culpa desaparece.

Analiso-o mais de perto e noto que está perfeitamente ileso. Sua perna se movimenta bem, o rosto já voltou ao normal. Os olhos não parecem mais inchados; a testa está recuperada, com a pele lisa, intocada. Kenji tinha razão.

Ele de fato tem um rosto espetacular.

Um maxilar desafiador. Sobrancelhas perfeitas. Olhos tão negros quanto os cabelos. Um corpo definido. Forte. Um pouco perigoso.

– Ei, belezinha.

– Desculpe por quase ter matado você – vou logo falando.

– Ah. – Ele parece espantado. Enfia as mãos nos bolsos. – Bem, fico contente por termos resolvido a situação. – Percebo que está usando uma camiseta destruída. Calça jeans escura. Não vejo ninguém usando jeans há muito tempo. Uniformes do exército, algodão básico e vestidos chiques são tudo o que vi nos últimos tempos.

Não consigo olhar para ele.

– Eu entrei em pânico – tento explicar.

Entrelaço e desentrelaço os dedos.

– Eu imaginei – responde, arqueando uma sobrancelha.
– Sinto muito.
– Eu sei.

Assinto com a cabeça.

– Você parece melhor.

Um sorriso lhe escapa. Ele espreguiça. Apoia o corpo na parede, cruza os braços na altura do peito, cruza as pernas na altura dos tornozelos e lança:

– Deve ser muito difícil para você.
– Perdão?
– Olhar no meu rosto. Assumir que eu estava certo. Perceber que você tomou a decisão errada. – Encolhe os ombros. – Eu entendo. Não sou um homem orgulhoso, você sabe. Estou disposto a perdoá-la.

Fico boquiaberta bem diante de Kenji, sem saber se devo rir ou jogar alguma coisa em sua direção.

– Não me faça tocá-lo.

Ele nega com a cabeça.

– É incrível como alguém pode ter uma aparência tão certa e ao mesmo tempo parecer tão errada. Kent é um filho da mãe muito sortudo.

– Com licença... – Homem Psicólogo se levanta. – Vocês dois já terminaram? – Olha para Kenji. – Pensei que você tivesse vindo aqui com um propósito.

Kenji se afasta da parede. Estica a coluna.

– Certo. Sim. Castle quer conhecê-la.

Quarenta e quatro

— Agora? — Loiro está mais confuso do que eu. — Mas eu ainda não terminei de examiná-la.

Kenji dá de ombros.

— Ele quer conhecê-la.

— Quem é Castle? — pergunto.

Os dois olham para mim. Kenji desvia o rosto. Loiro, não. Mas inclina a cabeça.

— Kenji não contou nada sobre este lugar a você?

— Não. — Fico sem palavras, incerta, olhando para Kenji, que se recusa a olhar para mim. — Ele nunca explicou nada. Só falou que conhecia alguém que tinha um lugar seguro e que ele achava que pudesse nos ajudar...

Loiro fica boquiaberto. Ri tão desesperadamente que chega a bufar. Levanta-se.

Limpa os óculos com a barra da camiseta.

— Você é mesmo um idiota — diz a Kenji. — Por que simplesmente não contou a verdade a ela?

— Ela jamais viria se eu contasse a verdade.

— Como você sabe?

— Ela quase me matou...

Meus olhos desviam do rosto de um para o rosto do outro. De cabelos loiros para cabelos escuros e outra vez de volta.

— O que está acontecendo? — exijo saber. — Eu quero ver Adam. Quero ver James. E quero umas peças de roupas...

— Você está nua? — Kenji de repente está estudando meu lençol, sem se preocupar em sequer manter a discrição.

Eu enrubesço apesar de meus esforços, envergonhada, frustrada.

— O Loiro disse que vocês destruíram minhas roupas.

— Loiro? — Ele se ofende.

— Você nunca me disse seu nome.

— Winston. Meu nome é Winston. — Não está mais sorrindo.

— Você não disse que tinha uma roupa para mim?

Ele franze a testa. Olha o relógio em seu pulso.

— Não teremos tempo de cuidar disso agora. — Suspira. — Arrume alguma coisa para ela usar temporariamente, pode ser? — Está falando com Kenji.

Kenji, que continua me encarando.

— Eu quero ver Adam.

— Adam ainda não está pronto para vê-la. — Loiro Winston enfia a caneta no bolso. — Avisaremos quando estiver pronto.

— Como querem que eu confie em vocês se não me deixam nem mesmo vê-lo? Se não me deixam ver James? Eu nem tenho meus itens mais básicos. Quero sair desta cama e preciso de alguma coisa para vestir.

— Vá buscar, Moto — Winston fala enquanto reajusta o relógio em seu pulso.

— Eu não sou seu cachorro, Loiro — Kenji esbraveja. — E já falei para não me chamar de Moto.

Winston pressiona o espaço entre os olhos.

— Sem problemas. Também posso dizer a Castle que é por culpa sua que ela não pode vê-lo agora.

Kenji murmura alguma palavra obscena. Sai andando. Quase bate a porta.

Alguns segundos se passam em um silêncio desconfortável.

Respiro fundo.

— Então, o que significa essa coisa de "Moto"?

Winston revira os olhos.

— Nada. É só um apelido... O sobrenome dele é Kishimoto. Ele fica todo nervosinho quando cortamos o sobrenome pela metade. Fica todo sensível.

— Bem, e por que você corta pela metade, então?

Ele bufa.

— Porque é muito difícil pronunciar o sobrenome inteiro.

— Isso deveria servir de desculpa?

Ele franze a testa.

— Como?

— Você ficou nervoso porque eu o chamei de Loiro, e não de Winston. Por que ele não tem o direito de ficar nervoso por você chamá-lo de Moto em vez de Kenji?

Ele sussurra alguma coisa que soa como "é diferente".

Deslizo um pouco na cama. Descanso a cabeça no travesseiro.

— Não seja hipócrita.

Quarenta e cinco

Sinto-me um palhaço com essas roupas gigantescas. Estou usando a camiseta de outra pessoa. As calças de pijama de outra pessoa. E os chinelos de outra pessoa. Kenji contou que tiveram de destruir também as roupas em minha mochila, então não tenho ideia de a quem pertencem as peças soltas em meu corpo. Estou praticamente nadando em panos.

Tento dar um nó para apertar o tecido a mais, mas Kenji me impede.

– Você vai estragar minha camiseta – resmunga.

Abaixo as mãos.

– Você me deu as *suas* roupas?

– Ué, o que você esperava? Aqui não temos vestidos sobrando perdidos por aí.

Lança um olhar para mim, como se eu devesse me sentir grata por ele estar dividindo suas roupas.

Bem, acho que é melhor do que estar nua.

– Então, quem é mesmo esse tal de Castle?

– É quem está no comando de tudo – Kenji explica. – O chefe de todo este movimento.

Meus ouvidos ficam atentos.

— *Movimento?*

Winston suspira. Parece tão tenso. Fico curiosa por saber o motivo disso.

— Se Kenji não lhe contou nada até agora, é melhor esperar para ouvir tudo da boca do próprio Castle. Aguente firme. Eu garanto que vamos responder às suas perguntas.

— Mas o que aconteceu com Adam? Onde está *James*?

— Nossa! — Winston passa a mão por seus cabelos desgrenhados. — Você não vai mesmo desistir, né?

— Ele está bem, Juliette — Kenji intervém. — Só precisa de mais um tempinho para se recuperar. Você tem que começar a confiar na gente. Ninguém aqui vai fazer mal a você, nem a Adam, nem a James. Eles dois estão bem. Está tudo sob controle.

Mas não sei se "bem" é bom o bastante.

Estamos atravessando toda uma cidade subterrânea, corredores e passagem, chão de pedra lisa, paredes ásperas deixadas intocadas. Há discos circulares no chão, acesos e lançando uma luz artificial a cada poucos passos. Noto a presença de computadores, toda uma gama de aparelhos que desconheço, portas abertas para revelar cômodos repletos de nada além de maquinário tecnológico.

— Como vocês conseguem a eletricidade necessária para manter este lugar funcionando? — Analiso mais de perto as máquinas desconhecidas, as telas acesas, o zumbido inconfundível de centenas de computadores instalados nesse mundo subterrâneo.

Kenji ajeita uma mecha fora de lugar dos meus cabelos. Dou meia-volta.

— Nós roubamos. — E sorri. Aponta para uma passagem estreita.
— Por aqui.

Pessoas novas e velhas e das mais diferentes composições corporais e etnias entram e saem dos cômodos espalhados pelos corredores. Muitos encaram, outros estão distraídos demais para notar nossa presença. Alguns usam roupas como as dos homens e mulheres que foram correndo ao nosso carro ontem à noite. É um uniforme um tanto peculiar. Parece desnecessário.

– Então... todo mundo se veste assim? – sussurro, apontando com toda a discrição possível para os desconhecidos que passam por nós.

Kenji coça a cabeça. Demora o tempo necessário para responder:

– Nem todo mundo. E não o tempo todo.

– E você? – questiono.

– Hoje não.

Decido não alimentar sua tendência a dar respostas vagas e aposto em uma pergunta mais direta:

– E então, você vai enfim me contar como ficou curado tão rápido?

– Sim – ele responde inabalado. – Vamos contar muitas coisas a você, na verdade. – Fazemos uma curva abrupta para entrar em um corredor inesperado. – Mas primeiro... – Agora Kenji hesita diante de uma porta enorme de madeira. – Castle quer conhecê-la. Ele foi um dos que a solicitaram.

– *Solicitaram...?*

– Exato. – Kenji parece desconfortável e vacilante apenas por um segundo.

– Espere... O que você quer dizer com isso?

– Quero dizer que não foi um acidente eu ter ido parar no exército, Juliette. – Ele suspira. – Não foi um acidente eu ter ido parar na porta da casa de Adam. E não era para eu ser baleado ou espancado até quase morrer, mas aconteceu. Só que não fui deixado lá por qualquer cara aleatório. – Agora quase sorri. – Eu sempre soube onde Adam morava. Era meu trabalho saber. – Uma pausa. – Todos estávamos buscando você.

Minha boca escancara.

– Vá em frente – Kenji me empurra para dentro. – Ele vai sair quando estiver pronto.

– Boa sorte – é tudo o que Winston me diz.

1 320 segundos andando pela sala antes de Castle aparecer.

Ele se movimenta metodicamente, seu rosto é uma máscara de neutralidade enquanto ele arruma os *dreadlocks* rebeldes em um rabo de cavalo e se senta na frente da sala. É magro, em boa forma, está impecavelmente vestido com um terno simples. Azul escuro. Camisa branca. Sem gravata. Não há linhas de expressão em seu rosto, mas uma faixa branca em seus cabelos e íris que confessam que já viveu pelo menos cem anos. Deve estar na faixa dos quarenta e poucos. Olho em volta.

É um espaço aberto, impressionante em sua escassez. O chão e o teto são compostos por tijolos cuidadosamente combinados. Tudo parece velho, antigo, mas de alguma maneira a tecnologia moderna mantém o ambiente com vida. Luzes artificiais iluminam as dimensões cavernosas, pequenos monitores foram acoplados às paredes de pedra. Não sei o que estou fazendo aqui. Não sei o que esperar. Não tenho a menor ideia de que tipo de pessoa Castle é, mas, depois de passar tanto tempo com Warner, estou tentando manter as esperanças de que seja alguém melhor. Nem me dou conta de que parei de respirar até ele falar:

– Espero que esteja desfrutando de sua estadia até agora.

Meu rosto se ergue violentamente para encontrar seus olhos escuros, sua voz suave, sedosa e forte. Seus olhos brilham com uma curiosidade genuína, um bocado de surpresa. Já esqueci como falar.

— Kenji disse que você queria me conhecer — é a única resposta que apresento.

— Kenji está correto. — Ele leva o tempo necessário para respirar. O tempo necessário para se ajeitar na cadeira. O tempo necessário estudando meus olhos, escolhendo suas palavras, levando dois dedos aos lábios. Parece ter dominado a concepção de tempo. Provavelmente *impaciência* não é uma palavra presente em seu vocabulário. — Eu ouvi... histórias. A seu respeito. — Sorri. — Só queria saber se eram verdadeiras.

— O que foi que você ouviu?

Ele sorri, deixando à mostra dentes tão brancos que parecem flocos de neve caindo nos vales de chocolate de seu rosto. Abre a mão. Estuda-as por um momento. Ergue o olhar.

— Você pode matar um homem usando apenas as mãos. Pode destruir mais de um metro de concreto só com a palma da mão.

Sinto como se escalasse uma montanha de ar e meus pés não parassem de deslizar. Preciso me agarrar a alguma coisa.

— É verdade? — ele quer saber.

— É mais provável que os rumores matem alguém, e não que eu mate.

Ele me estuda por tempo demais.

— Quero mostrar uma coisa a você — diz depois de um instante.

— Quero que responda às minhas perguntas. — As respostas já estão demorando demais. Não quero ser acalmada por uma falsa sensação de segurança. Não quero supor que Adam e James estão bem. Não quero confiar em ninguém até ter provas. Não posso fingir nada disso agora. Ainda não. — Quero saber se estou segura.

E quero saber se meus amigos estão bem. Tinha um menino de dez anos conosco quando chegamos e quero vê-lo. Quero ter certeza de que está bem de saúde e ileso. Caso contrário, não vou cooperar.

Seus olhos me inspecionam por alguns momentos ainda mais longos.

— Sua lealdade é revigorante para mim — fala, e com sinceridade. — Você vai se dar bem aqui.

— Meus amigos...

— Sim. Claro. — Ele se levanta da cadeira. — Me acompanhe.

Esse lugar é muito mais complexo, muito mais organizado do que eu imaginei que pudesse ser. Há centenas de caminhos diferentes para se perder, quase a mesma quantidade de salas, algumas maiores do que outras, cada uma dedicada a um propósito distinto.

— Sala de jantar — Castle diz.

— Dormitórios. — Na outra ala.

— Área de treino. — No final do corredor.

— Salas comuns. — Passando por ali.

— Os banheiros. — Nas extremidades de cada andar.

— Salas de reunião. — Do outro lado da porta.

Cada um desses espaços está cheio de pessoas, cada uma adaptada a uma rotina particular. Elas erguem os olhares quando nos veem. Algumas acenam ou sorriem alegres. Percebo que todas olham para Castle. Ele assente em resposta. Seus olhos são gentis, humildes. Seu sorriso, forte, tranquilizador.

Castle é o líder de todo esse *movimento*, foi o que Kenji disse. Essas pessoas dependem dele para algo além da sobrevivência básica. Esse lugar é mais do que um abrigo improvisado. É muito mais do que um esconderijo. Existe um objetivo maior por trás de tudo. Um propósito maior.

— Seja bem-vinda — Castle me diz, apontando com uma das mãos. — Bem-vinda ao Ponto Ômega.

Quarenta e seis

– Ponto Ômega?
– A última letra do alfabeto grego. O último desenvolvimento, o último de uma série. – Ele para à minha frente e pela primeira vez noto um ômega gravado na parte traseira de sua jaqueta. – Somos a única esperança que restou à nossa civilização.
– Mas como... com números tão pequenos... como podem esperar conseguir competir?
– Estamos em processo de construção há muito tempo, Juliette. – É a primeira vez que pronuncia meu nome. Sua voz é forte, calma, estável. – Passamos muitos anos planejando, organizando e mapeando nossa estratégia. O colapso da sociedade humana não deve ser surpresa para ninguém. Nós mesmos o provocamos. A pergunta não era *se* as coisas entrariam em colapso, era só *quando*. Era um jogo de espera. Uma questão de quem tentaria tomar o poder e como usaria esse poder. – O medo... – ele se vira para mim antes de dar meia-volta outra vez, seus passos silenciosos no chão de pedra – é um grande motivador.
– Isso é patético.
– Eu concordo. E é por isso que parte do meu trabalho consiste em reavivar os corações paralisados que perderam toda a esperança.

— Entramos em outro corredor. — E contar a vocês que quase tudo o que aprenderam sobre a situação do mundo é mentira.

Paro onde estou. Quase caio para trás.

— O que quer dizer com isso?

— Quero dizer que as coisas não chegam nem perto de estarem tão ruins quanto o Restabelecimento quer que acreditemos.

— Mas falta alimento...

— São *eles* que impedem as pessoas de terem acesso aos alimentos.

— Os animais...

— São mantidos escondidos. Geneticamente modificados. Criados em pastos secretos.

— Mas o ar... As estações... O *clima*...

— Não está tão ruim quanto nos fazem acreditar. É provável que seja nosso único problema real. Ainda assim, é um problema causado pelas manipulações perversas da Mãe Terra. Manipulações *criadas pelos homens*, mas que ainda podemos consertar.

Ele se vira para me encarar. Seu olhar firme é capaz de ativar minha concentração.

— Ainda temos uma chance de mudar as coisas. Podemos oferecer água limpa para todas as pessoas. Podemos garantir que as colheitas não sejam reguladas pelo lucro, podemos garantir que não sejam geneticamente modificadas para beneficiar os produtores. Nosso povo está morrendo porque estamos dando veneno para as pessoas se alimentarem. Os animais estão morrendo porque estamos forçando-os a comer lixo, forçando-os a viver com a sujeira que produzimos, prendendo-os, abusando deles. As plantas estão murchando porque jogamos produtos químicos na terra, produtos que as tornam prejudiciais à nossa saúde. Mas essas são coisas que podemos consertar. Eles nos alimentam com mentiras porque acreditar nelas nos torna fracos, vulneráveis, maleáveis. Dependemos dos outros para termos alimento, saúde, sustento. Isso nos debilita. Cria pessoas covardes, crianças escravas. É hora de combater.

Seus olhos brilham cheios de sentimentos, seus punhos se fecham em fervor. Suas palavras são fortes, carregadas de convicção, articuladas e significativas. Não tenho dúvida de que já seduziu muitos com essas ideias tão fantasiosas. Esperança em um futuro que parece perdido. Inspiração em meio a um mundo árido, sem nada a oferecer. É um líder natural. Um orador talentoso.

Mas tenho dificuldade de acreditar nele.

— Como pode ter certeza de que suas teorias estão certas? Tem alguma prova?

Suas mãos relaxam. Seus olhos se acalmam. Seus lábios formam um pequeno sorriso.

— É claro.

Agora quase ri.

— Qual é a graça?

Ele sacode a cabeça. Só um pouquinho.

— Acho seu ceticismo engraçado. Admiro-o, para dizer a verdade. Nunca é boa ideia acreditar em tudo que ouvimos.

Entendo o duplo sentido.

— *Touché*, senhor Castle.

Um instante de silêncio.

— A senhorita é francesa, senhorita Ferrars?

~~Talvez minha mãe seja.~~ Desvio o olhar.

— Então, cadê a prova?

— Todo este movimento é prova suficiente. Nós sobrevivemos por causa dessas verdades. Buscamos comida e mantimentos nos vários complexos de armazenamento que o Restabelecimento construiu. Encontramos seus campos, suas fazendas, seus animais. Eles têm centenas de acres dedicados a plantações. Os camponeses são escravos, trabalham sob ameaças de morte impostas sobre eles e suas famílias. O resto da sociedade ou é morto, ou separado em setores, presos para serem monitorados, cuidadosamente analisados.

Mantenho uma expressão imparcial, neutra. Ainda não sei se acredito ou não no que ele está dizendo.

— E o que você precisa que eu faça? Por que se importa com a minha presença aqui?

Ele para diante de uma parede de vidro. Aponta para a sala do outro lado. Não responde à minha pergunta.

— O seu Adam está se curando graças ao nosso povo.

Quase tropeço em minha pressa por ver Adam. Pressiono as mãos contra o vidro e observo a área bem iluminada. Ele está dormindo, com o rosto perfeito, em paz. Essa deve ser a ala médica.

— Olhe com atenção — Castle me pede. — Não há nenhuma agulha perfurando o corpo dele. Nem aparelhos para mantê-lo vivo. Ele chegou aqui com três costelas fraturadas. Pulmões fechados, quase em colapso. Uma bala na coxa. Os rins feridos, como grande parte do corpo. Pele em carne viva, punhos sangrando. Um tornozelo torcido. Perdeu mais sangue do que a maioria dos hospitais seria capaz de repor.

Meu coração está prestes a cair para fora do corpo. Quero quebrar esse vidro e embalá-lo em meus braços.

— Tem quase duzentas pessoas no Ponto Ômega — Castle me diz. — Menos de metade delas tem algum tipo de dom especial.

Impressionada, viro-me para ele, que diz bem baixinho, com todo o cuidado:

— Eu a trouxe aqui porque aqui é seu lugar. Porque você precisa saber que não está sozinha.

Quarenta e sete

Estou de queixo caído.

— Você teria um valor inestimável à nossa resistência — Castle me diz.

— Existem outros... como eu?

Fico quase sem ar.

Ele me oferece um olhar que leva solidariedade à minha alma.

— Fui o primeiro a perceber que minha aflição não podia ser só minha. Procurei outras pessoas, segui os rumores, ouvi histórias, li jornais em buscas de anormalidades no comportamento humano. Num primeiro momento, foi só uma tentativa de encontrar companhia. — Faz uma pausa. — Eu estava cansado demais dessa loucura toda. De acreditar que não era humano, que era um monstro. Mas então me dei conta de que aquilo que parecia uma fraqueza era, na verdade, um ponto forte. Percebi que juntos poderíamos fazer algo extraordinário. Algo *bom*.

Não consigo voltar a respirar. Não consigo ficar de pé. Não consigo me livrar do nó de impossibilidade formado em minha garganta.

Castle espera minha reação.

De repente, sinto-me muito nervosa.

— Qual é o seu... dom? — indago.

Seu sorriso desarma minha insegurança. Ele estende a mão. Inclina a cabeça. Ouço o rangido de uma porta se abrindo ao longe. O barulho de ar e metal; movimento. Viro-me na direção do som só para deparar com alguma coisa avançando em minha direção. Abaixo-me. Castle dá risada. Segura algo em sua mão.

Fico boquiaberta.

Ele me mostra a chave agora entre seus dedos.

— Você consegue movimentar coisas só com o poder da mente? — Nem sei onde encontrei palavras para falar.

— Tenho um nível peculiarmente avançado de psicocinese. — Ele torce o lábio em um sorriso. — Então, sim.

— Isso tem um *nome*? — Acho que estou gritando. Tento me controlar.

— Minha condição? Sim. A sua? — Pensa por um instante. — Não sei ao certo.

— E os outros... o que... eles são...?

— Você pode conhecê-los, se quiser.

— Eu... sim... eu gostaria — gaguejo, animada, outra vez com quatro anos de idade e ainda acreditando em fadas.

Congelo com o barulho repentino.

Passos no chão de pedra. Respiro uma lufada dificultosa de ar.

— Senhor... — alguém grita.

Castle se assusta. Fica paralisado. Vira-se na direção do homem que se aproxima.

— Brendan?

— Senhor! — ele dispara outra vez.

— Você traz notícias? O que encontrou?

— Estamos ouvindo coisas no rádio — Brendan explica, suas palavras carregadas de um sotaque inglês. — Nossas câmeras estão mostrando mais tanques do que o de costume patrulhando a área. Acreditamos que eles estejam se aproximando...

Barulho de energia estática. Eletricidade estática. Vozes confusas chiando por um rádio instável.

Brendan xinga baixinho.

— Senhor, desculpe...Normalmente não é tão distorcido assim... É que eu ainda não aprendi a controlar a carga direito...

— Não se preocupe. Você só precisa de um tempo de prática. Está indo tudo bem com seu treinamento?

— Muito bem, senhor. Tenho quase tudo sob meu comando. — Brendan fica um instante em silêncio. — A maior parte já está sob controle.

— Excelente. Enquanto isso, me avise se os tanques se aproximarem mais. Não fico surpreso em saber que eles estão mais vigilantes. Tente ouvir atentamente em busca de qualquer menção a um ataque. O Restabelecimento vem tentando descobrir nosso paradeiro há anos, mas agora temos alguém de valor extremo para os esforços deles, e tenho certeza de que a querem de volta. Tenho a sensação de que as coisas vão se desenrolar muito rapidamente de agora em diante.

Um instante de confusão.

— Senhor?

— Quero que conheça uma pessoa.

Silêncio.

Brendan e Castle dão a volta em um canto da sala. Aparecem em meu ângulo de visão. E tenho de fazer um esforço consciente para evitar que meu maxilar trave. Não consigo parar de encarar.

O companheiro de Castle é branco da cabeça aos pés.

Não apenas seu estranho uniforme, que é de um tom ofuscante de branco, mas sua pele é mais clara do que a minha. Até os cabelos são tão loiros que poderiam ser corretamente descritos como brancos. Seus olhos são hipnotizantes. Têm o tom mais claro de azul que já vi. Praticamente transparentes. Ele parece ter mais ou menos a minha idade.

Não parece *de verdade*.

— Brendan, esta é Juliette — Castle nos apresenta. — Ela chegou ainda ontem. Eu estava dando uma ideia geral do Ponto Ômega para ela.

Brendan abre um sorriso tão grande que quase me faz tremer. Estende a mão e quase entro em pânico antes de vê-lo franzir a testa. Então, afasta-se e diz:

— É... espere... desculpe...

E abaixa a mão. Estala os dedos, de onde voam algumas faíscas. Fico boquiaberta.

Seu corpo se contrai. Ele sorri um pouco timidamente.

— Às vezes eletrocuto as pessoas por acidente.

Alguma coisa em minha pesada armadura se desfaz. Derrete. De repente, sinto-me compreendida. Sem medo de ser quem sou. Não consigo segurar o sorriso.

— Não se preocupe — digo a ele. — Se eu apertar sua mão, posso matá-lo.

— Nossa! — Ele pisca os olhos; encara. Espera eu responder. — Está falando sério?

— Muito.

Brendan dá risada.

— Tudo bem, então. Sem tocar. — Aproxima-se, baixa a voz: — Eu tenho um probleminha com isso, acho que você entende. As meninas sempre falam de romances eletrizantes, mas nenhuma delas fica realmente feliz de ser eletrocutada, aparentemente. Sabe, é confuso, é muito confuso — diz com seu sotaque carregado. E dá de ombros.

Meu sorriso é maior do que o Oceano Pacífico. Meu coração se pega tão cheio de alívio, conforto, aceitação. Adam estava certo. Talvez as coisas possam ficar bem. Talvez eu não tenha que ser um monstro. Talvez eu de fato tenha uma escolha.

Acho que vou gostar desse lugar.

Brendan pisca um dos olhos para mim.

– É um prazer enorme conhecê-la, Juliette. A gente se vê em breve?

Confirmo com a cabeça enquanto reforço:

– Acho que sim.

– Excelente. – Brendan lança outro sorriso para mim. Em seguida, vira-se para Castle. – Eu aviso se ouvir mais alguma coisa, senhor.

– Perfeito.

E então Brendan desaparece.

Viro-me para a parede de vidro que me separa da outra metade do meu coração. Encosto a cabeça à superfície fria. Queria que ele acordasse.

– Quer dizer um oi?

Olho para Castle, que continua me estudando. Sempre me analisando. Por algum motivo, sua atenção não me deixa à vontade.

– Quero – respondo. – Quero dizer oi.

Quarenta e oito

Castle usa a chave em sua mão para abrir a porta.

— Por que a ala médica tem que permanecer trancada? – questiono.

Vira-se para mim. Não é muito alto, agora percebo.

— Se você soubesse onde encontrá-lo... será que teria esperado pacientemente do outro lado da porta?

Baixo o olhar. Não respondo. Espero não estar ruborizada.

Ele tenta me animar:

— A cura é um processo delicado. Não pode ser interrompida ou influenciada por emoções instáveis. Temos sorte de contar com dois responsáveis por curar pessoas em nossa equipe ... Na verdade, são dois grupos de gêmeos. Porém, o mais fascinante é que cada um se concentra em elementos distintos: um nos problemas físicos e outro nos mentais. Ambas as facetas precisam de cuidados, caso contrário, a cura será incompleta, fraca, insuficiente. — Ele se vira para a maçaneta da porta. — Mas acho que Adam já pode vê-la agora.

Entro no quarto e meus sentidos são quase imediatamente assaltados pelo cheiro de jasmim. Procuro flores, mas não encontro nenhuma. Fico curiosa por saber se é um perfume. Chega a ser inebriante.

— Esperarei do lado de fora — Castle me avisa.

O quarto é preenchido por uma longa fileira de camas arrumadas com simplicidade. As cerca de vinte camas estão vazias, exceto pela de Adam. Há uma porta no final do quarto, que provavelmente leva a outro espaço, mas estou nervosa demais para deixar a curiosidade se instalar agora.

Puxo uma cadeira e tento ser o mais silenciosa possível. Não quero acordá-lo. Só quero saber se está bem. Entrelaço e desentrelaço os dedos. Percebo meu coração acelerado. E sei que não devia tocá-lo, mas não consigo me conter. Coloco minha mão sobre a de Adam. Seus dedos emanam calor.

Seus olhos se mexem rapidamente. Mas não se abrem. Ele inspira uma lufada repentina e eu congelo.

Quase entro em colapso em meio às minhas lágrimas.

— O que você está *fazendo*?

Viro o pescoço ao ouvir o pânico na voz de Castle.

Solto a mão de Adam. Afasto-me da cama, olhos arregalados, preocupada.

— Como assim?

— Por que você está... você acabou de... você pode *tocá-lo*?

Nunca imaginei que veria Castle tão confuso, tão perplexo. Já perdeu a compostura, mantém um braço estendido em um esforço para me conter.

— É claro que posso to... — Paro no meio da frase. Tento me acalmar. — Kenji não contou a você?

— Esse rapaz é imune ao seu toque? — As palavras de Castle são sussurradas, espantadas.

— Sim. — Desvio o olhar dele para Adam, que continua dormindo. ~~Warner também é imune.~~

— É... *impressionante*.

— É?

— Muito! — Os olhos de Castle mostram-se tão iluminados, tão ansiosos. — Certamente não se trata de uma coincidência. Não existem coincidências em situações deste tipo. — Ele reflete por um instante, anda de um lado a outro. — Fascinante. Tantas possibilidades... tantas teorias...

Ele nem está mais falando comigo. Sua mente está acelerada demais para eu conseguir acompanhar. Respira fundo. Parece lembrar que ainda estou no quarto.

— Desculpe. Por favor, continue. As meninas vão sair em breve... elas estão ajudando James agora. Preciso reportar esta nova informação o mais rápido possível.

— Espere...

Ele ergue o olhar.

— Sim?

— Você tem teorias? — indago. — Você... você sabe por que essas coisas estão acontecendo... comigo?

— Quer dizer *conosco*? — E me oferece um sorriso cheio de bondade.

Tento não enrubescer. Consigo acenar um gesto positivo.

— Temos realizado pesquisas extensivas há anos — conta. — Acreditamos ter uma ideia muito boa.

— E? — Quase não consigo respirar.

— Se você prometer ficar no Ponto Ômega, teremos essa conversa muito em breve, prometo. Também não sei se agora seria o melhor momento — reflete, apontando para Adam.

— Ah... — Sinto minhas bochechas queimando. — Claro.

Castle se vira para sair.

— Mas você acha que Adam... — As palavras escapam rápidas demais da minha boca. — Você acha que ele também é... como nós?

Castle se vira outra vez para mim. Estuda meus olhos. Responde com cuidado:

– Acho muito possível que sim.

Fico boquiaberta.

– Peço desculpas, mas realmente preciso ir – continua. – E não quero atrapalhar o momento de vocês dois.

Quero dizer que sim, claro, sem dúvida, com certeza. Quero sorrir e acenar e dizer a ele que sem problemas. Mas tenho tantas perguntas que me sinto prestes a explodir. Quero que ele me diga tudo o que sabe.

– Sei que é muita informação para absorver de uma só vez – anuncia, já parado perto da porta. – Mas teremos muitas oportunidades de conversar. Você deve estar exausta e tenho certeza de que gostaria de dormir um pouco. As meninas vão cuidar de você, elas estão à sua espera. Aliás, serão suas novas colegas de quarto aqui, no Ponto Ômega. Certamente ficarão felizes de responder suas perguntas. – Ele segura meu ombro antes de ir. – É uma honra tê-la conosco, senhorita Ferrars. Espero que pense com carinho na ideia de se unir permanentemente a nós.

Entorpecida, aceno positivamente com a cabeça.

E ele vai embora.

"Temos realizado pesquisas extensivas há anos", ele disse. "Acreditamos que temos uma ideia muito boa", ele disse. "Teremos essa conversa muito em breve, prometo."

Pela primeira vez na vida, talvez eu finalmente entenda o que sou. Pela primeira vez, essa compreensão não parece impossível. E Adam. Adam. Volto a mim e me sento a seu lado. Aperto seus dedos. Castle pode estar errado. Talvez tudo seja de fato coincidência.

Preciso me concentrar.

Sinto curiosidade por saber se alguém teve alguma notícia de Warner recentemente.

— Juliette?

Seus olhos estão entreabertos. Ele me encara como se não tivesse certeza de que sou real.

— Adam! — Tenho de me forçar a me controlar.

Ele sorri e o esforço parece deixá-lo exausto.

— Nossa, como é bom ver você!

— Você está *bem*. — Seguro sua mão, resisto à vontade de puxá-lo em meus braços. — Você está mesmo bem.

Seu sorriso cresce no rosto.

— Estou tão cansado. Sinto que poderia passar anos dormindo.

— Não se preocupe, o efeito dos sedativos vai passar logo.

Dou meia-volta. Duas garotas com olhos verdes idênticos nos encaram. Sorriem ao mesmo tempo. Seus cabelos castanhos, longos e pesados encontram-se presos em rabos de cavalo. As duas usam maiôs prateados. Sapatilhas douradas de bailarina.

— Meu nome é Sonya — apresenta-se a garota da esquerda.

— O meu é Sara — diz sua irmã.

Não tenho ideia de como saber qual é qual.

— É um prazer enorme conhecê-la — anunciam as duas ao mesmo tempo.

— Sou Juliette — esforço-me para falar. — Também é um prazer conhecê-las.

— Adam está quase pronto para ter alta — uma delas me conta.

— Sonya é excelente em curar as pessoas — a outra acrescenta.

— Sara é melhor do que eu — garante a primeira.

— Ele deve ter alta assim que os sedativos deixarem seu corpo — explicam juntas, sorrindo.

— Ah, que ótimo... Muito obrigada!

Não sei para qual das duas olhar. A qual das duas responder. Então olho de novo para Adam, que parece se divertir com a cena.
– Onde está James? – pergunta.
Acho que é Sara quem responde:
– Está brincando com as outras crianças.
– Acabamos de levá-lo ao banheiro – complementa a outra.
– Quer vê-lo? – Agora é Sara.
– Tem outras crianças aqui? – Meus olhos estão do tamanho do meu rosto.
As duas assentem ao mesmo tempo.
– Vamos buscá-lo – falam em coro.
E desaparecem.
– As duas parecem bondosas – Adam comenta depois de um instante.
– Sim, parecem mesmo.
Na verdade, esse lugar inteiro parece cheio de bondade.

Sonya e Sara voltam com James, que parece mais feliz do que nunca, quase mais feliz do que quando se reencontrou com Adam. Está maravilhado com esse lugar. Maravilhado por estar com outras crianças, com "meninas bonitas que cuidam de mim porque são tão legais e tem tanta comida e me deram chocolate, Adam... Você alguma vez na vida comeu *chocolate*?" e porque tem uma cama grande e amanhã vai à aula com outras crianças e mal pode esperar.
– Fico muito feliz por você estar acordado – diz a Adam, praticamente pulando na cama. – Eles falaram que você ficou doente e estava descansando e agora que acordou é porque está melhor, não é? E nós estamos em um lugar seguro? Eu não lembro o que

aconteceu no caminho até aqui – admite, um pouco constrangido. – Acho que dormi.

Nesse momento, tenho a impressão de que Adam quer quebrar o pescoço de Kenji.

– Sim, estamos em um lugar seguro – Adam responde, passando a mão pelos cabelos bagunçados de seu irmão mais novo. – Está tudo bem.

James corre de volta à sala de lazer, onde as outras crianças estão. Sonya e Sara inventam uma desculpa para sair e nos dar um pouco de privacidade. Estou gostando cada vez mais dessas duas.

– Alguém já contou a você sobre este lugar? – Adam me pergunta. Ele consegue se sentar. Os lençóis escorregam, deixando seu peito exposto. A pele está perfeitamente curada, quase nem consigo ver essa imagem e pensar que é a mesma daquela que tenho em minha memória. Esqueço-me de responder à sua pergunta.

– Você não tem cicatrizes. – Toco a pele como se eu precisasse senti-la com as próprias mãos.

Ele tenta sorrir.

– As práticas médicas do pessoal aqui não são muito tradicionais.

Espantada, ergo o olhar.

– Você... sabe?

– Já conheceu Castle?

Aturdida, faço que sim.

Ele se mexe. Suspira.

– Ouvi rumores sobre este lugar durante muito tempo. Fiquei muito bom em ouvir sussurros, em grande parte porque eu mesmo queria saber mais. Mas, no exército, ouvimos coisas. Todo e qualquer tipo de ameaça inimiga. Possíveis emboscadas. Logo que me alistei, surgiu uma conversa sobre um movimento incomum no submundo. A maioria do pessoal pensou não passar de bobagem.

Eles inventavam algumas coisas ridículas para dar medo nas pessoas, então aquela ideia não podia ser real. Mas sempre tive a esperança de que houvesse alguma verdade por trás, especialmente depois que soube de você... Mantive a esperança de que conseguiríamos encontrar outros com habilidades similares. Mas não sabia a quem perguntar. Não tinha contatos, não tinha como descobrir um meio de encontrá-los. – Ele balança a cabeça. – E, durante todo esse tempo, Kenji trabalhou disfarçado.

– Ele disse que estava me procurando.

Adam assente. Ri.

– Assim como eu estava te procurando. Assim como Warner estava atrás de você.

– Não estou entendendo – murmuro. – Especialmente agora, que sei que existem outros como eu ou até mesmo mais fortes. Por que ele queria *a mim*?

– Ele a descobriu antes de Castle descobrir – Adam garante. – E teve a impressão de que a desejava há muito tempo. – Adam reclina o corpo na cama. – Warner é muita coisa, mas não é nenhum idiota. Sem dúvida sabia que havia alguma verdade nesses rumores. Porque, por mais que Castle quisesse usar as habilidades que você carrega para o bem, Warner queria manipulá-las em causa própria. Queria se tornar uma espécie de superpotência. – Ele fica em silêncio por um instante. – Warner investiu muito tempo e energia estudando-a. Não creio que quisesse deixar todo esse esforço ir para o lixo.

– Adam – sussurro.

Ele segura minha mão.

– Diga.

– Não acho que ele esteja morto.

Quarenta e nove

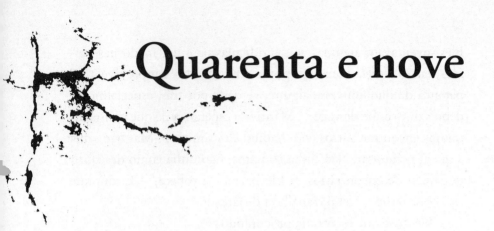

– Ele não está.
Adam vira o rosto. Franze a testa ao ouvir a voz.
– O que você está fazendo aqui?
– Nossa, que jeito de me cumprimentar, Kent. Cuidado para não ferir nenhum músculo ao me agradecer por ter salvado sua vida.
– Você mentiu para todos nós.
– De nada.
– Você sedou meu irmão de dez anos de idade!
– De nada, mesmo.
– Oi, Kenji – cumprimento.
– Minhas roupas ficaram ótimas em você.
Ele dá um passo mais para perto, sorri. Eu reviro os olhos. Adam examina minhas roupas pela primeira vez.
– Eu não tinha nenhuma outra peça para vestir – explico.
Adam assente um pouco, lentamente. Olha para Kenji.
– Você tem alguma mensagem para nós?
– Sim, tenho que mostrar onde vocês vão ficar.
– Como assim? – Adam pergunta.
Kenji sorri.
– Você e James serão meus novos colegas de quarto.

Adam xinga baixinho.

— Foi mal, irmão, mas não temos quartos suficientes para você e a Mãos Quentes aqui, para que tenham um espaço privado. — Pisca para mim. — Sem ofensas.

— Eu tenho que ir agora?

— Sim, cara. Eu quero dormir logo. Não tenho o dia todo para esperar você e seu rabo preguiçoso.

— *Rab...?*

Apresso-me para interrompê-los antes de Adam conseguir retrucar.

— O que você quer dizer com essa história de querer ir dormir? Que horas são?

— Quase dez da noite — Kenji me informa. — É difícil saber quando estamos no subsolo, mas sempre tentamos prestar atenção aos relógios. Temos monitores nos corredores e a maioria de nós procura usar relógio de pulso. Perder a noção da hora e do dia pode ferrar a gente muito rápido. E agora não é hora de se sentir tranquilo demais.

— Como você sabe que Warner não morreu? — pergunto, com apreensão.

— Acabamos de vê-lo na câmera — Kenji relata. — Ele e seus homens estão patrulhando muito pesadamente esta área. Consegui ouvir parte da conversa deles. Warner tomou um tiro.

Inspiro duramente, tento silenciar meus batimentos cardíacos. Ele continua:

— Foi por isso que tivemos sorte ontem à noite. Aparentemente os soldados foram chamados de volta à base porque *pensaram* que Warner estava morto. Parece que por um instante houve uma troca de poder. Ninguém sabia o que fazer nem quais ordens seguir. Mas aí, no fim das contas, ele não estava morto. Só bastante ferido. Seu braço estava todo enfaixado e com uma tipoia.

Adam consegue falar antes de mim:

— Quão protegido de ataques é este lugar?

Kenji dá risada.

— Protegido *pra cacete*. Nem sei como eles conseguiram chegar tão perto quanto chegaram. Mas jamais serão capazes de encontrar nossa localização exata. E, mesmo se encontrarem, nunca vão conseguir invadir o complexo. Nossa segurança é praticamente impenetrável. Além do mais, temos câmeras em todos os cantos. Podemos ver o que estão fazendo antes mesmo de planejarem fazer. Mas, no fundo, nada disso importa. Porque eles estão em busca de briga, e nós também estamos. Não temos medo de um ataque. E além disso, eles não têm ideia do que somos capazes. Treinamos para essa merda desde sempre.

— Você... — Interrompo a mim mesma. Recomeço: — Você consegue... quero dizer, você também tem um... dom?

Kenji sorri. E desaparece.

Realmente some.

Eu me levanto. Tento tocar o espaço onde ele estava ainda agora.

Kenji ressurge bem na hora de pular para longe de onde minha mão está.

— Ei! Ai! Tome cuidado... Só porque eu estou invisível não quer dizer que eu não sinta nada.

— Nossa! — Afasto-me. Tremo de constrangimento. — Desculpe.

— Você consegue ficar *invisível*? — Adam parece mais irritado do que interessado.

— Ficou impressionado, não ficou?

— Há quanto tempo você estava me espiando? — Adam estreita os olhos.

— Por todo o tempo necessário — Kenji responde com um sorriso respingando cinismo.

— Então, você é... corpóreo? — pergunto.

— Veja só você, usando essas palavras chiques! — Kenji cruza os braços. Apoia o corpo na parede.

— Quer dizer... Você não consegue, tipo, atravessar paredes e coisas assim, consegue?

Kenji bufa.

— Não. Não sou nenhum fantasma. Eu só... me misturo, acho que essa seria a melhor palavra. Consigo me misturar ao pano de fundo de qualquer espaço. Posso me adequar aos meus arredores. Levei muito tempo para descobrir isso.

— Nossa.

— Várias vezes segui Adam até a casa dele. Foi assim que descobri onde a casa ficava. E foi assim que dei conta de fugir. Porque eles não conseguiam me ver. — Ele continua falando, agora com certa amargura: — Mesmo assim, tentaram me balear, mas consegui escapar vivo, pelo menos.

— Espere aí... Mas por que você seguia Adam até a casa dele? Pensei que você estivesse atrás de *mim* — questiono.

— Sim... Bem, eu me alistei logo depois de ouvir falar sobre o grande projeto de Warner. — Kenji aponta na minha direção. — Estávamos tentando encontrar você, mas Warner tinha mais garantias de segurança e acesso a mais informações do que nós... Vínhamos enfrentando muitas dificuldades para rastreá-la. Castle pensou que seria mais fácil ter alguém lá dentro, prestando atenção em todas as loucuras que Warner andava planejando. Então, quando fiquei sabendo que Adam era o principal envolvido nesse projeto específico e que tinha uma história com você, enviei as informações a Castle. Ele me pediu para ficar de olho também em Adam, você sabe, para ver se ele não era outro louco como Warner. Queríamos ter certeza de que ele não seria uma ameaça para você ou para os nossos planos. Mas eu não tinha a menor ideia de que vocês dois fugiriam juntos. Isso bagunçou tudo.

Passamos um momento em silêncio.

— E então, até que ponto você me espiou? — Adam quer saber.

— Veja só, veja só... — Kenji inclina a cabeça. — O senhor Adam Kent subitamente se sentindo um pouco intimidado?

— Não seja idiota.

— Está escondendo alguma coisa?

— Sim. A minha arma.

— Ei! — Kenji bate as mãos. — Então, estamos prontos para ir embora daqui ou o quê?

— Eu preciso de uma calça jeans.

Kenji parece abruptamente irritado.

— Sério, Kent? Não aguento mais ouvir isso.

— Bom, se não quiser me ver pelado, sugiro que faça algo para evitar.

Kenji lança um olhar furioso na direção de Adam e se afasta, resmungando alguma coisa sobre não aguentar mais emprestar suas roupas às pessoas. Bate a porta ao sair.

— Na verdade, não estou nu — Adam me informa.

— Ah, é?

Fico boquiaberta. Ergo o rosto. Meus olhos me traem.

Ele não consegue disfarçar o sorriso. Seus dedos acariciam minha bochecha.

— Eu só queria que ele nos deixasse sozinhos um pouco.

Estou ruborizando até os ossos. Tentando encontrar algo para falar.

— Fico tão feliz por você estar bem.

Ele diz alguma coisa que não consigo entender direito.

Segura minha mão. Puxa-me para o seu lado.

Está se recostando na cama e eu também me recosto até praticamente estar em cima dele e ele está me puxando em seus braços e me beijando com um tipo novo de desespero, um tipo novo de paixão, uma necessidade ardente. Suas mãos seguram meus cabelos; seus lábios são tão suaves e urgentes contra os meus, como fogo explodindo em minha boca. Meu corpo inteiro ferve.

Adam se afasta só um pouquinho. Beija meu lábio inferior. Mordisca só por um segundo. Sua pele está cem graus mais quente do que um minuto atrás. Seus lábios tocam meu pescoço e minhas mãos viajam pela parte superior de seu corpo e me pergunto por que sinto tantos trens de carga em meu coração, por que seu peito é uma gaita quebrada. Meus dedos contornam o pássaro preso para sempre em sua pele e pela primeira vez me dou conta de que ele me deu asas. Ele me ajudou a voar e agora estou presa em movimento centrípeto, no centro de tudo. Trago seus lábios de volta junto aos meus.

— Juliette — diz. Uma respiração. Um beijo. Dez dedos provocando minha pele. — Preciso vê-la hoje à noite.

Sim.

Por favor.

Duas batidas duras na porta nos fazem voar um para longe do outro.

Kenji abre-a violentamente.

— Vocês notaram que a parede aqui é feita de vidro, não notaram? — Ele parece ter mordido a cabeça de uma cobra. — Ninguém quer ver essa cena. — Joga uma calça para Adam e assente para mim. — Venha, vou levá-la para encontrar Sonya e Sara. Elas vão prepará-la para esta noite. — E vira-se para Adam: — E nunca mais me devolva essas calças.

— E se eu não estiver com sono? — Adam pergunta descaradamente. — Não posso sair do meu quarto?

Kenji aperta os lábios. Estreita os olhos.

– Não vou usar estas palavras com frequência, mas *por favor*, Kent, não tente sair por aí escondido. Temos motivos para manter as coisas em ordem por aqui. É o único jeito de sobreviver. Então, faça um favor a todos e vista essas roupas. Você vai vê-la amanhã de manhã.

Mas o amanhecer parece estar a um milhão de anos.

Cinquenta

As gêmeas ainda estão dormindo quando alguém bate na porta. Sonya e Sara me mostraram onde fica o banheiro feminino, então pude tomar banho ontem à noite, mas continuo com as roupas gigantes de Kenji. Sinto-me um pouco ridícula enquanto percorro o caminho até a porta.

Abro-a.

Pisco.

– Oi, Winston.

Ele me olha de cima a baixo.

– Castle imaginou que você quisesse trocar de roupa.

– Trouxe algo para eu vestir?

– Sim... lembra? Fizemos algumas peças personalizadas para você.

– Ah! Nossa! Parece excelente.

Silenciosamente, deixo o quarto, seguindo Winston pelos corredores escuros. O mundo subterrâneo é quieto, seus habitantes ainda estão dormindo. Pergunto a Winston por que acordamos tão cedo.

– Imaginei que você quisesse conhecer todo mundo durante o café da manhã. Assim pode começar sua rotina regular por aqui... Até mesmo começar o seu treino. – Olha para trás. – Todos aqui temos que aprender a domar nossas habilidades da maneira mais eficaz possível. É ruim não ter controle sobre seu próprio corpo.

— Espere aí... Você também tem uma *habilidade*?

— Somos 56 com habilidades aqui. Os demais são membros das nossas famílias, filhos ou amigos próximos que nos ajudam com todas as demais atividades. Portanto, respondendo a sua pergunta, sim, sou um desses 56. E você também é.

Em meu esforço para acompanhar os passos longos, quase tropeço nos pés dele.

— Então, qual é sua habilidade?

Winston não responde. Não tenho como saber ao certo, mas acho que está ruborizado.

— Sinto muito. — Diminuo o ritmo dos meus passos. — Minha intenção não era bisbilhotar. Eu não devia ter perguntado...

— Tudo bem — ele me interrompe. — Eu só acho minha habilidade um pouco boba. — Deixa escapar uma risada curta e dura. — De todas as coisas que eu poderia fazer... — E suspira. — Pelo menos você pode fazer uma coisa *interessante*.

Paro de andar. Espantada. Horrorizada.

— Você acha que se trata de uma competição? Descobrir qual truque mágico é mais complicado? Descobrir quem é capaz de causar mais dor?

— Não foi isso que eu quis dizer...

— Não acho que seja interessante matar alguém por acidente. Não acho que seja interessante ter medo de tocar qualquer coisa que tenha vida.

Seu maxilar fica tenso.

— Eu não quis dizer isso. Eu só... só queria ser mais útil. Só isso.

Cruzo os braços.

— Você não tem que me contar se não quiser.

Ele revira os olhos. Passa a mão pelos cabelos.
– Eu só sou... eu sou muito... flexível – explica.
Preciso de um momento para processar sua confissão.
– Tipo... Você consegue se retorcer como um *pretzel*?
– Claro. Ou me alongar muito, se precisar.
Fico tão boquiaberta que talvez esteja envergonhando a mim mesma.
– Posso ver?
Ele mordisca o lábio. Ajusta os óculos. Olha de um lado e do outro do corredor vazio. E faz um braço dar a volta na cintura. Duas vezes.
Estou mais boquiaberta do que um peixe morto.
– Nossa!
– É uma coisa besta – resmunga. – E inútil.
– Está louco? – Inclino-me para olhar para ele. – É *incrível*.
Porém, seu braço já voltou ao normal e ele está outra vez andando. Tenho que correr para acompanhá-lo.
– Não seja tão duro consigo mesmo – tento dizer a ele. – Não é nada de que se envergonhar.
Contudo, Winston não está me ouvindo. E então me pergunto quando foi que me tornei uma oradora motivacional. Quando deixei de me odiar para me aceitar. Quando para mim passou a ser normal o direito de escolher o destino da minha própria vida.

Winston me guia até a sala onde o conheci. As mesmas paredes brancas. A mesma cama pequena. Porém, dessa vez Adam e Kenji me esperam lá dentro. Meu coração acelera e de repente me vejo nervosa.

Adam está acordado, sozinho em um canto e com uma aparência perfeita. Lindo. Imaculado. Não há uma única gota de sangue sobre sua pele. Ele anda para a frente com o mais leve dos desconfortos, sorri para mim sem nenhuma dificuldade. Sua pele está um pouco menos pálida do que o normal, mas positivamente radiante comparada a seu semblante na noite em que chegamos. Seu bronzeado natural destaca um par de olhos azuis do tom do céu da meia-noite.

– Juliette – me chama.

Não consigo parar de encará-lo. De me impressionar com ele. Fico espantada com como me sinto incrível por saber que está bem.

– Oi... – Consigo sorrir.

– Bom dia para você também – Kenji se intromete.

Levo um susto. Estou mais rosada do que um pôr do sol de verão, e logo grito:

– Ah, oi!

E aceno com a mão hesitante em sua direção.

Ele bufa.

– Tudo bem. Vamos resolver logo isso, pode ser? – Winston vai andando na direção de uma das paredes, que por acaso é um guarda-roupa. Há uma explosão de cores lá dentro. Ele puxa uma peça do cabide.

– Será que eu, é... posso ter um momento a sós com ela?

Winston tira os óculos. Esfrega a mão nos olhos.

– Preciso seguir um protocolo. Temos que explicar tudo...

– Eu sei. Sem problemas – Adam responde. – Pode fazer isso logo em seguida. Eu só preciso de um minuto, prometo. Na verdade, não tive a oportunidade de conversar com ela desde que chegamos aqui.

Winston franze a testa. Olha para mim. Olha para Adam. Suspira.

– Tudo bem. Mas depois voltaremos. Preciso ter certeza de que tudo serve direitinho e tenho que verificar a...

– Perfeito. Ótimo. Obrigado, cara...

E, ao dizer isso, já está empurrando todo mundo pela porta.

– Espere! – Winston abre violentamente a porta. – Pelo menos faça ela vestir as peças enquanto estamos aqui fora. Assim não desperdiçaremos todo o tempo.

Adam olha para o tecido na mão estendida de Winston, que esfrega a outra mão na testa e resmunga alguma coisa sobre as pessoas sempre perderem tempo. Adam esconde um sorrisinho, olha para mim. Encolho os ombros.

– Tudo bem – diz, segurando o terno. – Mas agora você tem que dar o fora.

E empurra os dois de volta na direção do corredor.

– Estaremos *bem aqui fora* – Kenji grita. – Tipo, a cinco segundos de distância de vocês...

Adam fecha a porta ao passar. Dá meia-volta. Seus olhos ardem na minha direção.

Não sei o que fazer para acalmar meu coração. Tento falar e fracasso.

Ele encontra sua voz primeiro.

– Eu ainda não tive uma chance de agradecer.

Desvio o olhar. Finjo que o calor não está tentando subir para o meu rosto. Belisco a mim mesma sem nenhum motivo real para isso.

Ele dá um passo adiante. Inclina o corpo para perto de mim. Segura minha mão.

– Juliette... – Olho-o nos olhos. – *Você salvou a minha vida.*

Mordo a parte interna da bochecha. Parece bobo dizer "de nada" por ter salvado a vida de alguém. Fico sem saber o que fazer.

— Só estou muito feliz por você estar bem — é tudo o que consigo expressar.

Adam está admirando meus lábios e todo o meu corpo arde. Se me beijar agora, não conseguirei fazê-lo parar. Ele respira fundo. Parece lembrar que está segurando alguma coisa.

— Ah, talvez você devesse vestir isso? — E me passa uma peça justa de tecido púrpura.

Parece minúscula. Como um macacão infantil. Pesa menos do que nada.

Lanço um olhar sem graça para Adam, que sorri.

— Experimente.

Tento mudar a expressão em meu rosto.

— Ah... — ele parece entender. Dá um salto para trás, um pouco envergonhado. — Certo... eu... Bem, eu... fico de costas...

Espero ele se virar e só então consigo expirar. Olho em volta. Parece não existir nenhum espelho nessa sala. Tiro as roupas gigantescas. Deixo cada peça cair no chão. Estou aqui, parada, completamente nua e, por um momento, petrificada demais para me mexer. Mas Adam não se vira para olhar. Não diz uma palavra sequer. Examino o tecido roxo e minúsculo. Imagino que tenha elasticidade.

E tem.

Aliás, é inesperadamente fácil de vestir... como se tivesse sido desenhado especificamente para o meu corpo. Percebo um forro embutido onde a roupa íntima deveria ficar, sustentação extra para os peitos, uma gola que vai até o pescoço, mangas que tocam os punhos, a parte inferior toca os tornozelos, um zíper mantém tudo fechado. Examino o material ultrafino. Parece que não estou usando nada. É do tom mais intenso de roxo, extremamente justo, mas não apertado. Consigo respirar, é estranhamente confortável.

— Como ficou? — Adam quer saber. Parece nervoso.

— Pode me ajudar a fechar o zíper?

Ele se vira na minha direção. Seus lábios se separam, hesitam, formam um sorriso incrível. Suas sobrancelhas tocam o céu. Estou tão enrubescida que nem sei para onde olhar. Ele dá um passo adiante e eu me viro, ansiosa demais por esconder o rosto, borboletas correndo em meu peito. Adam toca meus cabelos e percebo que caem como uma longa cortina em minhas costas. Talvez seja hora de cortá-los.

Seus dedos são cuidadosos. Ele empurra as mechas por sobre meus ombros para não se prenderem no zíper. Traça uma linha da base do pescoço até o começo da costura, descendo pela parte inferior das costas. Mal consigo me manter de pé. Minha espinha conduz eletricidade suficiente para abastecer toda uma cidade. Ele leva o tempo necessário para fechar o zíper. Desliza a mão por minha silhueta.

— Meu Deus, você está linda — é a primeira coisa que diz.

Viro-me. Vejo que está com a mão sobre a boca, tentando esconder seu sorriso, tentando impedir que mais palavras passem por seus lábios.

Toco o tecido. Chego à conclusão de que devo dizer alguma coisa.

— É muito... confortável — comento.

— Sensual.

Ergo o olhar.

Adam está balançando a cabeça.

— É muito sensual — reforça.

Dá um passo adiante, em seguida me segura em seus braços.

— Estou parecendo uma ginasta — resmungo.

— Não — ele sussurra quente, quente, quente contra meus lábios. — Está parecendo uma super-heroína.

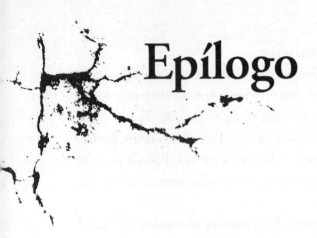

Epílogo

Ainda estou entorpecida quando Kenji e Winston entram de novo na sala.

– Então, como isso supostamente facilitaria a minha vida? – pergunto a qualquer um que possa me responder.

Mas Kenji está paralisado, me encarando sem nem sentir qualquer constrangimento. Abre a boca. Fecha. Enfia as mãos nos bolsos.

Winston se aproxima:

– É para ajudar com o problema do toque – explica. – Você não precisa se preocupar em estar coberta da cabeça aos pés de acordo essas condições meteorológicas imprevisíveis. Esse tecido foi criado para aquecer ou refrescar com base na temperatura aqui fora. É leve e respirável, então sua pele não vai sufocar. Vai evitar que você machuque alguém sem querer e, ao mesmo tempo, oferece a flexibilidade de tocar em alguém... intencionalmente também. Se em algum momento precisar.

Ele abre um sorriso. Enorme.

– De nada.

Estudo a roupa mais atentamente e percebo uma coisa:

– Mas minhas mãos e pés estão totalmente expostos. Como é que...

– Ah, droga! – Winston me interrompe. – Quase esqueci.

Corre até o guarda-roupa e pega um par de botas pretas sem saltos, da altura dos tornozelos, e um par de luvas pretas que alcançam até pouco antes do cotovelo. Entrega as peças para mim. Estudo o couro suave dos acessórios e fico impressionada com a estrutura flexível das botas. Eu poderia fazer balé e correr quilômetros com esses sapatos.

– Acho que são do seu tamanho – Winston acrescenta. – E completam a roupa.

Visto as luvas e os sapatos e fico na ponta dos pés, entregando-me à alegria de ter roupas novas. Sinto-me invencível. Pela primeira vez na vida, queria ter um espelho. Olho para Kenji e para Adam e para Winston.

– O que você acha? Está... bom?

Kenji faz um barulho estranho.

Winston olha seu relógio.

Adam não para de sorrir.

Eu e ele seguimos Kenji e Winston para fora da sala, mas Adam espera um pouco para tirar minha luva esquerda. Segura minha mão. Entrelaça nossos dedos. Abre um sorriso que consegue beijar meu coração.

E então olho em volta.

Flexiono o punho.

Toco o tecido que agora abraça minha pele.

Sinto-me incrível. Meus ossos estão rejuvenescidos; minha pele parece vibrante, saudável. Inspiro grandes lufadas de ar e sinto o sabor.

As coisas estão mudando, mas, dessa vez, não sinto medo. Dessa vez, sei quem sou. Dessa vez, fiz a escolha certa e estou lutando no time certo. Sinto-me segura. Confiante.

Até mesmo animada.

Porque, desta vez?
Estou pronta.

Agradecimentos

Meus agradecimentos infinitos vão para:

Meu marido, meu melhor amigo, meu maior fã e o único homem do mundo que entende o interior do meu cérebro. Você é a estrela mais brilhante do universo.

Meus pais, que torcem por mim a cada minuto da minha vida, que jamais duvidam de mim, que jamais me desencorajam. Vocês me inspiram todos os dias.

Meus irmãos, porque ninguém conhece nossas histórias como nós. Porque permanecemos unidos. Porque vocês sempre acreditaram em mim e eu acreditarei em vocês para sempre.

Tana e Randa, por tudo. Por cada momento, cada palavra de encorajamento, cada risada, cada memória dividida. Vocês estiveram comigo desde o começo.

Sarah, que me deu força para ser corajosa. Você segurou minha mão quando mais precisei e jamais me esquecerei disso.

Jodi Reamer, o super-humano mais incrível que já conheci. Você enche meus dias de estrelas cadentes, e um dia vou tirar a lua do céu e colocar na sua caixa de correio.

Alec Shane, que me deu a oportunidade que mudou meu mundo.

Tara Weikum, a melhor editora que uma garota poderia desejar. É um privilégio enorme trabalhar com alguém que entende tão perfeitamente minha história. Meus personagens estão em segurança com você, de um jeito que jamais estariam em nenhum outro lugar, e ainda não acredito que tive tanta sorte. Você é inacreditável e eu te adoro.

Um enorme obrigada a todos da HarperCollins e Writers House que trabalham incansavelmente nos bastidores para tornar meus sonhos realidade: Melissa Miller, por ser nada menos do que fabulosa; Christina Colangelo, Diane Naughton e Lauren Flower, por seu infinito entusiasmo e visão de marketing; e Allison Verost, minha relações públicas destemida! Obrigada também a Alison Donalty, diretora de arte e carregadora de bolsa e que sempre salva o mundo com um café: você é preciosa; Ray Shappell, o homem brilhante por trás da capa; Brenna Franzitta, cujo talento para preparação de texto vale milhões; Cecilia de la Campa, por seus incansáveis esforços em aquisição de direitos estrangeiros; e Beth Miller, por ser uma das minhas primeiras líderes de torcida.

A todos os meus primeiros leitores, incluindo Sumayyah, Bahareh e Saba, assim como aos meus amigos brilhantes do blog e do Twitter, que deixam meus dias muito mais iluminados e infinitamente mais lindos: obrigada por dividirem essa jornada comigo e por me darem a honra de ter sua amizade – espero que saibam que estou sempre torcendo por vocês!

E a cada um dos leitores que escolheram este livro: Bem... Sem vocês, onde estaríamos?

Obrigada, obrigada, obrigada!

TIPOGRAFIA ADOBE GARAMOND PRO